İHSAN OKTAY ANAR • **Puslu Kıtalar Atlası**

İHSAN OKTAY ANAR 1960 doğumlu. Lisans, master ve doktora eğitimini Ege Üniversitesi Felsefe Bölümü'nde yaptı. Halen aynı okulda öğretim üyesi. Yayımlanan diğer kitapları: *Kitab-ül Hiyel* (1996), *Efrâsiyâb'ın Hikâyeleri* (1998), *Amat* (2005), *Suskunlar* (2007), *Yedinci Gün* (2012).

İletişim Yayınları 326 • Çağdaş Türkçe Edebiyat 22
ISBN-13: 978-975-470-472-3
© 1995 İletişim Yayıncılık A. Ş.
1-47. BASKI 1995-2012, İstanbul
48. BASKI 2013, İstanbul

KAPAK Suat Aysu
UYGULAMA Hüsnü Abbas
DÜZELTİ Sait Kızılırmak
BASKI ve CİLT Sena Ofset · SERTİFİKA NO. 12064
Litros Yolu 2. Matbaacılar Sitesi B Blok 6. Kat No. 4NB 7-9-11
Topkapı 34010 İstanbul Tel: 212.613 03 21

İletişim Yayınları · SERTİFİKA NO. 10721
Binbirdirek Meydanı Sokak İletişim Han No. 7 Cağaloğlu 34122 İstanbul
Tel: 212.516 22 60-61-62 • Faks: 212.516 12 58
e-mail: iletisim@iletisim.com.tr • web: www.iletisim.com.tr

İHSAN OKTAY ANAR

Puslu Kıtalar Atlası

iletişim

N.Y. için
(Novae Fulguri)

tui lucent oculi
sicut solis radii
sicut splendor fulguris
lucem donat tenebris

"Boşluğun üzerine kuzeyi yayar
Ve hiçliğin üzerine dünyayı asar."

Eyüb 26:7

"Ey parlak yıldız, seherin oğlu, gökler-
den nasıl düştün! Sen ki, milletleri de-
virdin, nasıl yere yıkıldın! Ve kendi yüre-
ğinde derdin: Göklere çıkacağım, tah-
tımı Allah'ın yıldızları üzerinde yüksel-
teceğim ve ta kuzeyde cemaat dağın-
da oturacağım: Bulutların yüksek yerle-
ri üzerine çıkacağım, kendimi Yüce Al-
lah gibi edeceğim."

İşaya 14:12

Yeni Roman Ülkelerinde...

Mutlu yazar, azdır. Belki de yoktur. Ama mutlu okur vardır. O mutlu okurlardan birisi olduğumu duyumsarım zaman zaman. "Don Quijote"yi okumak, yeniden okumak, kimi mutlu kılmaz? "Bugün neye inandığı" sorulunca, Milan Kundera "Cervantes'e" mi demişti, "Don Quijote'ye" mi demişti?

Kemal Tahir'in çalışma masasında bir Faulkner görünce heyecanlanmıştım.

Şimdi bir gıdım Almancam varsa, "Şato"nun, "Amerika"nın, "Günlükler"in Türkçeye bir hayli geç çevrilmesinden ötürüdür. İki gıdım İngilizcem ise, Faulkner gölgesiyle, Woolf gölgesiyle, Joyce korkusuyla da.

Günün birinde İhsan Oktay Anar'ı tanıdım. Önce "Tamu"yu, sonra "Puslu Kıtalar Atlası" ile "Kitab-ül Hiyel"i okudum. Dosya olarak.

"Puslu Kıtalar Atlası" üzerine yazmadan önce, romanın bilgisayar çıktısını yeniden okudum. Kimbilir kaçıncı kez aynı duyguyu yaşıyordum: *Metnin* elyazısıyla başka, daktiloyla başka, düzelti aşamasında başka, kitaplaştığında yine başka, hatta bambaşka *duruşlarını*, Anar'ın kitabını benim bir kitabımmış gibi izledim, algıladım. Roman gittikçe *haber*leşiyordu.

Anar, önceleri bir "içerikçi yazar" gibi göründü bana. Yeni bir dil getirmek istemez gibiydi. Sonraları, tarihlerden yeni tarihler, ülkelerden yeni ülkeler, kentlerden yeni kentler, kişilerden de yeni kişiler üreten bir "râvi-yi ahbâr"ın özdili niçin böyle olmasın diye düşündüm.

"Ve sonsuz sayıda kitaptan da bir tek kitap üretmek" diye ekledim.

Bir "falnâme"de, erkek çocuğun eline mürekkep damlatılarak bakılan bir fal türüyle karşılaşmıştım. Kafamda yazılmayı bekleyen bir hikâyeye cuk oturmuştu. Yazdım. "Hikâye Sehpanın Üzerinde."

Sonra, çok benzeri bir hikâyeyi Borges'te gördüm. Benim hikâyeyi yırtıp attım. Onu bir daha anımsamamalı, anmamalıydım.

Edebiyat tarihince, kimbilir kaç yazar, bilerek ya da bilmeden Borges yordamıyla yazmıştır.

Yazmıştır da, "öyle" yazma yordamını imzalayan, Borges oldu.

Anar'ın romanlarını okuyunca, onun kaç bin tarih yapıtı okuduğunu pek merak ettim. Bu merak, tarihsel bilgi ve sezgiler'i bitiştiren, bağdaştıran, yeniden üreten romancı *Anar harcı*'nı merakla noktalandı. Artık öncesini hiç sormuyordum. Anar, özel yordamına imzayı basmıştı.

Bir okur olarak mutluydum.

Önümde yeni kişilerin yaşadığı yeni ülkeler açılıyordu.

Ve bir gıdımlık tarih okuyorsam, o alandaki okumalarımı yeni bir keyifle, hatta yeni bir bakışla sürdüreceksem, bu da Anar'ın bana verdiğidir.

Eklemeli: Tarihsel romanlar mıdır Anar'ın yapıtları? Hayır, romanlardır. Tarihsel olan'dan yeni bir roman çıkarmak, romanı da yeniden tarihselleştirmektir ama.

Romana böyle genç bir yaşta üç baba yapıtla buyurup gelen İhsan Oktay Anar'a selam olsun.

HULKİ AKTUNÇ

Kostantiniye'de
Birkaç Kişi

I

Ulema, cühela ve ehli dubara; ehli namus, ehli işret ve er-
bab-ı livata rivayet ve ilan, hikâyet ve beyan etmişlerdir ki
kun-ı Kâinattan 7079 yıl, İsa Mesih'ten 1681 ve Hicretten
dahi 1092 yıl sonra, adına Kostantiniye derler tarrakası meş-
hur bir kent vardı. Ceneviz taifesinin buraya ilk gelen ge-
milerine karanlıkta uçan bir ak martının yol gösterdiği, an-
cak salimen karaya vasıl olduktan sonra dümencileri olacak
Pundus nam kâfirin bu martıyı Mesih addederek yuvasını
arayıp bulduğu ve itikatlarınca İsa'nın etini yemek sünnet
olduğundan kuşu kızartıp yediği rivayet olurdu. Eskiler, bu
martının yuvasının bulunduğu yere Ceneviz kavminin yük-
sek bir kule diktiğini rivayet etmişlerdir ki, sonraları Gala-
ta Kulesi diye nam salmış bu heybetli yapının tepesinde, yalı
adamlarının dürbünle, yiğitlerin ise çıplak gözle, Bursa ken-
tinin ulu dağını seçtikleri söylenegelmiştir. Ne var ki bu şa-
yianın, ziyaretçilerden bahşiş koparmak hevesiyle kuledeki
yangın gözcüleri tarafından okunan bir kurt masalı olduğu

da ağızdan ağıza dolaşmıştı bir zamanlar. Beher yangın için, eğer vaktinde tespit edebilirlerse yirmi akçe ikramiye, edemezlerse yangın sönene kadar saat başı yirmi değnek ceza alan bu adamlara hazine-i humayûndan on akçe helal yevmiye verilirdi.

Mahalle bekçilerinin külhanlara sığınmak zorunda kaldığı soğuk bir kış gecesi, Galata Kulesi'ndeki yangın gözcüsü hasırlar üzerinde yatan arkadaşını elindeki Frenk dürbünüyle dürtmeye başladı ve Arap İhsan'ın kadırgasının Haliç'e girdiğini sanki büyük bir sır veriyormuş gibi adamın kulağına fısıldadı. Ancak derin uykusundan uyanır gibi olan arkadaşı bu habere pek iltifat etmemişti: Bir gözü açık, diğeri yumuluydu; biriyle hâlâ rüya görürken diğeriyle kendisini uyandıran adama bakıyor, uyku sersemi haliyle hangi gözünün gerçeği gördüğüne fazla aldırmıyordu. Battaniyesine sarınıp öte yanına döndü ama sidik zoruyla aleti sertleştiği için dalmakta zorluk çekti. Gözlerinden uyku aktığı halde doğruldu. Duvarın yanında uçkurunu çözerken bir yandan da Haliç'e, Azapkapısı önünde seyreden kadırga siluetine baktı. Forsalara tempo verip teknenin hızını tayin eden davul sesi belli belirsiz duyuluyordu. Görünüşünden onun, Arap İhsan'ın kadırgası olup olmadığını çıkarmak mümkün değildi. Fakat gözcü yine de fikrinde ısrar ediyordu: Yüzünü, kendisine inanmayan arkadaşının yüzüne yaklaştırarak alt göz kapağını parmağıyla aşağı çekip meydan okurcasına ona, bu gözün yedinci kadirdeki yıldızları bile gördüğünü, üstelik Kostantiniye'nin muhtemel yangınlarını gözetlemek bahanesiyle aslında onun kente nazarını değdirerek ahşap malzemeleri tutuşturduğunu düşünen asesbaşı tarafından görevden alınmak tehlikesine; bu yüzden maruz kaldığını söyledi. Ama adam, gözcünün kendi gördüğünden daha fazlasını görmediğine emindi. Eğer bu kadırga gerçekten o malum tekneyse, Arap İhsan'ın Karaköy önünden geçerken savurmayı âdet edindiği, gümrükçübaşının erkekliğine yönelik küfürler kuleden işitilmemiş olamazdı. Bu sıtma görmemiş ses muhakkak ki Haliç'in karşı kıyısından da rahatlıkla işitilebilirdi. Belli ki gözcünün asıl amacı, kendisini iddiaya kışkırtmak ve kesesindeki çil altınları bu kalleşçe bahiste almaktı.

Kadırga tersane iskelesine yaklaşmak üzereydi ki, omurgası dibe değdi. Ejderha başlı bir kolomborne topundan fırlayan güllenin sancak tarafında açtığı delikten dolan su tekneyi ağırlaştırmış ve su kesimini yükseltmişti. Fakat onun ağırlığını arttıran bir ikinci sebep ise, kâh bir filinta, kâh bir arkebüz namlusundan fırlayıp bordasının hemen her tarafına isabet etmiş sayısız kurşundu. Ayrıca gemi, güçlükle söndürülmüşe benzeyen birkaç yangın izi de taşıyordu. Tersaneden gelen esirlerin kadırgayı halatlarla omurgası üzerinde sürüyüp iskeleye çekmeleri oldukça zaman aldı. Çingene demirciler prangaların perçinlerini kırıp forsaları çözmeye başladıkları zaman, omuzlarında ganimet sandıklarıyla gemiden atlayan leventler karaya ayak basar basmaz toprağı öpüyorlardı. Bununla birlikte toprağı en canı gönülden öpen levent, ellisine merdiven dayamış o muhteşem külhaniydi. Gel gör ki Samatya'da çıkan yangının oradaki meyhaneleri de silip süpürdüğünü Malta'da öğrendiğinden bu yana Kocamustafapaşalı Arap İhsan'ın yüreği sızlamıyor da değildi. Çünkü geride sadece Fener ve Galata meyhaneleri kalıyordu. Gece yatacak çok sayıda külhan olmasına rağmen hemen hemen her bıçkınla kavgalı olduğu için yarenlik faslı Fener'de işlemezdi. Galata'da ise hem yatacak külhan yoktu, hem de Gülletopuk nam kalyoncuyla çıngar çıkarma tehlikesi vardı. Ama bu, yine de kafada büyütülecek mesele değildi: Galata'da yeğeninin yanında kalır, Gülletopuğa gelince, birkaç kavgadan sonra eğer hâlâ ölmediyseler, adamla er ya da geç barışırlardı.

Arap İhsan, prangalarla uğraşan çingenelerin kızgın perçinleri soğuttukları su kovası önünde durdu ve kırmızı baretasını çıkarıp aylardan beri ilk kez tatlı suyla elini yüzünü yıkamaya başladı. Kazıttığı kafasında bıraktığı bir tutam saçı büküp suyunu sıktıktan sonra gömleğini çıkarıp kurulandı. Cenk yaralarıyla dolu göğsü pösteki gibi kıllıydı ve iman tahtasının üzerindeki kıllara renk renk cam boncuklarla birkaç inci özenle düğümlenmişti. Yüzünü kurularken, aşağıya sarkıp gözlerini neredeyse örten gür kaşlarını parmağıyla sıvazlayıp düzeltti. Burun deliklerinden fışkıran iki kara yatağan misali palabıyıklarını burdu ve cenk anında hasmını olduğu yere mıhlayan o kımıltılı parıltılar gözbebeklerine yerleşti. Kuşağında, gümüşle işlenmiş ayeti kerimelerin parıldadığı murassa yatağan taşıyan bu adam, en şiddetli soğuklarda bile yalınayak dolaşıp baldırlarını açıkta bırakan diz çakşırıyla Kostantiniye'nin yedi meydanında ve yetmiş iki külhanında topuk gösterirdi. Sol kolundaki pazubentte onu arkebüz kurşununa, Tatar okuna, Rum ateşine, Venedik humbarasına, fitneci nazarına, kara ve sarı hummaya, açık deniz canavarlarına ve diş ağrısına karşı koruyacak sihirler vardı. Sert pazularından birine "ah minelaşk" ve diğerine de, "ve minelgaraib" ibarelerini dövdürmüştü. Ne var ki yirmi gün önce Magrip'e yaptıkları bir baskında aldığı bir esir, onun bu heybetine gölge düşürür gibi olmuştu. Bu esir taş çatlasa yedi yaşında gösteren sünnetsiz bir oğlandı ve yemin billah ederek adının Alibaz olduğunu söylüyordu. Malta açıklarında bir Venedik fırkateynine rastlayıp kadırganın topunu hazırlamaya giriştiklerinde, nişan almayı olanaksız kılacak bir şekilde top kundağını bozan bu çocuktu. Tokadı patlatıp, çaresiz kaçmaya başlayarak talih eseri bastıran bir sisin içine girdiklerinde, zırlamasını kesmeyip yerlerini Venediklilere belli eden yine oydu. Kovalamaca sürerken bucurgatın manivelasıyla oynayıp demiri mayna eden de, kurtulduklarında ise kaptan köşkünde yangın çıkaran ve forsalara tempo verdikleri davulu patlatan da yine bu haşarattı. Ona gözdağı vermek için bir yandan bıçaklarını bileğileyerek, derisini yüzüp davulu yamamakla korkutmuşlardı. O ise "vallahi billahi" sözlerini ağzından düşürmeden haşarılık yapmayacağına söz vermesine rağmen vaadini ancak gün batımına kadar tutabilmişti. Sonunda, vuruşma esnasında Allah yarattı demediği halde, sırf elinin ayarını bilemediği için bu kara kuru çocuğa meydan dayağı çekemeyen Arap İhsan'ın ganimetteki payı yetmişte bire indirilmiş, Mısır altınlarıyla Venedik sekinelerinin çoğu böylece gittikten sonra kendisine filuriden çok kara kuruş dolu birkaç kese ile, harita dolu bir sandık kalmıştı.

Arap İhsan ganimet sandığını almaya seğirttiğinde cinleri tepesine üşüştü: Alibaz sandığı açmış, içindeki haritaları karıştırıyordu. Fakat bu işi itinayla yaptığı pek söylenemezdi. O soğuk kış gecesi, üzerinde sadece bir entariyle, tersane iskelesinin feneri altında dürülmüş kâğıtları açarken elinde olmaksızın yırtıyor, haritalar üzerine boyanmış dağ, deniz, gemi ve canavar resimlerinden gözünün tutmadıklarını tükürüğüyle farkına varmadan siliyor, parmağına bulaşan mürekkeple de kasaba, liman ve kale isimlerini alışkanlıkla karalıyordu. Üzerinde rastgele birkaç yere haç çizip bu haritaları definecilere satmayı günlerdir kuran Arap İhsan adamakıllı çileden çıktı. Yine de yumruklarını sıkıp gazabını zaptederek, "Höt! Veledizina seni! Bırak onları bakayım!" diyebildi. Alibaz, bıraktığı intibadan memnun, karanlıkta inci gibi parlayan dişlerini gösterip sırıttı. Elindeki Güney Kıtası haritasını efendisi daha iyi görsün diye fenere doğru kaldırıp, azar azar, adeta tadını çıkara çıkara, kıymık kıymık yırtmaya başladı. Küplere binen Arap İhsan çocuğu çırpı gibi ayak bileklerinden tutup tepetaklak havaya kaldırmıştı ki, Alibaz'ın entarisinin içinden yerlere Venedik dükaları,

İspanyol kuruşları, esedi altınlar, zolota ve mangırlar dökülmeye başladı. Gemideki ganimetin her sayışta neden eksik çıktığı da böylece anlaşılmış oldu.

Sabah ezanını okumaya hazırlanan müezzinler ellerini kulaklarına götürmeye başladıklarında, Arap İhsan surlarla çevrili Galata'nın tersaneye açılan Azapkapısı önüne geldi. Ganimet sandığı omuzunda, eli ise Alibaz'ın kulağındaydı. Önceki gün yağan yağmurdan çamur deryasına dönmüş sokaklarda ilerlediler. İç Azap kapısını geçtiklerinde sabah ezanları okunmaya başlamıştı. Arap Camii yolundan çıkıp, yerçekimine meydan okuyacak kadar eğri büğrü, çekül doğrultusunu çoktan terketmiş ahşap evlerin arasındaki yılankavi sokaklara daldılar. Balçığa bata çıka ilerlerken fare ve köpek leşlerine, sivri kemikli at kafataslarına basmamaya dikkat ediyorlardı. Alibaz hayatında ilk kez geldiği bu kenti hayretle inceliyordu. Sokağın birine saptıklarında, üstünde gecelik entarisi, başında takke ve elinde ibrikle büyük aptesini yapmak için evinden çıkan yaşlı bir adamın onlara ters ters bakıp kenefe girdiğini gördü. Biraz uzaklaştıktan sonra yerden ağır bir taş alıp kenefe var gücüyle fırlatarak tahta duvarı bangırdattı. Fakat bu davranışı kulağının adamakıllı bükülmesine neden oldu. Sonunda Kürkçü kapısına yakın bir yerde, Yelkenciler hanına bitişik, iki katlı ahşap bir evin önüne geldiler. Arap İhsan kapıyı açılana kadar yumrukladı.

Bünyamin düşünde yine onları görmüştü. Demir halkalardan örülü zırh gömlekleri çoktan paslanmış yeniçeriler, ellerinde meşalelerle karanlık bir sisin içinde meçhul bir yöne ilerliyorlardı. Tolgalarının burunluklarını indirmiş ve yüzlerini demir peçelerle örtmüşlerdi. Kalkanları küflü, yatağanları ve kılınçları paslıydı. Bünyamin son günlerde sık

sık gördüğü bu düşten, sokak kapısından gelen gürültülerle uyandı. Birisi ısrarla kapıyı çalıyordu. Fakat hemen yanıbaşındaki yatakta yatan babasının uyanacağı yoktu. Bu adam birtakım nazari meseleleri çözmek için önceki geceden rüyaya yatmıştı. Esmer tenli babasına hiç benzemeyen bu kumral bıyıklı ve iri gözlü delikanlı, ne olur ne olmaz diye şiltenin altındaki yatağanı alıp merdiveni indi. Kapı hâlâ ısrarla yumruklanıyordu. Bünyamin "Kim o!" diye bağırdı. Ama dışarıdaki adam yumruklamaktan vazgeçip kapıyı bu kez tekmelemeye başladı ki, bu da ancak bir tek kişinin özelliği olabilirdi. Kapıyı açtığında, karşısında büyük dayısını gördü.

Arap İhsan delikanlının elindeki yatağana bakıp, "Ne o Bünyamin" dedi, "Elindekiyle büyük dayını mı doğrayacaksın? İlle de birini doğrayacaksan al bu veledi boğazla, beni tam üç yüz esedi altından etti. Ama dikkat et, Kıptîdir".

Kulağından tuttuğu Alibaz'ı delikanlıya doğru itti. Bünyamin afallamış, Alibaz ise hayatında belki de ilk kez korkmuştu. Herhalde kendisini gerçekten kesmek istediklerini sanıyordu. Fakat yatağanını bırakan delikanlının Arap İhsan'ın elini öptüğünü görünce içi ferahlayıverdi. Tam bu sırada merdivenlerden yukarı doğru seğirten uzun kuyruklu maymunu görünce merakı kabardı. Peşinden merdivene doğru atılacaktı ki, o mengene gibi el yine kulağına yapıştı. Arap İhsan Bünyamin'e, "Babanı uyandırma" diyordu, "Sonra çıkıp o miskine bakacağız. Önce bir leğen getir de ayaklarımızı yıkayalım".

Alibaz, Arap İhsan'ın ayaklarını yıkarken inadına serçe parmağındaki nasıra bastırıyordu. Sonunda tabanı kösele kadar sert, adeta zırhlı, orta parmağı uzunca bir çift ayak meydana çıktı. Yaptıkları onca gürültüye rağmen yukarıdaki adam hâlâ uyanmış değildi. Delikanlı mutfakta kahvaltı hazırlarken Arap İhsan tahta basamakları gıcırda gıcırdata yukarı çıktı ve belli belirsiz bir horultunun duyulduğu odaya girdi: Hem yatmak hem de çalışmak için kullanılan karmakarışık bir yerdi burası. Bu düzensiz oda türlü türlü eşyalar, usturlab, rubu tahtaları, kıblenuma, aynalı kerteriz cinsinden gökbilim ve denizcilik aletleri, mercekler, ne işe yaradığı meçhul renkli camlar, sarkaçlı ve zemberekli saatlerle doluydu. Duvarlardaki raflarda kurtların kemire kemire bitiremediği elyazmaları, parşömenler ve harita ruloları vardı. Pencere önündeki tezgâhta ise boy boy ve cins cins pergeller, renk renk mürekkepler, kalemler, fırçalar ve karalanmış kağıtlar görünüyordu. Bu keşmekeşin arasında bir yerde, şiltenin üzerinde, yorganını gırtlağına kadar çekmiş bir adam kimbilir kaçıncı uykusunu uyuyordu. Çekik gözlü, çıkık elmacık kemikli ve seyrek bıyıklı bir zat olan bu adam Bünyamin'in babasıydı. İsmi dayısınınkiyle aynıydı: Uzun boyundan ötürü ona Uzun İhsan Efendi derlerdi. Derin uykunun bir belirtisi olarak iyice açılmış ağzından sızan salya, başını koyduğu yastığı adamakıllı ıslatmıştı. Arap İhsan yeğenine uzun uzun baktı: Yumuşacık kuştüyü döşeklerde yatan bu adam sözümona Frenk kâşiflerine özenip bir mapamundi, Kaftan Kafa bir dünya haritası yapma sevdasına kapılmıştı. Ne var ki bu miskin yeğen, değil dünyanın haritasını yapmak, dünyanın onda birini bile dolaşacak tıynette biri olamazdı. O yumuşacık elleriyle bir halata asılamaz, gemide verilen kurtlu etleri ve küflü peksimetleri yiyemez, narin teni yakıcı güneşe ve tuzlu suya asla dayanamazdı. Arap İhsan belki de yanılıyorumdur diyerek uyuyan yeğeninin yorgan üzerindeki eline parmağıyla bastırdı. Hayır, yanılmıyordu. Adamın teni yumuşacıktı. Rüzgârın şişirdiği bir flok yelkenin halatını germeye kalksa, bu el kan revan içinde kalırdı. Ez kaza denize açıldığında ise yeğeninin Marmara'dan çıkamayacağı kesindi. Çünkü korsan saldırısı karşısında elleri ayakları birbirine dolaşır, asla cenk edemezdi. Üstelik korkutucu bir görünüşü de yoktu. Utanmadan bıraktığı sakalında güve yeniği gibi boşluklar vardı.

Bünyamin koltuğunun altında bir ekmek ve elinde bir çanak yoğurtla yukarı geldi. Alibaz'ın elinde ise bir bal çanağı vardı. Delikanlı büyük dayısının babasıyla konuştuğunu görünce bunu bir yorgunluk belirtisi olarak yorumladı. Arap İhsan bir yandan horlayıp bir yandan da salyalarını akıtan yeğenine şunları söylüyordu:

"Ey kör! Aç gözünü de düşlerden uyan. Simurg'u göremesen de bari küçük bir serçeyi gör. Kaf Dağına varamasan bile hiç olmazsa evinden çıkıp kırlara açıl; böcekleri, kuşları, çiçekleri ve tepeleri seyret. Bırak dünyanın haritasını yapmayı! Daha hayattayken bir taşı bir taşın üstüne koy. Gülleri ve bülbülleri göremeyip gün boyu evinde oturan adam Dünyanın kendisini hiç görebilir mi?"

Uyanıklar âlemindeki dayısı ona bunları söylerken, uyku halindeki Uzun İhsan Efendi ise düşünde muhteşem bir korsanı görüyordu. Düş, yatağanlar, kılınç şakırtıları, Rum ateşi ve naralarla dolup taştı. Yatağanı dişlerinin arasında olduğu halde bu korsan, bir gemiye rampa ediyor, topları ateşliyor, fırtınalarda dümene asılıyor ve durup dinlenmeden yıldızları sayıyordu. Bu muhteşem korsan, dayısı Arap İhsan'dı. Defalarca esir düştüğü ve yıllarca forsalık yaptığı için sırtındaki sayısız kırbaç izini ona gösteriyor ve bu kızıl izleri de dünya haritasına çizmesini öğütlüyordu. Kendi çizdiğinden farklı olarak korsanın haritası bire bir ölçekliydi: Dayısı bir haritanın içinde yaşıyor ve bundan gurur duyuyordu. Barbut oynarken zarları attığında, gelen her sayı bu adam tarafından hüsnü kabul görüyor, arkasından oklar ve kurşunlar atıldığı halde kaçarken kahkahalar atabiliyordu. Tam bu sırada Uzun İhsan Efendi'nin düşünde oğlu Bünyamin belirdi. Delikanlı engerek kadar uzun ve renkli bir maceraya atılıyordu. Kumral bıyıkları ve ölçülü yüz hatlarıyla her zamanki kadar yakışıklıydı. Derken düşü bir sis kapladı: Gerek kendisi, gerek Arap İhsan, gerekse diğerleri bu karanlık sisin içinde yitip giderlerken, Bünyamin kararlı adımlarla ilerliyor ve ışığa doğru yaklaşıyordu. Zehirli bir yılan kadar uzun maceranın bitiminde, engereğin renklerini tek tek tanıdıktan sonra yılanın kafasını eziyor ve bir masal kahramanı oluyordu. O karanlık sisin içindeki yüzlerce ve binlerce kör, yılan ölür ölmez kahramanın çevresini sarıp onun sırtını sıvazlıyor, ellerini öperek dertlerine derman bulmasını istirham ediyorlardı.

Uzun İhsan Efendi düşünde dayısının kendisine bir şeyler söylediğini işitti. Ona cevap vermek, kör olduğu için düşten başka bir şey göremediğini anlatmak istedi. Ama bir güç, konuşmasına engel oluyor, dili ağzında dönmüyordu. Fakat zihninden geçenler belliydi.

Bünyamin, babasının yatağında kıvrana kıvrana sayıkladığını farkettiğinde onu hemen uyandırdı. Arap İhsan yeğenine, eğer fazla yiyip içip rahat döşeklerde çelebi uykusu uyursa, işte böyle kâbuslar göreceğini söylerken, Alibaz, uyanan adama hayretle bakıyordu. Çünkü üç yaşına kadar afyon ruhuyla sızdırılan bu zavallı yavrucakta uykusuzluk illeti vardı ve yıllardır gözüne bir damla uyku girmiş değildi. Şimdi artık pek emin olmasa bile, esneyen ve yataklarında horlayan insanların bir tür oyun oynadıklarını elinde olmadan düşünüyordu. Oysa gece boyunca daracık bir döşekte gözünü kırpmadan uzanmak tarife gelmeyecek kadar sıkıcıydı. Ne var ki sabah olup da gece görüldüğü söylenen düşler anlatılmaya başlandığında sohbetin tadına doyum olmazdı. Kendisine, uyuyan insanların ruhunun bedenden çıkıp uzak diyarlara gittiği, orada ilginç ve tuhaf kişiler, hayvanlar ve oyuncaklarla karşılaştığı anlatıldığında uyuyanların aslında palavra sıktığından şüphelenmeye başlamış, ama bozuntuya vermemişti. Uyku nasıl bir şeydi? Hepsinden önemlisi rüya diye bir şey gerçekten var mıydı ve insanlar onu sahiden görebiliyorlar mıydı? Çok eğlenceli olduğu kesindi. Fakat o, rüya görebilmek için uyumak zorunda olduğunu da biliyor ve her gece yatsı ezanından hemen sonra er ya da geç günün birinde uyuyacağı umuduyla yatağına yollanıyordu. Onun dünyasına aşina olmayanlar, rüya göremediği için üzülen bu oyunbaz çocuğun aslında alacalı düşler kadar renkli bir âlemde yaşadığını nereden bilebilirlerdi?

II

Bünyamin'in o uğursuz parayı bulmasından çok önce Pera'da Venedik balyosunun kâtipliğini yapan Kubelik adında biri vardı. Müsveddeleri temize çekmekle görevli olan bu zatın yazısı o kadar güzeldi ki, fî tarihinde yakınlarıyla helallaşan elçi onun tarafından yazılan bir protestoyu saraya götürmüş, ama padişah sert bir dille kaleme alınan bu evrakın muhtevasından ziyade yazının güzelliğiyle, harflerdeki kuyruklar ve çengellerle ilgilendiğinden kelleyi kurtarmıştı. Gelgelelim kötü arkadaşları Kubelik'i içkiye alıştırdılar. Mumcubaşı tarafından defalarca sarhoş yakalanıp falakaya yatırılınca sakat kalma tehlikesi başgösterdi. Kırılan kaval kemiği yeni yeni kaynamaya başladığında arkadaşları ona içkiye devam ederse sakat kalacağını söylediler. Fakat onun aldırdığı yoktu. Sonunda sarhoşken yine yakalandı ve falaka faslında kaval kemiği aynı yerden yine kırıldı. Artık topal bir insandı. Şarap içmesini kesinlikle yasaklayan balyos, içkisizlikten bu zavallının ellerinin titrediğini ve doğru dürüst yazı yazamadığını görünce Kubelik'in kâtiplik görevine son verdi. Bu eski kâtip, artık elçilik binasının temizliğinden sorumluydu. Fakat yeni görevini de ihmal edip fırsat buldukça Galata meyhanelerine kaçamak yapması balyosun sabrını taşırdı. Kubelik işinden kovuldu ve kendisine Venedik'e gitmesi için tam otuz duka yolluk verildi. Fakat o, gemiye binmeden önce rıhtımdaki meyhanelerden birinde azıcık demlenmeye karar verince olan oldu. Meyhaneden çıktığında sarhoş kafayla bir esir gemisine binmiş, güvertede sızıp kalmıştı. Çekiç sesleriyle uyandığında nursuz çehreli birtakım adamların ayaklarına pranga taktıklarını farketti. Onlara Venedik sefaretinde görevli olduğunu ağlaya sızlaya anlatmaya çalıştı ama hiç kimseyi inandırmayı başaramadı. Ne var ki onun acıklı feryatları üzerine rıhtımda biriken kalabalıktan hayırsever biri durumu balyosa bildirince sefaretten gelen bir görevli olaya müdahale etti. Esir tüccarları bu işte bir dalavere olduğuna inanıyor, Venediklilerin amacının kendi dindaşlarını bedavadan salıverdirmek olduğunu düşünüyorlardı. Nuh deyip peygamber demeyen esirciler Kubelik'i esir pazarına götürüp aracılara sattılar, aracılar ise tellallara teslim ettiler. Bereket versin ki Venedik balyosu sabık kâtibini kurtarmak için mezata gelmiş, Hıristiyanların köle alması yasak olduğundan bu iş için bir Müslümanla anlaşmıştı. Kubelik kısa boylu ve son derece sıskaydı. Yüzü kir içinde, tırnakları ise uzun ve pisti. Sağlıksızlık işareti olarak teni yeşile çalıyordu. Durmadan öksürüp tıksıran bu adam üstelik topaldı. Bu haliyle onu kimse satın almazdı. Fakat balyosun bu işe gönüllü olduğunu bilen aracılar mezata adamlarını sokup fiatı durmadan yükselttiler. Sonunda balyos, Kubelik'i bin iki yüz filuriye, yani ud çalıp ustaca rakseden bakire bir çerkes dilberi fiatına satın aldı ve adamcağızın zincirleri çözülür çözülmez suratına okkalı bir tokat çarpıp, ona bir daha gözüne görünmemesini tembih etti. Eski efendisinin kendine verdiği on dukayı alan Kubelik, Venedik'e gidecek gemilere bu parayla kapağı atamadığını söylüyordu. Oysa topu topu iki barka ve bir kalyon kaptanıyla konuşmuştu. Üstelik pazarlık etse bunlardan biriyle muhakkak Kostantiniye'den gidebilirdi. Ama o böyle yapmadı. Özgürlüğünün ilk gününde meyhanedeki arkadaşları ona dostça öğütler verdiler. Kostantiniye'de artık kalamayacağını, parası tükenmeden doğruca ülkesine, yakınlarının yanına gitmesi gerektiğini, gerekirse ona borç para verebileceklerini söylediler. Ancak o, bu tavsiyeleri anlayabilecek durumda değildi, çünkü midesine indirdiği dokuz maşrapa şarap etkisini göstermiş, başı önüne düşmüştü. Gece yarısına doğru, ülkesini yâdeden bir şarkıyı ırlaya ırlaya meyhaneden çıktığında gürültüden rahatsız olan biri onun kafasına ağır bir cisim fırlattı. Kubelik, başından kanlar aktığı halde, karanlıkta el yordamıyla bu cismi arayıp buldu: Bir kerpetendi bu.

Dişçiliğe de o gecenin sabahı başladı. Elinde kerpetenle sokak sokak dolaşıyor ve zavallıları diş ağrısından kurtarıyordu. Başlangıçta ücretini düşük tutup el maharetini edindi. Külhanlarda yatıp kalkıyor, kendisine ilişmemeleri için bıçkınların, leventlerin ve kalyoncu taifesinin dişlerini bedavadan çekiyordu. Gecelerden bir gece, birkaç yeniçeri onu kıskıvrak yakaladı ve doğruca mumcubaşının huzuruna çıkarıldı. Rastladığı sarhoşları falakaya yatırmakla görevli olan bu adam, neredeyse bir öküzü yere devirecek kadar şiddetli bir diş ağrısı çekiyordu ve adamlarına erişebilecekleri ilk dişçiyi vakit geçirmeden getirmelerini buyurmuştu. Omuzları çökük ve pısırık görünüşlü bu adama: "Ee! Ne duruyorsun? Çek şu dişi!" diye bağırdı. Gel gör ki Kubelik istifini bozmuyor, kerpetenine bir türlü davranmıyordu. Mumcubaşı tekrar, "Bre zındık! Gel çek şu dişi. Biraz daha beklersen boynunu vururum!" diye gürledi. Kubelik hâlâ isteksiz görünüyordu, belki de kendisini topal bırakan bu adamın acı çekmesini seyretmek hoşuna gitmişti. Mumcubaşıya, "Ücretimi peşin ver öyleyse, tam elli filuri" dedi. Beriki ise köpürerek, "Zındık seni! Yarım akçelik iş için elli filuri istenir mi? Ne dediğini biliyor musun sen?" diye bağırınca o, "Öyleyse başka birini bul" dedi ve kapıya doğru yürüdü. Ama dışarı çıkmak üzereyken, zalim adamın bir işaretiyle yeniçeriler onu durdurdu.

Artık, bir müteşebbis için hiç de azımsanmayacak bir sermayeye sahip olan Kubelik gerekli yerlere toplam otuz filuri dağıtıp cerrahlık izni aldı ve Galata'da Mihel kapısına yakın bir yerde izbe bir dükkânı aylığı on yedi akçeye kiraladı. Galen'in Frenk dilindeki bir çevirisi eline geçince mesleğin birkaç püf noktasını öğrendi. Artık şarap parasını kazanıyor ve üç maşrapadan sonra ellerinin titremesi azalıyordu. İçkisinden kısıp kendine bir yüzük ısmarladı ve ortasına da kendisini topal bırakan mumcubaşının köpek dişini hak ettirdi. Artık saygın biri olmasına ramak kalmıştı. Fakat dükkânı pislikten geçilmiyordu. Zemin, deşilmiş hıyarcıklardan, apselerden ve kara kabarcıklardan akan cerahatle kaplı gibiydi. Sonunda yüzüne, şimdiki meyyus ifade çökmüştü. Külhanlarda yattığı sırada onun ağzını bozan ve ona ayaktakımı dilini öğreten kabadayılar bile zavallı topala acır oldular. Üzüntüsünde, Galen'in kitaplarında rasladığı hataların payı yok değildi: Kıyamette ayağa kalkacak şu günahkâr bedenlerin içinde ne vardı? Galen'in kitabı bu soruya doğru dürüst cevap veremiyordu. Sonunda bir köpek leşini teşrih etmeye karar verdi. Gördüklerini, üç maşrapayı tükettikten sonra titremesi kesilen elleriyle çiziyor ve şekillerin yanına notlar düşüyordu. Canlıların bedenleri olağanüstüydü, ama kendi bedeni acaba nasıldı? Bir insan bedenini kesip biçmek büyük günahtı. Fakat bilme tutkusu onun yakasını bırakacak gibi değildi. Günün birinde düşüncelere dalmış gezerken, Ahırkapı'da sarayın denize bakan duvarlarının dibinde birtakım adamlar görmüştü. Bellerine kadar gelen uzun çizmeler giymiş bu adamlar kâh kıyıda çöplerin içinde, kâh suya girerek öteyi beriyi sırıklarıyla karıştırıyorlardı. Bunlar, arayıcılar adıyla nam salmış bir meslek erbabıydı ve sarayın çöplerinin denize atıldığı deliğin altında dolaşıp süprüntüleri karıştırarak buldukları değerli şeylerle geçimlerini sağlarlardı. Kubelik onlardan birinin bir şey bulduğunu seçti ve yanlarına gitti. Adamın bulduğu şey bileğinden kesilmiş bir eldi. Orta parmakta değerli bir yüzük ışıldıyordu. Arayıcılar sevinçle yüzüğü parmaktan çıkardılar ve eli attılar. Hava kararınca Kubelik tekrar oraya gelip kimseler görmeden kesik eli aldı ve bir mendile sarıp gömleğinin içine soktu.

Eli kesip biçerek kasları, bağları, damarları ve kemikleri mum ışığında bir kâğıda özenle çizdi. Amacı ise insan vücudunu keşfetmek ve bu günahkâr bedenin bir haritasını çıkarmaktı. O uğursuz teşrih atlasını hazırlamaya da işte böyle başladı. Eğer o gün boğdurulan bir şehzade, bir paşa ya da cariye varsa, saraydan ceset sayısı kadar top atılıyor, Kubelik de akıntının cesetleri sürükleyeceği yer olarak hesapladığı Tophane'ye gidiyordu. Gece boyunca öksürüp tıksırarak sabırla beklemelerinin semeresini sonunda gördü ve ayağına bağlanan ağırlık koptuğu için kıyıya vuran bir cesede rastladı. Gömleğinden çıkardığı çuvala cesedi soktuktan sonra zor bela evine kadar taşıdı. Sabah olmuştu. Akşama doğru artan dayanılmaz kokuya rağmen kadavra üzerinde tam iki gün aralıksız çalıştı. O artık gerçek bir kâşifti. Kemiklere kabadayıların, kaslara meyhanecilerin adlarını veriyor, gülamlar ve köçeklere ise damarlar ve bağdokular kalıyordu. Büyük bir vefakârlık örneği göstererek, kulağın içinde bulduğu ve üzengiyi andıran kemiğe kendisini özgürlüğe kavuşturan Venedik balyosunun adını verdi. Dükkânının üzerindeki evinde, koku komşular tarafından duyulur endişesiyle, cesedi avluya gömmeyi kararlaştırdı. Ama er ya da geç yeni bir kadavra bulacağını biliyordu.

İkinci işinde yakayı ele vermesine ramak kalmıştı. Tophane'den sırtında çuvalla onun dar sokaklarda ilerlediğini gören bir yeniçeri Kubelik'i evine kadar takip etmiş, kapısına bir nöbetçi diktikten sonra sokaktan ona üstelik bir de tehdit savurmuştu. Mumcubaşına haber vermeye gidecek ve az sonra evine gelip ne haltlar yediğini görmek için kapısına dayanacaklardı. Kubelik'in eli ayağına dolaştı. Bu defaki kadavrası sünnetli bir Müslüman erkeğiydi. Fakat yine de bir kurtuluş umudu vardı: Cesedin karnında bir delik açarak barsağın bir parçasını çıkarıp kesti. Bu parçayı cesedin cinsel organına geçirip ustaca dikti. Özellikle kıllı bir bölgeden açtığı deliği de maharetle diktikten sonra cesedi teşrih masasından alıp ona kendi yabanlık elbiselerini giydirdi. Gözlerinin üstüne birer para koyup çenesini bağladı ve Galen'in kitabını açıp okumaya başladı.

Az sonra gelen mumcubaşı eve girdiğinde ilk işi cesedin bir Müslümana ait olup olmadığını öğrenmek oldu. Bunun için cesedin çakşırını indirdiğinde cinsel organın sünnet derisinin yerinde olduğunu görüp öfkesi yatıştı. Kutsal kitabından dualar okuyan Kubelik'e bakılırsa, bu basit bir cenaze vakasıydı. Merhum, onun yakın bir arkadaşıydı. Kendisinin ağır bir çuval taşıdığını ileri süren yeniçeri de onu başka biriyle karıştırmış olmalıydı. Sonunda mumcubaşı, cenazeye saygıdan ötürü adamlarıyla çekip gitti.

Bilme tutkusuyla kıvranan bu topal, aradan aylar geçtiği halde teşrih atlasını tamamlayabilmiş değildi. Bir gece yarısı, meyhanenin birinde yeis içinde sızmasına ramak kala birkaç demkeşin lakayıt konuşmasına kulak kabartmıştı: Adamın biri çabuk çarpan kötü şarabın insan bünyesindeki bir sonucu olarak dilini döndürmekte zorluk çeke çeke, Arap İhsan'ın kadırgasının az önce Haliç'e girdiğini söylüyordu. Bu, kendisine kuledeki yangın gözcüsünün ilettiği bir haberdi. Samatya meyhaneleri yandığından Arap İhsan'ın

Galata'ya gelmesi ve denilene bakılırsa Gülletopuk'la karşılaşıp kavga çıkarması kaçınılmazdı.

Kubelik yerinden doğruldu. Durumu pek içaçıcı sayılmazdı. Cenk etmek için kadırgayla denize açılmasından önce Arap İhsan'a, yemin billah ederek deriyi ok batmaz kılıç kesmez kıldığını ileri sürdüğü bir yakıyı on bir filuriye yutturmuştu. O, muhakkak ki şimdi intikam peşindeydi. Öyleyse birkaç gün ortalıkta görünmemek iyi olacaktı. Meyhaneciye iki akçe veren Kubelik damacanasını şarapla doldurdu. Gece vakti elinde fenerle Azap Kapısı'na yürüdü. Kapıda feneri söndürüp uzun süre bir hırsız gibi bekledi. Onu fenersiz gördüğünde subaşının elli değnek vurduracağı yüzde yüzdü. Gel gör ki o, mukadderatından emin olmak için tan sökümüne kadar orada durdu. Sonuçta korktuğu başına geldi. Arap İhsan bir veledin kulağına asılmış, omuzunda sandığıyla Galata'ya geliyordu. Maruz kalacağı şeylerden korkuya kapılan Kubelik topallaya topallaya evine döndü. Kapının sürgüsünü çektikten sonra döşeğine uzanıp uyumaya çalıştı. Horozlar ötmeye başladığında hâlâ dalabilmiş değildi. O anda, uyumuş olmamasına sevindi. Çünkü Arap İhsan'ın ilk bakacağı yer elbette ki evi olacaktı. Güneş doğup sokak satıcılarının feryatları duyulmaya başlandığında dışarı çıkıp emin ve tenha yerlerde dolaşmaya başladı. Cesaretini toplamak için küçük kırbasına şarap doldurmayı unutmamıştı.

Arap İhsan gerçekten de Kubelik'i arıyordu. Önce Mihel kapısındaki dükkânına gitti ve kapısının kapalı olduğunu gördü; fakat sürgünün yuvadan kurtulması için azıcık ittirmesi yeterli oldu. Zemin, cerahat ve kan izleriyle, çekilip atılmış sayısız çürük dişle doluydu. Tezgâhın üzerinde neşterler ve boy boy kerpeten göze çarpıyordu. Dükkân içindeki merdivenden yukarıya, Kubelik'in yatıp kalktığı tek göz odaya çıktığında yine hayalleri suya düştü. Sonunda onu meyhanelerde aramaya karar verdi.

Galata'da gün çoktan başlamıştı. Sokaklar kalafatçıların testere gıcırtıları, demirciler ve Frenk tulumbacılarının çekiç tıngırtıları, pazarcıların mallarını öven haykırışları ve seyyar satıcıların sattıkları mallara göre perdesi değişen tiz ya da pes feryadlarıyla yankılanıyordu. Arap Camii'nden verilen selâ Erganunlu kiliseden kopup gelen nağmelere karışıyor; yollar, evler ve ticarethanelerde Cenevizli, Frenk, Yahudi, Ermeni, Rum, müslim ve gayrımüslim, toplam yetmiş iki milletten tüccarın pazarlık mırıltıları duyuluyordu. Yeniçeriler, kalyoncular ve kopuklar, ata yadigârı küfürleri imbikten geçirip onları son nezaket kırıntılarından arıtarak bini bir paradan savuruyor, birbirlerine gözdağı vermek için yatağanlarına davranıyorlardı. Rıhtım yedi iklim dört bucaktan gelen gemilerle doluydu. İskelelere yağ, şarap, zeytin ve barut fıçıları ve içlerinde baharat, fildişi, mamul eşya ve akla hayale gelmeyecek bir nice cins malla dolu denkler istiflenmiş, sırık hammalları tarafından götürülmeyi bekliyordu. Her milletten, her tabakadan, huyları, dinleri, dilleri farklı, fakat amaçları aynı olan insanların bulunduğu bir yerdi burası. Belinde yüz altmış filurilik acem şalı, kesesinde esedî altınların şıngırtısıyla zengin bir tüccar, atıyla bir kemerin altından başını eğerek geçerken, bacakları olmadığı için elleri yardımıyla sürünerek ilerleyen bir dilenci ondan Allah rızası için sadaka istiyordu. Akçe tahtaları üzerinde İspanyol kuruşları, Venedik dükaları, şerefiler, Osmanlı kuruşları, zolotalar, esedîler ve sümünler sayılıp keselere boşaltılıyor, keseler çuvallara yerleştirilip çuvallar da devasa sandıklara konuyor ve bu ağır yükü ticarethaneye taşıyan sırık hammallarına adam başı birkaç mangır veriliyordu. Çünkü burası sultandan çok paranın hükmünün geçtiği Galata'ydı.

Tekdüzeliğin sadece bir deniz cengiyle bozulduğu gemi yaşamından sonra Arap İhsan'ın bu hercümerce alışması kolay olmadı. Rıhtımdaki hemen her meyhaneyi dolaştığı halde Kubelik'i bulabilmiş değildi. Mumhanenin arkasındaki Rum mahallesine gittiğinde sokaklardan birinde garip bir manzaraya şahit oldu: Uzun bir sırığa bağladığı ciğerleri satan bir seyyar satıcı devasa bir kedi ordusu tarafından sıkıştırılmış, enikonu güç durumda kalmıştı. Taze ciğerin iştah açıcı kokusunu alan kırk elli kadar kedi yalvaran miyavlamalarla adamcağızı muhasara etmiş, ciğerlerine göz dikmişti. Kedilerden bazıları bir punduna getirip zıplıyor ve sırığa takılı ciğerlerden birini yakalamaya çalışıyordu. Adamcağız tekmelerle sermayesini korumaya çabalamasına rağmen hayvanlardan biri muradına erdi. Kendisini takip eden birkaç arkadaşıyla birlikte ara sokaklardan birine daldı ve oradan yemeği paylaşmakta zorluk çeken hayvanların kavga döğüş patırtı sesleri işitildi. Çevrede bulunanlar adamcağızın haline kahkahalarla gülüyorlardı. Nihayet satıcı ciğerlerden birini bıçağıyla dörde bölüp her parçayı dört bir yana fırlattı ve aynı anda dörde ayrılan kediler ordusu birbirlerini tırmıklaya ısıra kavga ederek bu parçalara üşüştü. Adam böylece kurtardığı sermayesini kıraathanenin önündeki ağaca astı ve taburelerden birine çöküp kendine bir yorgunluk kahvesi söyledi. Bu olayı seyretmek için duran Arap İhsan, adamın birinin ciğerleri incelediğini gördü. Bu kişi Kubelik'ti. Cerrahlığa başladıktan bu yana etyemez olan Kubelik'in ciğerlere gösterdiği ilgi hayreti mucipti. Mengene gibi bir el cerrahın yakasına yapışınca zavallının dizlerinin bağı çözülecek gibi oldu. Arap İhsan selam verip hatırını bile sormaksızın, üstelik davudi bir sesle topal biçareye, kendisiyle görülecek bir hesabı olduğunu söylüyordu.

Karın deşip boğaz kesmenin, husye burup göz oymanın uygun mekânları olan viranelere, boş arsalara ve metruk evlere girmeksizin doğruca rıhtıma ilerlediklerini anlayan Kubelik'in korkusu biraz olsun yatıştı. Yanındaki külhani tek bir söz bile etmeden onu sürüklüyordu. İkindi ezanı okunmaya başlandığında Kefeli'nin meyhanesine geldiler. İçerisi daha şimdiden yarı yarıya dolmuş, ilk kadehler çoktan dibini bulmuştu. Arap İhsan daha kapıda belirir belirmez büyük saygı gördü ve kendisine verilen bütün selamları aldı. Kubelik'le birlikte masalardan birine oturduğunda yanına biri sokulmuştu. Görünüşe bakılırsa verdiği bilgi karşılığında şarap parası bekleyen sansar misali biriydi bu. Başkaları duymasın diye elini ağzına siper edip Arap İhsan'ın kulağına kimbilir neler fısıldarken, açık gözleri sansar yavruları gibi yuvalarında fırıl fırıl dönüyor, sağı solu kolaçan ediyordu. Arap İhsan derin derin iç geçirdi: Gülletopuk nam külhani söylenene bakılırsa meyhane meyhane dolaşıp kendisini arıyor, ama her girdiği yerde birkaç kadeh yuvarlamayı da ihmal etmiyordu. Kubelik bunu öğrenince korkudan yine titremeye başladı: Gülletopuk onları bulursa hiç suçu olmadığı halde kendisi de tehlikeye girecekti. Bu yüzden muhtemel bir kavgada sakat bacağına rağmen biraz daha hızlı kaçabilmek için belli etmeden pabuçlarını çıkarmayı uygun gördü.

Gün batmak üzereyken Kefeli'nin meyhanesi tacirler, kâtipler, çelebiler, elçilik memurları, yeniçeriler, kalyoncular ve ayaktakımıyla tıklım tıklım dolmuştu. Misket, Bozcaada, Ankona ve Edremit şarapları devasa kaplardan damacanalara ve ardından sürahilere aktarılıyor, sürahilerden kadehlere döküldükten sonra ehlikeyfin midesinde konaklayıp bedenlere yayılarak ruhları tutuşturuyordu. Meyhanenin miçoları ve paluze tenli gülamlar keyif erbabının tütün çubuklarını adeta gönüllerine düşürdükleri ateşle yakıyorlar, çimdik ve parmaklara aldırmaksızın sakilik yapıyorlardı. Şarap, tütün ve kahveyle birlikte, safa âleminin dört unsurundan biri olan afyon, sedef kakmalı kutulardan çıkartılıp yarenlere tutuluyor, gözlerden yaş gelene kadar kahkahalar atılıp yaşlar kuruyana kadar da ağlanıyordu. Çok geçmeden, tütün dumanı tavanı örttü, ucuz ve pahalı şarapların buğusu ve keskin geniz kokusu acem şallarına, yeniçeri börklerine, keçeleşmiş kaftanlara sindi. Kadehlerden boşalan zevküsefa sonunda gerçek yerini bulmuştu.

Kubelik'in ürkek ürkek baktığı Arap İhsan gömleğinden bir kitap çıkarıp masanın üzerine koydu. Zavallı cerrah iyice afallamıştı. Kitabı alıp kapağına baktığında tam ortasındaki deliği farketti. Delik, son sayfalara kadar ilerliyor ve arka kapağına gelmeden nihayet buluyordu. Sayfalarını karıştırmaya kalkınca içinden masaya bir kurşun düştü. Fındık büyüklüğünde bir karabina kurşunuydu bu. Kitap, çevredeki insanların da ilgisini çekmişti. Arap İhsan bağıra bağıra, "İşte! Hayatımı kurtaran şeyi görün!" diyordu: Tam iki hafta önce bir Frenk kalyonuna rampa ettiklerinde doğruca kaptan köşküne çıkmış, eline ne geçerse talan ederken bu kitabı da koynuna sokuşturuvermişti. Gelgelelim kâfirin biri tüfengini tam göğsüne ateşlediğinde, kurşun onu sendeletmesine rağmen nasıl olup da sağ kalabildiğine şaşmış, kadırgaya geri döndüğünde ise kurşunun, koynundaki esere saplandığını görmüştü. Bunda bir hikmet olmalıydı mutlaka. Bu hikmet de onun hayatını kurtaran ve ilim irfanla dolu olduğu su götürmez bir gerçek olan şu kitabın içinde olmalıydı. Frenk lisanına vâkıf olan Kubelik, nasıl olsa üç güne kalmaz bu eseri tercüme ederdi.

Yeteri kadar içmesine rağmen Kubelik'in elleri bu kez endişeden titremeye başlamıştı. Tercüme edilmesi istenen kitap kalın sayılmazdı, fakat ince olduğu da söylenemezdi. Ne olursa olsun, onu bu kadar kısa süre içinde tercüme etmek mümkün değildi. İşte! Arap İhsan gömleğinin içinden bir tomar kâğıtla divit çıkarıyordu. Bereket versin ki çelebilerden biri müdahale etti: Bu kibar zat, Kubelik'in Lisan-ı Frengiyi bildiğini ama tebaa-yı şahanenin lisan-ı şahanesinden habersiz olduğunu söylüyordu. Onun fikrine göre, külhanlarda yattığı sıralarda Kubelik'in ağzı kabadayı taifesi tarafından bozulmuş, lisanı ve lügatı murdar eylenmişti. Yalnızca lisan-ı erazilden anladığı için "zeker" yerine "kıllı", "hasen" yerine "kıyak", "hiyle" yerine "katakulli" gibi kelamlara eğilimliydi. İşte böyle bir zatın yapacağı tercümeden hiç hayır gelir miydi?

Heyecanlanan Kubelik başını sallayıp çelebiyi canı gönülden onaylıyordu. Fakat Arap İhsan bu sözlere pek fazla aldırmadı, ama içine bir kurt düşmemiş de değildi. Sanki cevabı aslında biliyormuş gibi, sınamak istercesine Kubelik'e kitabın ve yazarının adını sordu. Beriki ilk sayfaya baktıktan sonra eserin adının ZAGON ÜZERİNE ÖTTÜRME ve yazarının da Rendekâr adında bir feylesof olduğunu söyledi. Bakışlarındaki şüphe hâlâ kaybolmadığı halde Arap İhsan, rastgele bir sayfayı açarak Kubelik'in önüne koydu ve ondan birkaç satırı tercüme etmesini istedi. Kendisine gösterilen satırları defalarca okuyan Kubelik, yeterince karalama yaptıktan sonra tercümesini bir kâğıda temize çekip Arap İhsan'a verdi. Fakat meyhanede okuma yazması olanlardan hiç kimse bu kâğıda ne kadar baktıysa da bir şey anlamayı başaramadı. Elden ele dolaşan kâğıt üç gün sonra mutfakta bulunacak ve bir dua olduğu sanılıp duvara asılacaktı. Bu duvarda yarım asır bekleyerek sararıp solduktan sonra, Kefeli'nin İspanya'ya hicret eden torunu tarafından yadigâr olarak alınıp bir kitabın arasına konacaktı. Heyecanlı bir şövalye romanı olan bu eser, Sevilla'da, topraklarını kaybetmiş bir derebeyinin kütüphanesinde okunmadan on yıllarca bekleyecek, bir mirasyedi tarafından getirildiği İngiliz ilindeki bir mezatta otuz üç sömürge altınına müşteri bulacaktı. Basit bir şövalye romanı için bunca paraya kıyan kişi,

kitabı on yedinci yaş gününü kutlayan kuzenine hediye etti-
ğinde, hayatın anlamını arayan delikanlı bu romanın en he-
yecanlı yerinde, vaktiyle Kubelik adında biri tarafından ka-
ralanan o malum kâğıdı bulacak ve bu yazıların sırrını çöz-
mek için Öküz Geçidi'nde şarkiyyat tahsil etmeye karar ve-
recekti. Gel gör ki otuz üçüncü yaş gününde bir aşk yüzün-
den intihar eden bu şarkiyatçının odasına giren yetkililer,
ölümünden kimsenin sorumlu olmadığını belirten ve mer-
humun imzasını taşıyan sararmış kâğıdın arkasını çevirdik-
lerinde Arap ve Fars harfleri kullanılarak yazılmış o malum
yazılara raslayacaklardı. Esrarı aydınlatmak için, Bilgeliğin
Yedi Sütunu adıyla nam salan bir eserin yazarına bu kâğıdı
götürdüklerinde ise, bu zatın, on altı yıl önceki doğum gü-
nü partisine, yaşı sekseni aşmış mezatçılara, ölüm döşeğin-
deki mirasyediye ve Kefeli ailesinin ince hastalığa tutulmuş
son erkek ferdine ulaşması kolay olmayacaktı. Uzun bir de-
niz yolculuğundan sonra gemisi Galata önünde demirleye-
cek ve o gece Kubelik'in bu garip şeyleri yazdığı meyhane-
nin yerine dikilen devasa binanın önünde, uzun boylu, çe-
kik gözlü bir adamın, koltuğunun altında bir kitapla kendi-
sini beklediğini görecekti.

Günbatımı

I

Rivayet ederler ki surların hemen içindeki Ağa Çayırı'na vakti zamanında çadırlarını kurmuş çingeneler arasında, derdinden bağrı yanan bir baba vardı. Gün boyunca sokak sokak dolaşıp ayı oynatan bu adamcağızın çektiği kahır, yaşı yirmiyi geçmesine rağmen bir baltaya sap olamamış oğlu yüzündendi. İhtiyarlayıp elden ayaktan düşmesine az zaman kalan bu çileli baba, ata yadigârı ayıcılık mesleğine oğlu pek itibar etmediği için kendini yiyip bitiriyordu. İhtiyara canı gönülden bağlı olan ayısı da, evladının ona çektirdiği çileyi hissediyor ve sahibi üşütüp hasta olduğu zamanlar kendisini dolaştırıp parsa toplamak zorunda kalan delikanlının emirlerini dinlemiyor, ne kocakarılar gibi bayılıyor, ne de dilberler gibi raksediyordu. Böylece hem hain evlada metelik vermediğini ispatlamış oluyor, hem de mesainin bir an önce sona ermesine sebep olup asıl sahibinin sıcak yatağına kapağı atıyordu. Çünkü baba, oğul ve ayı aynı yatakta yatarlardı. Ayı her zaman ortadaydı ve bu da oğulun pek işine gelmiyordu. Efendisine sarılıp uyumayı âdet edinen bu ayı, böylece adamcağızı ısıtması sanki yetmiyormuş gibi, o soğuk kış gecelerinde üzerlerine örttükleri yegâne battaniyeyi oğulun azıcık kendine doğru çekiştirmesine tehditkar bir homurtuyla karşılık veriyordu. Kısacası oğul nezdinde baba ve ayı tam bir ittifak halindeydi. Ancak baba böyle düşünmüyor, onlara, "Her ikiniz de benim evladımsınız, neden geçinemiyorsunuz?" diye dil döküp aralarını bulmaya çalışıyordu. Fakat ayı ve oğul pek barışacak gibi değillerdi. Günün birinde delikanlı, kendisine şarap parası vermeyen babasına bir sille çarpınca olan oldu ve ayı iki ayağı üzerine kalkarak hain evladı surların dışına kadar kovaladı.

Bir hafta sonra oğul yanında garip bir hayvanla eve çıkageldi. Tüylü, uzun kuyruklu, sakallı, insan misali bir mahluktu bu. Hatta babası, oğlunun yanındaki hayvanı ilk kez görünce onu bir tür insan sanmış, ne olur ne olmaz sakalına hürmeten yerinden şöyle bir doğrulur gibi olmuştu. Gel gör ki bu hayvan aslında sakallı bir maymundu. Merakı kabaran ayı bu hayvana yaklaştığında, maymun herhangi bir korku belirtisi göstermedi. Burunlarını yaklaştırıp uzun uzun koklaştıktan sonra birbirlerine olan merakları da söndü. Oğul babasına ayı değil maymun oynatacağını söylüyordu. Bunu duyan ihtiyarın gözlerinden yaşlar boşaldı. Demek ki aile meslekleri kendisiyle bitiyordu. Kendi dedesi, vaktiyle bu ayının dedesini oynatmış ve iki soy nesiller boyu birbirinden ayrılmaz olmuştu. İhtiyar adamın gözüne o gece uyku girmedi. Sabah olunca evdeki yegâne battaniyeyi sırtına alıp ayısıyla birlikte evden çıktı. Yıllardır parsa topladığı şehri geride bırakıp karanlık çökünceye kadar kırlarda yürüdü. Gece olunca bir ormanda mola verip battaniyeyi yere serdi. Ayı her zaman olduğu gibi sıcacık postuyla sahibini ısıttı. Günlerce ormanlarda, dağlarda gezdiler. Adamcağız gün be gün eriyip bitiyordu. Sonbahar bitmek üzereyken bir mağaraya sığındılar ve battaniyelerini üzerlerine örtüp koyun koyuna yattılar. Dışarıda kar yağıyordu. Ayı, uzun ve derin bir kış uykusundan uyandığında dışarıda göçmen kuşların sesini işitti. Yanıbaşında yatan sahibinin üzerindeki battaniyeyi pençesiyle kaldırdığında, aylar önce ölen ihtiyar adamın yorgun iskeletini gördü.

Ayıdan kurtulduğuna sevinen Kıptî delikanlı maymuna oyun öğretmeye çalışıyor ama bunu pek başaramıyordu. Fakat günün birinde hayvanın bir para kesesiyle oynadığını görünce gözleri yerinden uğradı. Keseyi aldığında içinden yetmiş küsur akça çıktı. Ayrıca içinde bir yere, uğur getirip bereket arttırsın diye kimbilir hangi hacının bahşiş olarak verdiği bir Venedik dükası dikilmişti. Maymunun hırsızlık ve yankesicilik yeteneğini böylece keşfeden delikanlı onu maharetine uygun bir işte çalıştırmaya karar verdi. Samandan yaptığı bir korkuluğa, paraya kıyıp aldığı bir çelebi kıyafeti giydirdi ve bu korkuluğun kuşağına, yenlerine ve gömleğine soktuğu para keselerini, koyun saatlerini, burun otu ve afyon kutularını çarpması için maymunu dayakla eğitti. Sonunda bu zahmetli uğraşın semeresini görür gibi oldu. Fakat maymunun parada pulda gözü yoktu. O sadece, kendisine atalarından yadigâr kalan merak duygusuyla, ömründe o güne kadar görmediği, parlak, alacalı bulacalı, şıngırtılı, tuhaf kokulu, hayreti mucip nesnelerin peşindeydi. Yediği onca dayağa rağmen para kesesini tütün kesesinden hâlâ ayırd edemiyordu. Bir ara enfiye kutularından bıkıp sedef kakmalı afyon kutularına musallat oldu. Ne var ki anberle tatlandırılmış afyon macununun hepsini mideye indirdikten bir süre sonra sızıp kalınca sahibi onu ölü zannetti ve götürüp bir viraneye attı.

Akşama doğru maymun gözünü açtı. Ama o an gördüğü, içinde bulunduğu dünya değil atalarının yaşadığı uçsuz bucaksız ormandı. Bu ormanın bütün renklerini görüyor, bütün seslerini duyuyordu. Kendisine her zaman huzur veren o kokuyu, anasının kokusunu duyar duymaz tatlı tatlı mırıldanmaya başladı. Sıcak, güven dolu bir kucaktaydı. Ancak, yuttuğu afyonun etkisiyle gördüğü bu düşlerde az da olsa gerçeklik payı vardı. Çünkü Uzun İhsan Efendi'nin oğlu Bünyamin, maymunun atıldığı viranede onun mırıltılarını işitmiş ve hayvanın ölmediğini anlayınca onu gömleğinin içine sokup eve götürmeye karar vermişti. Gömleğin içindeki maymun, delikanlının bağrındaki kokuyu asla unutamayacaktı, çünkü bu, anasının kokusunun aynısıydı.

Maymun böylece hayatında ilk kez gerçek bir yuvaya ve bir isme sahip oldu. Bünyamin ona Müşteri adını takmıştı. Hayvan, damlarda dolaşmaktan, meyve bahçelerine dalıp talan etmekten ve köpekler tarafından kovalanmaktan bıktığında gelip delikanlının koynuna giriyor ve kendisine huzur veren kokuyu sindire sindire içine çekiyordu. Gel gör ki eski hırsızlık alışkanlığını bırakmış değildi. Çünkü çevresinde merakını cezbedecek envayı çeşit nesne vardı. Altına, paraya, pula, afyon ve burun otu kutucuklarına, tespihlere, tütün çubuklarına yönelik hevesi bitmiş, sıra fildişi taraklara, kıblenumalara ve muskalara gelmişti. Uzun İhsan Efendi onun hırsızlıklarına bir son vermek için zincire vurmayı bile denedi. Ama Müşteri zincirinden kurtulup bütün gün kimbilir nerelerde dolaştıktan sonra akşam eve elinde silindir şeklindeki gümüş bir kutuyla çıkageldi. Uzun İhsan Efendi kutuyu açtığında içinden kocaman bir ferman çıktı. Padişahın tuğrasını taşıyan bu fermanda, Eğri kalesinin dizdarı olan paşanın tez kellesinin vurulması ve on iki gün içinde tuzlanarak saraya gönderilmesi, aksi takdirde isimleri yazılı yirmi bir kişinin katledileceği buyuruluyordu. Uzun İhsan Efendi korkudan tiril tiril titrerken, bu hayvanın ulağın boynundan padişah fermanını nasıl çaldığına şaşmadan edemiyordu. O kadar çok korktu o kadar ecel teri döktü ki, yemeden içmeden kesildi. Müşteri ise her zamanki oyunbazlığıyla çalıp çırptıklarını eve yığıyordu. Bereket versin ki padişahın cellatları kapıya dayanmadılar.

Gel zaman git zaman, Müşteri'nin merakını cezbeden ve tek başına kaldırıp götürebileceği nesnelerin sayısı azalmaya başladı. Bu kez maymun iştahıyla, uzak ülkelerden türlü mallar getiren gemilere musallat oldu. Bir amiral şapkası, eve getirildiğinde fitili hâlâ yanan bir humbara, camdan yapılmış bir takma göz ve birkaç muskadan sonra bu heveslerinden bıkıp huyundan vazgeçti. Fakat Arap İhsan'ın, yaramazlık yapmasın diye kulağını bırakmadığı o çocuk gelince tekrar azdı ve Alibaz'la bir olup evin altını üstüne getirdi. Arap İhsan'ın eve uğramadığı üçüncü gün kapı çalındı, Müşteri her zamanki merakıyla koşup kapının mandalını indirdi ve karşısında dünyanın en sümsük, en pısırık adamını gördü. Bu adam Kubelik'ti. Koltuk altında bir tomar kâğıt vardı ve kemerine de paslı bir kerpeten asmıştı. Maymuna özgü merak, daha usturuplu ve daha sistemli olmak üzere Kubelik'te de vardı. Üstelik, bedenleri kesip biçmeye pek hevesli olan bu adam o güne kadar hiç maymun görmemişti ve karşısındaki bu mahlukun içinde neler olduğunu merak ediyordu. Müşteri, bu topal adamı pek ciddiye almadı, ama gözü, Kubelik'in belindeki kerpetendeydi. Maymun çevikliğiyle bir anda uzanıp kerpeteni kaptı ama, kaçmaya fırsat bulamadan Kubelik de onu çükünden yakalayıverdi. Çünkü bu cerrahın eli, en zorlu köpek dişlerini bile kolaylıkla çekebilecek kadar hafif ve çevikti. Canı yanan Müşteri çığlık atmaya başlayınca Uzun İhsan Efendi aşağı indi. Bu Frenk cerrahı Arap İhsan'ı arıyordu. Evde olmadığını öğrenince yanındaki kâğıt tomarını teslim edip bunları insaniyet namına Arap İhsan'a vermesini tenbihledikten sonra çekip gitti.

Uzun İhsan Efendi üç gündür ortalıkta gözükmeyen dayısının bir daha eve uğramayacağını biliyordu. Kubelik'in getirdiği kâğıt tomarı bu yüzden asla sahibine ulaşamayacaktı. Çok geçmeden kapı yine çalındı. Bu kez gelen, burnu çenesine değmiş bir acuzeydi. Mahallenin diğer kocakarıları gibi o da aynı şeyi istiyordu: Uzun İhsan Efendi'nin geceleri istihareye yattığını ve rüyasında türlü sorunun çözümünü, envai çeşit derdin devasını, Lokman Hekim'in reçetelerini ve Hazreti Süleyman'ın mührünü gördüğüne bir kez inanan ihtiyar kadınlar yılmadan usanmadan adamın kapısını aşındırıp duruyorlardı. Yine de inançlarında gerçek payı yok değildi. Fakat mesele onların gördüğünden adamakıllı farklıydı. Bir dünya haritası yapmayı kafaya koyan Uzun İhsan Efendi, bu işe özenen diğer kâşiflerin tersine, yerinden kımıldamadan yeni kıtalar keşfetmenin peşindeydi. İlk bakışta imkansız görünen bu işin bir yolunu bulduğunu sanıyordu: Düşlerin, uyku esnasında ruhun bedenden ayrılıp çeşitli yerlere gitmesinin bir eseri olduğu malumdu; uyku esnasında ruh bedenden ayrılıp diyar diyar gezdiğine göre, ruhun zaten gidebildiği bu yerlere bir de bedenin kalkıp binbir zahmetle gitmesi abes olurdu. Öyleyse kendisinin diğer kâşifler gibi taban tepip yelken açmasına gerek yoktu. Keşfedilmemiş kıtaları görmek için usulüne uygun olarak uyku şurubundan içerek istihareye ya da rüyaya yatması yeterliydi. Ancak bu yöntemin bazı mahsurları da yok değildi. Çünkü sık sık aynı düşleri gördüğü oluyor ve ruhu bir takım alakasız mekânlara, sözgelimi çölde bir kuyuya, Çemberlitaş civarındaki bekâr odalarına ve üzerinde denizkızlarının şarkı söylediği kayalıklara tebelleş oluyor, bu da yapmayı tasarladığı atlas için fuzuli oyalanmalar ortaya çıkarıyordu.

Altmış altı yaşındaki erinin belini bağlayan büyünün esrarını çözmesi için rüyaya yatmasını isteyen acuzeyi savan Uzun İhsan Efendi, odasına çıkıp Kubelik'in getirdiği kâğıtları karıştırmaya başladı. Bir kitap tercümesiydi bu. Eser ZAGON ÜZERİNE ÖTTÜRME adıyla çevrilmişti. İlk sayfaya bakılırsa yazarı Rendekâr adında biriydi. Külhani bir dille kaleme alınmış eseri okudukça, Rendekâr'ın şüpheyi bir "zagon" yani bir yöntem olarak benimsediğini öğrendi. Amaç, şüphe götürmeyecek ilk kesin bilgiye varmaktı. Her bilgiden şüphe eden Rendekâr, şüphe ettiğinden şüphe edemiyor ve bundan da kendisinin varolduğu sonucunu çıkarıyordu. Yatsıya doğru Kubelik'in tercümesini bitiren Uzun İhsan Efendi, Rendekâr'ın bu fikri üzerinde derin düşüncelere daldı. Düşünüyor olmasından kendisinin varlığı açık ve seçik olarak çıkıyordu. Fakat bu yolla insan, kendisinden başka hiçbir şeyin varlığını ispatlayamazdı. Sonunda, kafasına takılan bu pürüzü halletmek için rüyaya yatmaya karar verdi. Şişedeki yeşil uyku şurubundan bir bardak suya yedi damla karıştırıp içtikten sonra yatağına uzandı.

Düşünde kendini uçsuz bucaksız bir çölde gördü. Sanki kumların üzerinde haftalarca sürünmüş gibiydi. Bir kum tepesinin eteğinde küçük bir gölcük seçti ve susuzluğunu gidermek için oraya seğirtti. Fakat bu, bir su birikintisi değil bir aynaydı. Yanıbaşındaki kaplan ise, sanki suymuş gibi aynayı dilini şapırdata şapırdata içiyor, bir taraftan da yan gözle kendisine bakıyordu. Susuzluğunu giderdikten sonra açlığını da bastırmaya kararlı olduğu belliydi. Uzun İhsan Efendi korkmadı, bunun bir düş olduğu belliydi. Diz üstü çöküp aynaya baktı ve orada kendi aksi yerine oğlu Bünyamin'in yüzünü gördü. Kendi kendine, "Düş görüyorum" dedi, "Düş gördüğümden şüphe edemem. Düş görüyorum, öyleyse ben *varım*. Varım ama ben kimim?"

Sabah ezanları okunmaya başladığında yatağından kalkıp elini yüzünü yıkadı. Aynada makasla bıyığını sünneti şerifeye uygun olarak düzeltirken uykunun bir uyanış ve düşlerin de gerçeğin ta kendisi olduğu fikri kafasını meşgul etmeye başlamıştı. Az önce uyanıp gözlerini gerçek dünyaya açarak yatağında gerinmeye başladığında belki de bir uykuya

dalmıştı. Eğer bu doğruysa, şimdi gördüğü her şey bir düş-
tü. Gördükleri ister gerçek ister düş olsun, bundan gerçeği
ya da düşü gören bir öznenin varlığı çıkıyordu. Şu durum-
da bütün bunları gören bir kişi olarak o, vardı. "Rendekâr'ın
dediği gibi ben varım" diyordu, "Peki ama ben *kimim?* Ay-
na bana İhsan Efendi olduğumu söylüyor, rüyamdaki ayna
ise Bünyamin olduğumu söylüyor. Ben kimim? Bütün bun-
ları gören özne aslında kim?"

Derin düşüncelere garkolan Uzun İhsan Efendi ayna kar-
şısında burnunun kıllarını da keserken makası kazara eti-
ne batırdı. Bir hayli kan akıyordu. Ama hiç acı duymadı. Bu
durum düşüncelerini daha da derinleştirdi. Bünyamin'in
ezandan önce yaktığı mangala ilerledi. İçin için yanan kor-
lara baktı. İçlerinden birini maşayla alıp inceledi. Sonunda
fındık büyüklüğündeki koru çıplak avcuna aldı. Derisi he-
men su toplamış, hayat çizgisi ortadan ikiye bölünmüştü.
Koru mangala attı. Hiç acı duymuyordu. Aşağıya inip ap-
tes tazeledi. Giyinip evden çıkarken ibriği almayı unutma-
mıştı. Meyyit Kapısı'ndan çıkıp Kasımpaşa'daki kabristana
giderken, çeşmenin birinde ibriği doldurdu. Eski bir meza-
rın yanında durup toprağı suladı ve bir Fatiha okudu. Bir
bez parçasına sardığı boru çiçeği tohumlarını toprağa serp-
ti. Bu bez parçasını daha sonra mezar taşını tozdan toprak-
tan temizlemek için kullandı. Taşın üzerindeki "Ah mine-
laşk" yazısını, ustaca oyulmuş levent kılıcı kabartmasını,
"yedi meydanın ve yetmiş iki külhanın efendisi" ibarelerini
özenle parlattı. Öğle vakti olmadan arkasına bile bakmak-
sızın aceleyle Galata'ya döndü. Evine gidip odasına çıktı ve
uzun süredir üzerinde çalıştığı dünya atlasını tamamlama-
ya koyuldu.

II

"Sen gerçekten benim babam mısın? Peki annem kim? Sen kimsin? Ben kimim? Bu evin geçimi nasıl sağlanıyor? Pazara giderken bana verdiğin akçeleri nereden buluyorsun? Günlerce yemeden içmeden nasıl yaşıyorsun? Kimsin sen?" Bünyamin'in cesaret edip babasına bir türlü soramadığı sorulardı bunlar. Cevaplarını bulamadığı sürece yaşadığı bu tuhaf dünyanın, alaca renklerle dolu devasa bir boşluktan pek farkı olmayacaktı. Bir mesleği olmayan babasını günlerce gizlice takip etmiş, gözlemiş, evi ve adamın esvaplarını defalarca aramış, bununla birlikte onun ne birinden para aldığını, ne de evde gizli bir yerde para dolu bir sandık olduğunu görmüştü. İçinden ne kadarını harcarsa harcasın, babasının kesesi daima akçe ile dolu olurdu. Ayrıca, babası olduğunu ileri sürmesine rağmen Uzun İhsan Efendi oldukça genç gösteriyordu. Annesinin kim olduğu da ayrı bir muammaydı. Bu belirsizlikler bir akşam Bünyamin'in yüreğini o kadar daralttı ki, düşüncelerinden kurtulup rahatça uyuyabilmek için babasının uyku şerbetinden içmeye karar verdi. Bir bardağı bu yeşil şerbetle ağzına kadar doldurdu ve dikip içti. Oysa bu sıvının yirmi damlası bir öküzü üç gün uyutmaya yeterdi.

Bünyamin düşünde, yattıkları odayı gördü. Pencereden sızan ayışığı bir usturlabın parlak yüzeyine vuruyordu. Delikanlı uçtuğunu hissetti. Tavana doğru yükseldi ve aşağıda babasının uzandığı yatağı gördü. Düşünde uçmak o kadar hoşuna gitmişti ki, yüzüne bir gülümsemedir yayıldı. Odada bir yatak daha vardı. Tavandan alçalarak bu şiltede yatan kişiye baktı: Kendi bedeniydi bu. Yüzünde tatlı bir tebessüm göze çarpıyordu. Uçmanın zevkini iyice çıkarabilmek için varlığını kendi haline bırakıp tekrar tavana yükseldi. Fakat çok geçmeden pencereden çıkmayı düşündü. Kafesin arasından bir duman gibi sızarak dolunaya doğru uçtu. Kostantiniye'yi hayatında ilk kez tepeden gördü. Boğazı geçip Üsküdar'a ulaştı. Dolunayın altında süzülerek Kız Kulesi'ni geride bıraktı ve sarayın bir penceresinden içeri girdi. Bir yatak odasıydı burası. Güzeller güzeli bir şehzade kuştüyü yastıkların üzerinde uyuyordu. Bünyamin şehzadeyi seyretmeye dalmıştı ki odanın kapısı açıldı ve içeri üç adam girdi. Aralarından biri yatağa doğru ilerledi, ayışığında parlayan hançeri yatağa saplayıverdi. Adamlar aceleyle odadan çıktıklarında Bünyamin yalnız olmadığını hissetti. O güzeller güzeli şehzade de, kendi bedenini terketmiş, tıpkı onun gibi uçuyordu. Pencereden çıkıp göğe yükselmeye başladı. Bünyamin ona yetişmek istedi fakat şehzade kısa sürede gökteki yıldızların arasında kayboldu. Horozlar ötmeye başlamış, doğu ufkunda bir kızıllık belirmişti. Bünyamin Galata'ya doğru uçtu ve evlerinin penceresinden girdiğinde babasını gördü. Uzun İhsan Efendi ağzından kan sızan oğlunun bedenine kapanmış hüngür hüngür ağlıyordu. Bünyamin'in düşü bir kâbusa dönüşmek üzereydi. Çok geçmeden odaya çevredeki komşular dolmaya başladı. Babası kendinden iyice geçmiş, akıtacak gözyaşı kalmamıştı. Delikanlının bedeni yıkanıp bir sandukaya konuldu. Sanduka doğruca Arap Camii'ne götürülürken Bünyamin uçarak kafileyi izliyordu. Salâ verildi, cenaze namazı kılındı. Tabutu taşıyan kafile şimdi de Kasımpaşa mezarlığına doğru ilerliyordu. İki kişi Uzun İhsan Efendi'nin koluna girmiş, dizleri tutmayan adamcağızın yürümesine yardım ediyordu. Onların üzerine süzülen Bünyamin, babasının hıçkıra hıçkıra şu sözleri söylediğini işitti: "Benim suçum! Hepsi benim suçum! Zavallı oğlum, asla böyle bir şeye layık değildi". Adamcağız sürekli bu sözleri tekrarlıyor, kendisini teselliye çalışan dostlara aldırmıyordu. Kazılmış mezarın önüne geldiklerinde daha fazla dayanamayıp oracığa çöktü. Kalabalığın üzerinde uçan Bünyamin kefenlenmiş bedenini gördüğünde dehşete kapıldı. Cesedi çukura yerleştirip üzerini tahtalarla çaprazlama örttüler ve mezara kürek kürek toprak atılmaya başlandı. Sonunda iş tamamlanmış ve kafile Galata'ya doğru yola koyulmuştu. Mezarlıkta sadece birkaç ziyaretçi ile onlara su satmaya çalışan bir saka vardı. Bünyamin sakaya doğru süzüldü ve ona, "Şu mezara su dök" diye bağırdı. Gelgelelim sakanın onu duyduğu yoktu. Bünyamin yılmadı, "Gel benimle ve şu mezara su dök!" diye avazı çıktığı kadar bağırdı. Saka durup çevresine bakındı ve küçük parmağıyla kulağını karıştırdı. Delikanlı ağzını sakanın kulağına yaklaştırarak, "Lütfen, birkaç adım önündeki yeni kazılmış mezara su dök. Lütfen!" diye fısıldadı. Saka, Bünyamin'in gömülü olduğu mezarın önüne geldi ama hâlâ çevresine bakınıp duruyordu. Fakat içinden bir ses ona, "Haydi, ne duruyorsun!" diyordu. Adam kırbasını eğip toprağa biraz su döktü. Ama ses ona, "Haydi, hepsini dök, hepsini!" diyordu. Saka, içindeki sese uyup kırbasındaki bütün suyu mezara boşalttı.

Bünyamin uykusundan uyandı ve uzun uzun esnedi. Gördüğü düşün hâlâ etkisindeydi. Yüzüne bir yerden su damlıyordu. Gözlerini açmasına rağmen etraf karanlıktı. İçinden, güven dolu bir ses ona, "Korkma" dedi, "Sakın korkma ve benim dediklerimi yap". Tanıdık gelen bu yumuşak sesi işitince Bünyamin rahatladı. Ses ona, "Önce ellerini kurtar, ama sakın acele etme" dedi. Delikanlı kollarını kefen bezinin içinden çıkardı. Bu kez kendisine, "Belinin üstündeki tahtaları yerinden oynat" dendiğini işitti. Tahtaları oynattığında üzerine topraklar dökülmeye başladı. O güven dolu ses, "Diğer tahtaları kımıldatma ve dökülen toprağı ayak ucuna it" diyordu. Bünyamin'in içinde bulunduğu çukur toprak dolmaya başlamıştı. Ama boşluğun hacmi değişmiyordu. Sesi dinleyerek başının üzerindeki tahtaları teker teker yerinden oynatıp dökülen toprakları kalan boşluğa doldurdu. Son tahtayı yerinden oynattığında doğrulabildi ve dökülmeye başlayan toprağın bacaklarını örtmemesine dikkat ederek yukarıya uzanmaya çalıştı. Fakat bir anda önce dizlerine, sonra da yarı beline kadar gömüldü. Kolunu yukarı kaldırmaya çalıştı. Toprak ıslak olduğu için fazla zorluk çekmedi ve elini dışarıya çıkardığında teninde güneşin sıcaklığını hissetti. Son bir gayretle sağ dizini yukarı çekip eliyle zemine abanarak başını toprağın üzerine çıkardı ve güneşi gördü. Diri diri gömülüp ölmekten kurtulmuştu.

Meyyit kapısındaki kahvehanede pinekleyenler, saçları bembeyaz kesilmiş, bet benizleri atmış bir grup insanın kendilerine doğru dehşet içinde koştuğunu gördüler. Elleri yüzleri çarpılan, çeneleri titreyen, saçları diken diken olan bu kişiler Galata'ya girer girmez teker teker yere yığıldılar. İçlerinde dili tutulmayan yegâne kişi, baş parmağıyla damağını kaldırdıktan sonra, "Hortlak! Hortlak!" diyebildi. Kahvehanedekiler, zangır zangır titreyenlere su içirdi, dizlerinin bağı çözülenler taburelere oturtuldu, yüzü çarpılanlara nane ruhu koklatıldı. Tam bu sırada Meyyit Kapısı'nda, bedeni toprağa bulanmış çıplak bir delikanlı görülünce olan oldu. Meydanda kim var kim yoksa çil yavrusu gibi dağıldı. Delikanlı Voyvoda yolunda ilerleyip Erganunlu kilise önüne vardığında, ilahi nağmeleri kesildi. Rahipler pencerelerin perdelerini aralayıp hortlağa bakarak ıstavroz çıkarttılar. Nihayet çıplak delikanlı Mihel Kapısı'na ulaştığında, asesbaşı ve adamlarıyla karşılaştı. Bir yeniçeri, hortlağın ölü mü diri mi olduğunu tespit edecek Yahudi hekimi ensesinden tutmuştu. Eli palalı yeniçeriler Bünyamin'in etrafını çevirip, beti benzi atmış hekimi ona doğru iteklediler. Cesur olduğu için değil, ama hortlaklardan çok askerlerin palalarından korktuğu için delikanlıya doğru ilerleyen adamcağız Bünyamin'in bileğini tuttuğunda saçları bembeyaz kesilmişti. Hekim derin bir soluk alıp, "Hortlak falan değil, nabzı atıyor. Zavallıyı diri diri gömmüşler" dediğinde palalar indi. Fakat durumdan emin olmak isteyenler, "Bakalım Yahudi doğru mu söylemiş" diye teker teker delikanlıya yaklaşarak kâh nabzını tutup, kâh orasını burasını mıncıkladılar. Bu arada delikanlı, niyeti farklı bir kulamparaya bir Osmanlı tokadı aşketti. Bu da onun sağ olduğunun en büyük delili kabul edilince, Bulgar külhanileri, onun göğsüne saplamayı düşündükleri kazığı yontmaya son verdiler.

Genç adam kendisini izleyen büyük bir kalabalıkla birlikte Yelkenci hanının yanındaki evine gitti. İçeride kendisi için Kuran okunuyordu. Uzun İhsan Efendi oğlunu karşısında görünce sevince boğuldu. Karnı açtır diyerek önüne, vefatı münasebetiyle yaptırdığı helvadan çıkardı. Yeşil uyku şurubunu avludaki ceviz ağacının dibine dökmeyi ihmal etmedi. Ertesi yıl mahalledekiler, bu ağacın cevizlerinden yiyen çocukların haşaratlıktan vazgeçerek gece yarısı uyanıp zırlamadıklarını keşfedeceklerdi. Sonradan ünü bütün Kostantiniye'ye yayılacak olan bu ağaç, yiğit bir nesil yerine uykucu bir gençliğin yetişmesine sebep olacağı korkusuyla padişah fermanıyla kesilecekti.

Birkaç gün sonra herkesin Vardapet diye çağırdığı bir Ermeni, Bünyamin'i ziyaret etti. Bu adam vaktiyle Galata'da bir kilisenin zangocuydu. O tarihlerde kilisenin papazı Kudüs'e bir hac ziyareti yapmaya yemin etmiş, ama kendisine vekâlet etmesi gereken kişiyi nasıl seçmesi gerektiğine bir türlü karar verememişti. Çünkü bu dindar adam rahiplerin hiçbirine güvenemiyor, onların kiliseyi birtakım kirli emellerine alet etmelerinden çekiniyordu. Sonunda, üstlerinin de onayıyla bir sınav yapmaya karar verdi. En çilekeş, dolayısıyla en dindar olanı seçilmek üzere, adaylar tek başlarına birer hücreye kapatılacak ve kırk gün boyunca hücresinde en az yiyip içen kişi vekil tayin edilecekti. Dokuz adaydan birisi, o zamanlar başka bir ad taşıyan Vardapet'ti. Adaylar hücrelerine girdikten sonra duvarlar taşla örüldü. Kapıda sadece ekmekle suyun verildiği ve büyük küçük aptesler için kullanılan lazımlıkların alındığı küçük kapaklar açık bırakıldı. Vardapet ilk dört gün on somun ekmekle otuz maşrapa su ve bir kupa şarap tüketti. Dünya nimetlerine gösterdiği bu aşırı düşkünlük başlangıçta onu bir hayli gözden düşürdü, ama sonraki günlerde ne bir dilim ekmek, ne de bir maşrapa su istedi. Bu tutumu otuz dokuzuncu güne kadar sürdü. Hatta kilise yetkilileri onun sağlığından endişeye düştüler. Fakat Vardapet halini hatırını soranlara gayet sıhhatli bir sesle cevap veriyordu. Müsabakayı onun kazandığı kesin gibiydi. Din adamları gözlerinde ilahi yaşlarla, "Yeni bir ermişimiz oldu" diyorlardı. Gelgelelim mesele hiç de göründüğü gibi değildi. Çünkü Vardapet boynundaki demir haçla hücresinin zemin taşını kaldırıp bir tünel açmıştı. Tünelden kilisenin dışına çıkıyor, Tophane'deki meyhanelerde yiyip içiyor ve yine tünelden hücresine dönerek zemin taşını yerine oturtuyordu. Ancak, bu işte bir hiyle sezeceklerinden korkup durumuna bir ölçüde inandırıcılık kazandırmak için son gün bir somun ekmekle şarap istedi. Oysa bir gece önce Mihalaki'nin meyhanesinde bir tencere dolusu bol yağlı taskebabı yemişti. Nihayet kırkıncı günün akşamı hücresinin kapısına örülen duvar yıkılırken karnı guruldamaya başladı. Yağlı taskebabı barsaklarını bozmuştu. Duvarın yıkılması epey zaman aldı. Papaz içeri girdiğinde Vardapet yerinde zor duruyordu. Üstelik, bir talihsizlik eseri olarak, onuruna bir tören bile hazırlanmıştı. Vardapet daha fazla dayanamayacağını hissetti, koro ilahi söylerken kilisenin mührü kendisine verilmek üzereydi ki, altını dolduruverdi. İlahi kesilmiş, kiliseyi bir uğultu kaplamıştı. Herkes Vardapet'in eteklerinden akan pisliğe bakıyordu. O ise, "nasıl olsa her şeyi kaybettim, bari iyice rahatlayayım" diye düşünerek kendini iyice koyverdi. Papazın gözleri yerinden uğramıştı. Hemen terazi getirtilip Vardapet'in pisliğinin tartılmasını buyurdu. Bir bezi iki eşit parçaya bölüp parçalardan birini pisliğe iyice bulayarak kefeye yerleştirdiler. Diğerini ise öteki kefeye koyup darasını aldılar. Sonuçta ağırlık 345 dirhem geldi. Oysa bir gün önce kendisine verilen somun tam 30 dirhemdi. Vardapet kırk gün boyunca kendini tuttuğunu söylemesine rağmen, taskebabından artakalan domates çekirdeklerini ve maydanozları gören papaz, hücrenin araştırılmasını buyurdu. Rahiplerin tüneli keşfetmeleri fazla zaman almadı ve Vardapet kiliseden kovuldu.

Kendisine bir ekmek kapısı arayan bu eski zangoç tünel kazma işinde maharetli olduğunu düşündüğünden dokuz akçe yevmiye ile lağımcı ocağına yazıldı. Birçok kale muhasarasına katılıp yerin altından surların dibine doğru lağım kazmayı, barutu ateşleyecek fitili hesaplamayı, tünelin çökmemesi için nerelere payanda konması gerektiğini öğrendi. Fakat bir kuşatmada, metrislerden kale duvarının dibine doğru, yer yüzeyinden altı kulaç aşağıda kazıp hazırladıkları lağım çökünce Vardapet'i toprağın altından zor kurtardılar. Bir hayli toprak yutmuş, üstelik bir taş nefes borusuna kaçmıştı. Sabık zangoçun o gün bu gündür sinesinde taşıdığı bu taş, her soluk alış verişte yerinden oynayıp takırdıyordu. En usta hekimler bile derdine derman bulamadı. Göğsündeki taşın takırtısı onu rahatsız edip uyumasına bile engel oldu, ama mesleğinde yükselip, lağımcıbaşıdan sonra ocaktaki en kıdemli adam olunca bu sesi bedeninin bir parçası olarak kabullenmeyi başardı.

Batıya sefer açılacağı söylentileri ağızdan ağıza dolaşmaya başlayınca lağımcıbaşı ona haber salıp hazırlıklı olmasını, takımında bir eksiklik varsa ne yapıp edip bir adam bularak açığı kapatmasını buyurmuştu. Oysa Vardapet'in emrinde çalışan lağımcıların çoğu korkak, pısırık, gönülsüz ve hevessiz adamlardı. Yerin altında çalışmak, her an çökmesi muhtemel toprağı kazmak, fitil ateşlendiğinde yeterince hızlı kaçamamak mesleğin tehlikelerindendi. Bu tehlikelerden biri gerçekleştiğinde, döğüşürken ölünmediği için şehit sayılmak da biraz zordu. Arada bir lağımcılığa heves edenler çıksa bile bu kişilerin sinirleri, yeraltında çalışmaya dayanacak kadar sağlam değildi ve diri diri gömülme korkusunu yaşadıkları ilk anda kendisini yalnız bırakıp kaçacakları belliydi.

Adam bulmakta zorlanan Vardapet, mezara diriyken gömüldüğü halde sağ salim çıkmayı başarabilen delikanlıyı işittiğinde bu yüzden doğruca onun evine yollanmıştı. Kendisine ikram edilen kahveyi içerken her nefes alış verişinde göğsündeki taşın o bitmek tükenmek bilmez takırtıları duyuluyordu. Bünyamin'e, "Ne diyorsun delikanlı?" dedi, "Tam sana göre bir meslek bu. Üstelik parası da iyi. Vuruşma kırışma derdi de yok. Onlar yukarıda döğüşedursunlar, biz yerin altında sakin sakin kazmamızı vururuz. Duvarın temeline ulaştık mı, dayarız barutu, yakarız fitili. Geri dönüp bir yandan yorgunluk kahvemizi içer, patlamayı da uzaktan izleriz. Buraya sağ salim döndüğümüzde de bütün yaşadıklarını arkadaşlarına ballandıra ballandıra anlatırsın".

Vardapet, Bünyamin'in ağzından girip burnundan çıkarak onun maceracı ruhunu tutuşturur gibi olmuştu. Fakat babasına olan saygısından dolayı delikanlı kendi fikrini söylemeye çekindi. Bununla birlikte Uzun İhsan Efendi oğluna, "Buradan gitmek istediğini biliyorum oğlum" dedi, "Kendime hâkim olabilseydim belki de seni, çoktan içine girdiğin bu maceraya bırakmazdım. Sana olan sevgim biricik oğlumu tehlikeye atmama engel oluyor. Ama bilmek ve şahit olmak en büyük mutluluktur. Macera ise büyük bir ibadettir; çünkü O'nun eserini tanımanın başka bir yolu olduğunu görebilmiş değilim. Kendi payıma ben, dünyayı rüyalarımla keşfetmeye çalıştım. Bu, yeterince cesur olamadığımın bir göstergesi olabilir. Aynı hatayı senin de yapmana yolaçmak istemiyorum. Sana izin veriyorum, git. Git ve benim göremediklerimi gör, benim dokunamadıklarıma dokun, sevemediklerimi sev ve hatta, bu babanın çekmeye cesaret edemediği acıları çek. Dünyadan ve onun binbir halinden korkma".

Uzun İhsan Efendi bunları söyledikten sonra gömleğinin içinden meşin ciltli bir kitap çıkardı. Bu, dün gece tamamlayabildiği Dünya Atlası'ydı. Kitabı oğluna uzatarak, "Atlasımı sana emanet ediyorum" dedi, "Daima yanında taşı ve atıldığın bu macerada yolunu kaybedecek olursan bu düş atlasının sayfalarını karıştırabilirsin. Fakat kendini sakın kaptırma. Adına Dünya dediğimiz kitabı oku".

Bünyamin kitabı alıp koynuna soktu ve kalkıp babasının elini öptü. Delikanlıyı bu tehlikeli işe razı etmek için az önce diller döken Vardapet ise baba ile oğulun birbirine sarılıp gözyaşı döktüklerini görünce bir hayli içlendi. "Baban doğru söylüyor oğul" dedi, "Sağ salim geri döndüğümüz zaman maceranı arkadaşlarına anlattığında hepsi sana gıpta edecek. Şimdi babanla helallaşıp bohçanı topladıktan sonra akşam olmadan beni bul. Karaköy'deki çınarın altındaki kahvehanede seni bekleyeceğim. Kayığa binip doğruca lağımcıbaşına gideriz, adamın elini öpersin. Defterli olur olmaz tıkır tıkır akçeni öderler. Sen yine de yanına biraz para al. Çünkü sefer uzun sürecekmiş diyorlar".

Bünyamin gittikten çok sonra, akşam ezanları okunurken Uzun İhsan Efendi büyük bir yalnızlık hissetti. Uyuduğunu sandığı ama aslında yorganın altında kendisini büyük bir merakla izleyen Alibaz'ı evde tek başına bırakarak dışarı çıktı. Hava iyice kararınca fenerini yaktı ve dik bir yokuşu tırmandıktan sonra Haliç'in karşı kıyısına baktı. Kuru ayaza rağmen gece yarısına kadar manzarayı seyretti. Kostantiniye, uyuyan bir devin gölgesi gibi mehtabın altına uzanmıştı. Şehrin uykuda olduğu o anda bile, düşlerin görülüp kâbusların gerçekleştiği, şehzadelerin boğdurulup rüşvetlerin hesaplandığı, gizli ittifakların imzalanıp şerbetlere binbir çeşit zehirin katıldığı o anda bile, sarayda kutsal emanetlerin bulunduğu o odada yanık sesli bir hafız, kendisinden öncekilerin yüz altmış yıldır aralıksız kıraat ettiği Kuran'ı, vecd içinde gözlerini kapayarak kimbilir kaçıncı defa okuyordu.

III

Bünyamin'in lağımcı ocağına yazılıp evden ayrılmasından sonra, Uzun İhsan Efendi bir maymun ve bir çocukla evde yalnız kaldı. İşi hiç kolay değildi, çünkü Alibaz haylazlıklarına Müşteri'yi de ortak ediyor, ikisi bir olup evin altını üstüne getiriyorlardı. Sonunda Uzun İhsan Efendi, Alibaz'ı mahalle mektebine yazdırıp hocanın başına bela etmeye karar verdi. Böylece hem kendisi az da olsa kafasını dinleyecek, hem de çocuk bütün gün bağıra tepine yorularak akşam eve bitkin gelecek, bu arada az buçuk ilim irfan öğrenmiş de olacaktı.

O zamanlar ikide bir çıkan yangınlara karşı korunmaları için taştan yapılan mahalle mekteplerine halk arasında taşmektep denirdi. Bunlar, en cehennemî yangınlarda bile salimen ayakta kalır, diğer evler gibi yanıp kül olamadıklarından çocuklara zorunlu bir tatil bir türlü kısmet olmazdı. Sık sık olduğu gibi, eğer aynı mahallede iki taşmektep varsa bunlar mutlaka kavgalı olurdu. Her iki tarafın da hocalarını, kalfalarını ve talebelerini kapsayan bu düşmanlık en azından yüz yıldır sürdüğü için kavganın hangi sebeple başladığı da bilinmezdi. Nesilden nesile geçen bu husumet gittikçe bilinir, hocalar ve kalfalar yeni gelen çocuklara düşman mektepteki meslekdaşlarının, sümüklü, yaralı bereli, cerahatli insanlar olduğunu, bir dua edip yüz kat küçülerek geceleri masum çocukların kalplerini yediklerini, sonunda kurbanlarının da onlar gibi ecinni taifesine karıştığını sır veriyormuşçasına anlatırlardı. Bazan hoca, bir kâğıda küfür dolu bir hiciv yazıp bunu düşman mektebin muallimine götürmesi için gözüne kestirdiği bir çocuğu görevlendirirdi. Kâğıdı sözkonusu zata tebliğ eden çocuk, öfkeden küplere binen adam tarafından falakaya yatırılır, ama ayakları şişmiş bir halde mektebine dönünce de kahraman ilan edilirdi. Bazan bu kâğıtlara küfür yerine ilanı harpler de yazılırdı. İki tarafın çocukları bir yangın yerinde, boş bir arsada, yahut bir bostanda karşı karşıya gelir, sesi en gür talebenin çektiği gülbankla cenk başlardı. Kalfalar birbirlerine girmeyip sadece yolda karşılaştıkları zaman ağız dalaşı yapmakla yetinirlerken, hocalar böyle bir şeye yanaşmazlardı. Ama bir kalyoncuya iki üç akçe verip rakiplerine musallat etmeleri duyulmadık bir şey değildi.

Günlük mesailerinin bitiminde taşmektep hocalarının kendilerine mütevazi bir ek gelir sağladıkları yerlerden biri de kıraathanelerdi. Bu mekânlarda, okuması iyi ve sesi gür bir zat, kahvecinin sahaflardan kiraladığı kitabı yüksek sesle okur, sedire bağdaş kurmuş, taburelere çömelmiş ya da hasırlara uzanmış ehlikeyif ise çubuklarını tüttürüp kahvelerini höpürdeterek Battal Gazi'nin, Hazreti Ali'nin ve Genç Osman'ın kahramanlık hikâyelerini zevkle dinlerdi. Zülbecedoğlu Ziya'ın tam surlara tırmanıp üstelik göğsüne yirmi ok birden yediği sırada, kitabı okuyan kişinin bir hecede

takılıp kekelemesi ve yazıyı sökmede kifayet gösterememe-
si, heyecanı doruğa ulaşmış kahve ahalisini çileden çıkarır,
keyiflerini adamakıllı kaçırırdı. Bu yüzden kıraathanelerde,
bahis konusu kitapları vaktiyle okuyup hatmetmiş olan taş-
mektep hocaları rağbet görürdü. Ders bitiminde hocalar an-
laşmalı oldukları kıraathaneye gelirler ve kahramanlık hikâ-
yesinin sonunu merakla bekleyen kahve müdavimleri ta-
rafından saygıyla karşılanırlardı. Kafası kesilen Dilkuşî'nin
büyücü tarafından diriltilip diriltilemeyeceğini merak eden
ahali, hocanın bedavadan içtiği kahveyi bitirmesini sabır-
sızlıkla bekler, bu arada maceranın sonuna dair türlü türlü
tahminler yürütürlerdi. Hoca, kitabın sayfasını kaldığı yer-
den açıp okumaya başlayınca ses soluk kesilirdi. Hele he-
le Peysullab Nekkareperzen'in tüfenk ateşi altında dalkılıç
Tebriz surlarına saldırdığı bahsine gelinince, hoca kıraati-
ne bir fasıla verip kahvesinden bir yudum alır, heyecandan
kıvrım kıvrım kıvranan ahaliye böylece kendi kadrini bildir-
miş olurdu.

Bünyamin'in o uğursuz parayı bulmasından hayli zaman
önce, işte bu kıraathanelerden birinde öksüz ve yetim bir çı-
rak vardı. Kahve dağıtıp çubuk yakmakla görevli olan bu çı-
rak, kahramanlık hikâyelerini dinleye dinleye okumaya he-
ves etti. Onun, macera kitaplarındaki ilme irfana hevesi-
ni gören hoca da kısa zamanda çocuğa okumayı söktürdü
ve bu çırak delikanlılık çağına geldiğinde onu taşmektebi-
ne kalfa olarak aldı. Artık delikanlının görevi, yaramaz ço-
cukları falakaya yatırmak ve hececilikten kıraat derecesine
terfi edenlerin kafasına cüz kesesini geçirmekti. Fakat onun
ruhunu tutuşturan asıl ateş macera hikâyeleriydi. Sahaflar-
dan kiraladığı kitaplarda, ejderha başlı kolomborne topun-
dan düşman hatlarının gerisine fırlatılan Halim el-Barudî'yi,
iki zırh üstüste giyen kâfir Lombroso'yu attığı bıçakla kat-
leden Munhiyaloğlu Zerkan'ı, yirmi karış kalınlığında-

ki abanoz kale kapısını bir omuz darbesiyle açan Meytâsib Şehrenbercezî'yi, dağları titreten narasıyla Timur'un fillerini ürküten Hımkıme Kitayî'yi yutarcasına okuyor, hayal âlemine battıkça batıyordu. Sonunda hocasının teşvikiyle bir macera kitabı yazdı. Hatta aracılar ve rüşvetçiler bulup eseri padişaha bile sundu. Hünkâr on altın verip kendisini takdir ederken ona "oğlum" diye hitab etmişti. Üstelik kendisine Galata'da bir taşmektep hocalığı da ihsan edilmişti, ama bu hayalperest, devletlûnun sarfettiği bu "oğlum"a taktıkça taktı. Yeni görevine başladığı zaman kendisinin padişah oğlu olup olmadığını hâlâ düşünüyordu.

Uzun İhsan Efendi'nin "eti senin kemiği benim" diyerek Alibaz'ı teslim ettiği hoca, hülyalı bakışları altında sanki bir sır gizleyen işte bu adamdı. Hayal denizine o kadar garkolmuştu ki, artık bir şehzade olduğunu düşünmeye başlamıştı. Öz babası olan padişahın, entrikalardan korumak için onu saraydan uzaklaştırdığına inanıyor ve günün birinde gelip kendisini bağrına basacağını düşünüyordu. Alibaz hocasının elini öperken bile, bu adamın aklı az önce komşu mektepten gönderilen kâğıttaydı. Çünkü mektupta, failatun-failatun-failun veznine göre bir hiciv yazılıydı ve getiren çocuk falakaya yatırılarak adamakıllı ıslatılmıştı.

Alibaz, elifbenin ilk üç harfinin esre, ötre ve üstünlerini tekrarlarken, hoca, saray dışında yaşadığı bu esaretten kurtulmanın yollarını arıyordu. Çocuk tüy kalemleri makasla kırptığı için kalfalar tarafından falakaya yatırıldığında ise adam, komşu mektebin mualliminin aslında kendisinin bir şehzade olduğunu bildiğini ve devletlû babasının düşmanları tarafından kiralandığını düşünüyordu. Düşman mektepteki çocuklar tarafından kıstırılıp dövülen Alibaz, intikam için arkadaşlarını toplayıp hasımlarından üç beş çocuğu patakladıktan bir hafta sonra kalfalardan biri başına cüz kesesini geçiriverdi. Amme cüzünü okurken vuku bulan bu olay, onun hececilikten kıraatçiliğe geçtiğinin bir işaretiydi. Hocası, okuma bildiği böylece onaylanan çocuğun rahlesine bir macera kitabı koydu. Bu kitap Turan kahramanı Efrasiyab'ın maceralarının bir derlemesiydi.

Kitapta Efrasiyab'ın nasıl dünya fatihi olduğu anlatılıyordu. Askerleri çölde susuz kalınca onlara yumruk büyüklüğünde birer taşla önünde sıraya girmelerini söylemiş ve her taşı sıkıp suyunu çıkararak bütün adamlarının mataralarını doldurmuştu. Dünyayı fethetmek üzere başkentinden ayrıldığında tam otuz yıl savaşarak bir kentin önüne gelmiş ve hemen muhasara emrini vermişti. Kenti düşürmek için yıllarca savaştıktan sonra ansızın bir haberci çıkagelmiş ve kendi başkentinin yaman bir komutan tarafından fethedilmek üzere olduğunu bildirip hemen yardıma gelmesi gerektiğini söylemişti. Efrasiyab yıllarca süren bir yolculuktan sonra başkentine döndüğünde buranın bir zamanlar muhasara ettiği kent olduğunu görüp, dünyanın yuvarlaklığına hükmetmişti. Zifiri karanlıkta sanki gündüzmüş gibi görebilen oydu. Tan sökümünden gün batımına kadar gözünden bir damla yaş gelmeksizin aralıksız olarak güneşe bakabilen oydu. Ağır bir kılıncı üfleyerek yerinden oynatabilen de yine oydu.

Kıraat derecesindeki her çocuğun bir sayfasını yüksek sesle okuduğu kitap üç gün sonra bitti ve Efrasiyab'ın kahramanlıkları düşlerin ayrılmaz bir parçası oldu. Mektepten çıkar çıkmaz Galata surları dışında bir arsada toplanıyorlar, ağaç dallarını eğip bükerek ateşte kurutup kirişler yapıyor, tavuklardan yoldukları tüyleri oklarına bağlayıp birer kahraman olmaya hazırlanıyorlardı. Cüz keseleri ise taşla doluydu. Düzgün ağaç dallarından yaptıkları mızrakları at kıllarıyla süslemişlerdi. Hemen hepsi, Frenk tulumbacılarının dükkânlarını temizlerken dışarı attıkları teneke parçalarından yapılan yatağanlara sahipti. Nihayet, bunca silaha sahip olduklarında, koruyacak birtakım şeylerinin de olması gerektiğini düşünüp mahalle sınırlarında devriye gezmeye başladılar. Karargâhları, iç Azap kapısı civarında bir yangın yeriydi. Sağdan soldan topladıkları paçavraları sabırla birbirlerine dikerek yapmayı başardıkları çadır da bu yangın yerine kurulmuştu. Çadırın yanına diktikleri sancakları ise üzerinde kırmızı bir el bulunan beyaz bir bezdi. Bu, Alibaz'ın mürekkebe batırarak bezin üzerine bastığı elinin iziydi. Uykusuzluk illeti yüzünden gece düş görmeyen bu çocuğun gündüz düşlerinde ise Efrasiyab'ın izi vardı. Bu efsanevi kahramanı düşünmediği zamanlar ya arkadaşlarıyla güreşiyor ya da savaş hiyleleri tasarlıyordu. Şeytana uyup, mızraklarının ucuna yirmi tanesi bir akçeye satılan çivileri bağlamayı arkadaşlarına öğretince akranları arasında sivrildi. Hele hele Baruthane yolunda fıçılardan dökülen tozdan sabırla bir avuç toplayıp mektebe getirince arkadaşları ona hayran oldular. Ders bitiminde karargâhlarına gidip hazine sandığını açtılar. Yığınla ıvır zıvır arasından bakırdan yapılma bir pusula mahfazası, avuç dolusu misket, öksürük şurubu şişesine doldurulmuş rakı ve biraz Arap zamkı aldılar. Barutu misketlerle birlikte bakır kutuya koyup kapağı deldiler, rakıyı zamkla karıştırıp ayırdıkları bir tutam barutun üzerine döktüler ve bu karışıma bir pamuk ipliğini bulayıp güneşte kuruttular. Böylece hem fitil, hem de humbara hazırlanmış oldu. Fitili bakır kutunun deliğinden sokup eserlerine hayran hayran baktılar. Silahlarını alıp savaş çığlıkları ata ata Voyvoda yolundan Kule Kapısı'na doğru koştular. Surların dibindeki hendeği geride bırakıp, ıssız bostanlardan birinde, yılların yağmurundan eriye eriye bitmiş bir duvar enkazını gözlerine kestirdiler. Kerpiç duvarın dibini kazıp humbarayı yerleştirdikten sonra fitili yakar yakmaz koşup ağaçların arkasına saklandılar. Büyük bir patlama oldu. Duman dağıldıktan sonra kerpiç duvardan eser kalmadığı görüldü. O kadar korktular, o kadar pıstılar ki, arkalarına bile bakmadan kaçmaya başladılar. Şiddetli patlamanın etkisiyle aralarındaki birlik bozulmuş, işledikleri kabahatin büyüklüğü karşısında dehşete kapılıp çil yavrusu gibi dağılmışlardı. Evlerine döndüklerinde, onların süt dökmüş kedi gibi davrandıklarını gören ebeveynleri, konu komşuya sorgu sual edip bir hasarları ziyanları olup olmadığına dair her ne kadar ağız yokladılarsa da tahmin ettikleri cevabı alamayıp rahatladılar.

Ertesi günü ders bitimi, çocukların en cesur olanları olay yerine gidip yarım kulaç derinliğindeki çukuru gördüklerinde sahip oldukları gücü kavrayıverdiler. İçindeki her şeyle birlikte dünyayı fethetmeye artık kendilerini hazır hissediyorlardı. Sonraki gün harçlıklarını birleştirip demirciden büyük boy kırk beş ve küçük boy iki yüz çivi aldılar. Ağaçların mızraklık, kirişlik ve okluk dalları budandı, çakılarla düzeltildi. Çiviler okların ve mızrakların ucuna bağlandı. Komşuların tavuklarından yolunan tüyler oklara takıldı. Baruthane kapısı önünde fıçılardan dökülen gri toz özenle toplandı ve küçük bir fıçıda biriktirildi. Atış talimleri, güreşler ve resmi geçitler yapıldı. Cuma tatil günleriydi ve daha perşembeden bir ilanı harp komşu okuldaki çocuklara ulaştırıldı. O gece hiçbirinin gözüne uyku girmedi. Sabah olur olmaz bezden sadaklarında okları, sırtlarında yayları, ellerinde mızrakları, cüz keselerinde taşlarla bir istila ordusu hasım mahalleye doğru yola çıktı. Düşman mevzilerine girdiklerinde onların bir arsada mevzilendiklerini gördüler ve savaş çığlıkları atarak hücum ettiklerinde sayısız taş üstlerine başlarına isabet etti. Onlar da taşla karşılık vermek istediler, gel gör ki düşmanlar sandık parçalarından yaptıkları metrislere sığınıyorlar ve buradan ikide bir çıkıp onları taciz ediyorlardı. Yaptıkları onca hazırlığa rağmen ordudakilerin cesaretleri kırıldı. Hele hele düşmanları ellerinde mızraklarla metrislerden fırlayıp taş desteğiyle saldırmaya başladığında ne yapacaklarını şaşırdılar. Kaçmayı düşündüklerinde sokağın iki çıkışının da tutulduğunu gördüler. Bazıları silahlarını atıp ağlamaya başlamıştı. Fakat tam bu sırada beklenmedik bir şey oldu.

Alibaz'ın elinde sanki bir kurtuluş ışığı parlıyordu. Bu çocuk, o ana dek cübbesinde sakladığı sahici yatağanı çekmiş, önüne çıkanın kafasına indirmek üzere iki eliyle havaya kaldırmıştı. Arap İhsan'ın ayeti kerimeli devasa yatağanıydı bu. Alibaz sanki bu külhaninin ruhuyla birleşmiş gibi bir savaş narası koyverip "Allah Allah" diye tek başına metrislere saldırınca, bu pırıl pırıl yatağanı gören düşman taşını atamadı, yayını geremedi, mevzilerini terkedip kaçmaya başladı. Alibaz tek başına düşman çadırının önüne geldi, ustura gibi keskin yatağanıyla birkaç darbede çadırı parçaladı. Hazine sandığı önündeydi. O günden sonra arkadaşları arasında bir efsane oldu. Ona, tek başına bir orduyu kaçıran yiğit, Alibaz, namı diğer Efrasiyab diyeceklerdi. O, bütün müstakbel savaşların galibiydi. O, bütün kalelerin, palankaların ve hisarların fatihi, bütün yiğitlerin başbuğu, bütün kötülerin düşmanı, bütün acizlerin koruyucusuydu. O, Efrasiyab'tı. Dünyanın gelecekteki fatihi, yiğitlerin omuzlarında taşınan kahraman, cesaretten başka hiçbir kalkana, serbazlıktan başka hiçbir silaha ihtiyaç duymayan bir cengâverdi. Evet, hiç kuşku yoktu: Efrasiyab'tı o.

Zaferin verdiği heyecanla o günün akşamı çocukların hepsi sancakları üzerine el basarak dünyanın fethi yolunda başlarını koymaya and içtiler. Alibaz'ın böyle bir şey yapmasına gerek yoktu. Çünkü o, mürekkebe batırdığı eliyle ta baştan bu beyaz kumaşa elini basmıştı. Diğerleri davalarından dönseler bile, bu sancak varolduğu sürece o, amaca hizmet edecekti. O kadar kararlı, o kadar gözüpekti ki, civar mahalleden gelen çocuklar bile onun ordusuna yazılmaya başladılar.

Askerlerin isimleri ve sicilleri bir defterde itinayla muhafaza ediliyordu. Karargâhları olan arsaya kurdukları çadır büyütüldü ve içine bir taht yerleştirildi. Daha şimdiden üç sandık dolusu hazineleri vardı. Her cuma günü karargâhlarında muntazaman yaptıkları toplantıda başlangıçta şarap içmeyi denedilerse de, çoğu midelerini bozup istifrağ ettiğinden sonunda üzüm suyuna bel bağlamışlardı. Bu toplantılarda verilen hükümler oldukça ilginçti: Önce kendi bölgelerinde oynanan aşık, hüllüoğlu, bilye, çatal matal kaç çatal, domuz gibi yutmalı oyunlarda ütülen misketler, dikkeler ve çakıllardan onda bir vergi almaya karar verdiler. Geçti geçti kim geçti, mendil mendil kapmaca, sek sek, beş taş, ebe kış kış, kabak pişti, el el üstünde gibi oyunlar için de meydan kirası alacaklardı. Ama bir başka karar çok isabetli oldu. Oyunlarda adaletsizliği ve mızıkçılığı önlemek için çeldirmeli, gömmeli ve tutmalı bütün çelik çomak oyunlarının, birdirbir, ebe çıldır, kutu ve zıp zıpın kuralları teker teker yazıyla saptanacak ve bu kanunlara karşı gelen oyunbozanlar cezalandırılacaktı. Oyunların kuralları kâğıtlara özenle yazıldı ve üstüne "Haliç'in ve Boğaziçi'nin hakanı, Azap, Meyyit, Kürkçü, Yağkapanı, Karaköy, Kireç, Tophane ve Kule Kapıları'nın koruyucusu, Galata'nın bütün hazinelerinin sahibi Efrasiyaboğlu Alibaz Efrasiyab Hanın" tuğrası işlendi.

IV

Alibaz bir akşamüstü karargâhtan evine döndüğünde henüz sokaktayken bir grup yeniçerinin Uzun İhsan Efendi'yi ite kaka evden çıkardığını gördü. Adamların başında serpuşu sorguçlu bir zabit vardı. Çocuk bir köşeye sinerek olacakları izlemeye koyuldu. Yeniçeriler evde ne varsa sokağa fırlatıyorlardı. Bir şey bulmayı umdukları belliydi. Bütün eşyalar sokağa yığılıp ev bomboş kalınca içeriden, kırılan döşeme tahtalarının sesleri gelmeye başladı. Yeniçerinin biri sırtında getirdiği baltaları adamlara dağıtırken, elleri kolları sımsıkı bağlanan Uzun İhsan Efendi olan biteni çaresizlikle seyrediyordu. Adamlar baltalarla üst katı yıktılar ve bir şey bulamayınca alt kata inip sonunda bütün evi yerle bir ettiler. Zabitleri Uzun İhsan Efendi'ye tokat üstüne tokat atıyor, fakat bu sillelerin etkisini kurbanı üzerinde göremeyince, acıya duyarsız görünen bu adama iyice köpürüp adamakıllı gazaba geliyordu. Babası bellediği adama yapılan eziyete şahit olan Alibaz'ın cinleri tepesine üşüştü. Adamcağızı boynuna bağladıkları iple Karaköy'e kadar sürükleyen yeniçerileri kayığa binene kadar izledi. Hava karardığı için kayığın ne yöne gittiğini göremedi. İskeleden doğruca karargâha koştu ve karanlıktaki cinlere, umacılara, gulyabanilere rağmen bütün gece çadırda kaldı. Bir eli cübbesinin içindeki o ünlü yatağandaydı. Sabah olunca, güvendiği kırk beş yiğide haber saldı. Sefer vakti gelmişti. Bu acımasız dünyada artık acımasızca savaşacaklardı. Bu kırk beş yiğit, cephaneden en sert yayları, en düzgün okları, en sağlam mızrakları aldı. Cüz keselerinde birer humbara, çakmak ve kav vardı. Alibaz, sancaklarını aldıktan sonra çadırı ateşe verdi. Savaş tekerlemeleri söyleyerek Meyyit kapısından çıktılar. Haliç boyunca ilerleyip Kâğıthane deresini geçtiler. Nihayet Eyüb'e ulaştılar. Buranın oyuncakçı dükkânları meşhurdu. Humbaralardan biri bu dükkânlardan birinin tam içine düşer düşmez büyük bir patlamayla oradakilerin aklını başından aldı. Nereden geldiği belli olmayan oklar havada ıslık çalıp meraklı komşuların kapılarına saplanıverdi. Çevredekiler, bir çocuk gürûhunun patlamanın olduğu dükkâna dalıp kaynana zırıltılarını, hacıyatmazları, zıp zıpları ve diğer eşyaları talan ettiğini hayretle gördüler. Bir humbara daha patlayınca bunun bir haydut baskını olduğunu sanıp kapılarını pencerelerini kilitlediler. Aynı gün, kaymakçıların ve şekercilerin olduğu yerde dört patlama daha işitildi. Subaşı adamlarıyla Eyüb'e geldi. Ama ortada ne bir haydut, ne de bir eşkiya vardı. Fakat saldırıya uğrayıp soyulmuş her dükkânda, kırmızı mürekkebe batırılmış bir çocuk elinin izi vardı.

Yeraltı

I

Bünyamin babasının elini öpüp evden ayrıldıktan sonra Vardapet'i bulmuş ve birlikte Eminönü'ne geçerek bir Ermeni dönmesi olan lağımcıbaşının köşküne gelmişlerdi. Delikanlı ocağın defterine yazıldıktan sonra Vardapet ve diğer dört lağımcıyla birlikte Davudpaşa'daki karargâhta, çadırlardan birine yerleşmiş, gece rüyasında yine o esrarengiz yeniçerileri görmüştü. Ertesi gün sarayın önünde geçit yaptıktan sonra Ordu-yu Humayun'la birlikte Edirne'ye hareket edip kışı bu kentte geçireceklerdi. Fakat on gün sonra Edirne'ye vardıklarında o kış kıyamette Sofya'ya hareket emrini aldılar. Sofya'da bir hafta bile kalmadan paşalardan biri Vardapet'i yanına çağırarak, sabah oluncaya kadar bütün takımını teçhizatını hazırlamasını buyurdu. Paşa, dört yeniçeri ortası ve bir sipahi bölüğüyle Ordu-yu Humayun'dan ayrılıp meçhul bir yöne gidecekti. Lağımcıya ihtiyaç duyduğuna göre bir kale zaptetmeyi tasarlıyor olmalıydı. Gelgelelim sabah olduğunda, bu meçhul amaç için seçilen askerlerin huzursuz olduğu görüldü. Çünkü kışın ortasında savaşmak alışılmış bir şey değildi. Bununla birlikte adamlara kürkler, postlar, kepenekler ve keçe çizmeler dağıtılarak gönülsüzlükleri giderilmeye çalışıldı. Fakat onlar, kendilerini soğuktan koruyacak bu kaba giysileri giydiklerinde hareketlerinin adamakıllı kısıtlandığını gördüler. Sonunda, adamların her birine çifte ulufe vaat edilince isteksiz isteksiz bölüklerine dönüp yola çıkmaya hazırlandılar. Vardapet ise durmadan işlerinin zor olacağını, çünkü toprak donduğu için kışın yeraltında lağım açmanın zahmetli olduğunu söylüyor, bu tuhaf görev için kendilerini seçenlere veryansın ediyordu.

Sofya'dan çıktıklarında tahmin ettiklerinin tersine batıya değil, kuzeye yöneldiler. Keçe çizmeleriyle çamurlara bata çıka ilerleyen yeniçerilerin gönülsüzlükleri suratlarından okunuyordu. Üç gün boyunca kuzeye ilerledikten sonra çamuru arar oldular, çünkü toprak donmuştu. Bir hafta sonra kar çiselemeye başlayınca hoşnutsuzluk iyice arttı. Onuncu gün tipi bastırınca adamların elleri aşırı soğuk nedeniyle madeni eşyalara yapışmaya başladı. Yola çıktıklarından üç hafta sonra, bir dağ geçidinden geçerken toprak çöktü ve ejderha başlı on iki kolomborne topu uçurumdan aşağı uçup, yüzeyi buz tutmuş nehrin dibini boyladı. Bu olay, on beş gündür sıcak yemek yemeyen askerlerin morallerini bozup sinirlerini iyice gerdi. Kulaklara ve bıyıklara dokunmak oracıkta katledilmeye yetiyordu. Çünkü aşırı soğuk nedeniyle donan bu uzuvların kırılıvermesi için onlara hafifçe bir fiske vurmak yeterliydi. Tüfeklere, zırhlara, toplara, yahut herhangi bir madeni yüzeye kazara dokunanların halleri içler acısıydı. Kolomborne topları nehre düşerken çıplak elle onların zincirlerine asılanları da birlikte götürmüştü. Yeniçeriler silahlara yapışmasın diye ellerine torba geçiriyorlardı, fakat bu onların hareketini tarife gelmeyecek kadar engelliyordu. Şiddetli soğuk başlarına öyle belalar açtı ki, karın örttüğü bir çukura düşen altı serdengeçti kurtarıldığında, bu zavallıların elleri ve yüzlerinden birbirlerinin demir zırhlarına yapışmış oldukları görüldü. Arkadaşları bunlardan birinin saçına asılıp yanağını zırhtan ayırmaya kalkınca demirin üzerinde et parçaları kaldı. Fakat onu kurtarmanın başka hiçbir yolu yoktu.

Yirmi sekiz gün sonra bir ovada ilerlerken altı gün önce saldıkları öncü birliğini ufukta gördüler. Bu atlılar dört nala üzerlerine geliyordu. Yirmi atlı, kafilenin önüne eriştiğinde durmayıp ilerleyince herkes şaşırdı. Süvariler atlarını mahmuzlayıp onların peşinden gittiler. Bir süre sonra mesele anlaşıldı: Öncü birliği atlarının üzerinde uyurken son neferine kadar donmuştu. Yeniçeriler bunu uğursuzluk telakki edip paşaya isyan bayrağı çektiler. Fakat paşa onların ulufelerini üç katına çıkardığını ve bunun bir kısmı olan toplam 140.000 meteliği hemen şimdi ödeyeceğini söylediğinde yatıştılar. Gel gör ki bir hafta sonra burçlarında renk renk bayraklar dalgalanan kaleyi gördükleri zaman, paşa 140.000 bakır meteliği geri istediğinde avaz avaz bağırmaya başladılar. Öfkelerini kusarken bir ara paşayı dinlediklerinde, geri istenen bu paranın kendilerine iki kat olarak ödeneceğini işitip yatışır gibi oldular.

Zaptedilecek kaleden bir top menzili uzakta çadırlar kuruldu. Ocaklar hazırlandığında yeniçeriler o meşhur kazanlarını getirdiler. Kazanlara su ve pirinç atıldı. Kesilen koyunların kuyruk yağları eritilerek pilava boca edildi. Etler parçalanıp çorba kazanlarına atıldı. Pişmekte olan çorbalar, iki kişinin zor zaptedebileceği dev kepçelerle karıştırılırken yeniçeriler börklerinde taşıdıkları kaşıkları çıkarmış, ellerinde taslarla kazanların önünde bekliyorlardı. Çok geçmeden, aynı tasa konan çorba ve pilavı iştahla yemeye başladılar. Bu sırada paşanın zihnini başka bir mesele meşgul ediyordu: Nehre düşen on iki kolomborne topu olmaksızın kuşatma başarıya ulaşamazdı. Yeniçerilere dağıttığı bakır metelikleri bu yüzden geri alan paşa, bu paraların hemen eritilmesini buyurdu. Dökümcüler, hepsi çoktan çürümüş üç bin yumurtanın akıyla hazırladıkları balçıktan, on bir top kalıbı yaptılar. Bakır, bir ocakta eritilip kalıplara döküldü. Sonunda on bir kolomborne topu marangozların hazırladıkları kundaklara yerleştirildi. Paşa, mühürlü bir keseyi açıp içinden, Kostantiniye darphanesinde yapılmış, kuruş kesmeye yarayan yirmi adet para kalıbı çıkardı ve bunları dökümcüye verdi. Kale zaptedildikten sonra bu toplar yine eritilecek, elde edilen bakırdan ise, ağırlığı yarıya indirilmiş 280.000 metelik kesilecek ve onlara mühürleri bu kalıplarla basılacaktı.

Paşa, öğleye doğru atına atlayıp maiyetiyle birlikte kalenin çevresinde bir keşif gezisi yaptı. Eski bir kaleydi bu, geleneksel mimariye uygun olarak sekiz köşeli yıldız şeklinde kurulmuştu. Duvarlarına tırmanmak isteyen saldırganlar, bu sayede yıldızın köşelerindeki adamlar tarafından arkadan vurulabilirlerdi. Ne tuhaf ki, bu kale köşeleri itibariyle rüzgar gülündeki sekiz yönle tamı tamına çakışıyordu, öyle ki, gökyüzünden bakılsa bir pusula kadranına benzetilebilirdi. En muhkem yeri kuzey köşesiydi ve diğer burçların tersine, burada siyah bir bayrak dalgalanıyordu. Paşa, güneydoğu köşesini incelediğinde buradaki surların diğerlerinkinden farklı taşlarla örüldüğünü farketti. Bunlar kolomborne güllelerinin kolaylıkla ufalayabileceği duman rengi horkum taşlarıydı. Böylece saldırının nereden yapılacağı belli olmuştu.

Fakat Edirne'deki ana karargâhtan gelen bir haberci, saldırının ne bahasına olursa olsun kuzeyden yapılmasını buyuran bir ferman tebliğ edince işler karıştı. Karargâhtakilerin anlayışsızlığına sinirlenen paşa, onlardan altı kolomborne ve iki sahî topla bir yeniçeri destek bölüğü istedi. Donmuş toprakta zorlukla kazılan metrisler tamamlanmak üzereyken Edirne'den çok tuhaf bir haber geldi. Fermanda, şu anda kalede bulunan Zülfiyar adındaki casusun kurtarılması için kuzey burcunun altından güneye doğru yirmi bir adım içeriye bir lağım kazılması ve kurtarma işinin bulundukları ayın on yedinci günü akşamında muhakkak gerçekleştirilmesi, bunun yanında kalenin kuzeyindeki tepede büyük bir ateş yakılarak, haberciyle kendilerine ulaştırılan bir kese tozun gündüz vakti ateşe atılması buyuruluyor, destek kuvvetlerinin yola çıktığı da ayrıca belirtiliyordu. Olan bitene anlam veremeyen paşa, sözkonusu ateşi yakma görevini başkarakullukçuya devredip habercinin getirdiği meşin keseyi adama teslim etti. Tam öğle vakti tepede ateşin dumanı gözüktü. Fakat duman gittikçe pembeleşti ve nihayet kıpkırmızı bir renk aldı. Paşa, bunun kaledeki casusa verilen bir işaret olduğunu düşündü.

Fermanda sözü edilen lağımı kazma işi de elbette Vardapet'e verildi. Bu lağımcı yemin billah ederek paşaya, toprak donduğu için yeraltında dehliz açmanın neredeyse imkânsız olduğunu, hele hele kazma sesleri kaledekiler tarafından işitilmeden surlardan içeriye yirmi bir adım girmenin asla düşünülemeyeceğini anlatmaya çalışıyordu. Gel gör ki cellat çağırılınca işler değişti, böylece gözdağı veren paşa, Vardapet'in gururunu da okşamak istediğinden ona elli filuri ihsan edince lağımcı emre boyun eğmek zorunda kaldı. Paşa; "Bu görevi başaramazsan benim kellem gider. Ama şunu bil ki, kellem gitmeden önce hepinizin kellesi çoktan kesilmiş olur. O yüzden takım taklavatını topla ve bu ayın on yedinci gününe kadar lağımı bitir. On sekizinci gün ya kesesinde beşyüz altın olan zengin biri olursun, ya da kelleni açtığın lağıma gömerim" diyordu.

Vardapet ertesi günü, birer adım aralıklı düğümler atılmış ölçüm ipini omuzuna alıp Bünyamin'le birlikte araziye çıktı.

Ellisine merdiven dayamış lağımcı çok geçmeden soluk soluğa kaldı ve yıllar önce soluk borusuna kaçan taşın tıkırtıları sıklaştı. Kaleye hiç yaklaşmadan lağım girişi olarak saptadıkları yerle kuzey surları arasındaki mesafeyi tespit ettiler. Lağımı hemen o gece kazmaya başladılar. Kazanlar dolusu kaynar suyla toprağı yumuşatıp yedi kulaç derine indiklerinde Vardapet'in dediği çıktı: Toprağın yüzeyi donduğu halde burası kolay kazılıyordu. Yaşlı lağımcı kazmasını sallarken Bünyamin'e, yaz olsun, kış olsun, dünyanın en kolay işlerinden biri olan bu mesleği paşaya nasıl abartarak anlattığını ve aldanan paşadan ellisi peşin olmak üzere tam beş yüz elli filuri bahşiş kopardığını söylüyordu. Fakat sözlerini bitirmeden Bünyamin'in kazması bir kayaya çarpınca nazar değdiğine hükmetti. Kayayı delemeyeceklerine göre toprak altında etrafından dolaşmaları gerekiyor, bu da yönlerini kaybetme tehlikesini doğuruyordu. Mesleğin püf noktası da buradaydı. Açtıkları dehlizde pusula onları kolayca yanıltırdı. Yönlerini, bulundukları yerden lağım ağzına dehliz duvarlarına değdirmeksizin sıkıca gerdikleri bir ipin iletkiyle ölçtükleri derecesine göre kestirebiliyorlardı. Öyle ki, başlangıçta yaptıkları yarım derecelik bir hata, onları asıl hedeften arşınlarca öteye saptırabilirdi. Etrafından dolaşmayıp kayanın altına inmeleri halinde de aynı tehlike sözkonusuydu. Çünkü yalnızca yatay bir düzlemde değil, düşey düzlemdeki açıları da sabit olmalıydı. Bu yüzden Vardapet, içinde bir hava kabarcığı olan su dolu bir cam çubukla sık sık dehlizin zeminini kontrol ediyor ve yedi kulaçlık derinliği daima koruyordu.

Sonunda kayanın etrafından dolaşmaya karar verdiler. Vardapet açtıkları yeni dehlizin açısını, gerili bir ip üzerindeki iletkiyle defalarca ölçtü ve rakamları çıra ışığı altında kâğıda yazdı. Fakat kayayı geçtiklerinde kafasında yine de bir kuşku kalmıştı. Tam bu sırada tavandan topraklar dökülmeye başladı. Yukarıda çatışma başlamıştı. Karşılıklı top ateşi sürerken, yeniçeriler ve serdengeçtiler açılan gediklere saldırıyor, kaledekiler ise sık sık huruç hareketiyle süvarileri çıkarıp metrislere baskınlar yapıyorlardı. Yedi kulaç yukarıda, taştan yapılmış top gülleleri düşüp humbaralar patlarken, devasa kuşatma kuleleri yürütülüp atlar dört nala koşarken toprak adamakıllı sarsılıyor ve dehlizde çökme tehlikesi başgösteriyordu. Ama Vardapet buna alışıktı. Eğer bu lağımı yazın kazıyor olsalardı, yukarıdaki savaşın bir sonucu olarak ertesi günü dehlizin tavanından sızan kanı görebilirlerdi. Gelgelelim bu kış kıyamette kan, daha bedeni terketmeden donmaya başlardı.

Ayın on dördünde Bünyamin'in kazması beyaz bir cisme çarptı. Merakı kabaran Vardapet'le birlikte çevresindeki toprağı temizlediklerinde bunun, çoktan taşıllaşmış, neredeyse öküz büyüklüğünde bir kertenkele kafası olduğunu gördüler. Boynundan itibaren belkemiği toprağın derinliklerinde kayboluyordu. Bünyamin, canavarın dişlerinden birini yadigâr olarak almayı düşündü. Ama diş, o eline alır almaz ufalanıverdi. Vardapet bunu uğur telakki edip çıra ışığı altında birtakım hesaplar yaptı. Rakamları topladı, çıkardı, iletkiden okuyup kaydettiği derecelerin yüz seksene erişip erişmediğine baktı ve delikanlıya gülümsedi. Eğer hesap doğru çıkarsa üç adım sonra duvarın tam altında olacaklardı. O güne dek kazdıkları bir kulaç yüksekliğindeki dehlizin uzunluğu yüz on yedi adımı bulmuş, fakat kendileri de soğuk havada onca çalışmadan sonra adamakıllı zayıflamışlardı. Oysa her biri, yedikleri diğer yemekler bir yana, üçer koyunun kuyruk yağını tüketmişti.

Üç adımlık mesafe kazıldıktan sonra Vardapet, yerlerini tam olarak belirlemek amacıyla yukarı doğru bir dehliz açılmasına karar verdi. Merdivenle bir iskele kurup bu kez tavanı kazmaya başladılar. Bünyamin eliyle yukarıdaki toprağı oyarken parmağına bir şey yapıştı. Kimbilir kaç kez su verildiği için hâlâ paslanmayan bir hançer namlusuydu bu. Vardapet, aşırı soğuk nedeniyle deriye yapışan hançeri bezle tutup çektiğinde Bünyamin'in derisi madenin üzerinde kaldı. Kazmaya devam ettiklerinde bu kez yere bir kafatası düştü. Sallandığında çıngırak gibi sesler geliyordu, iki kaşının arasında bir delik farkederek kırıp içine baktıklarında bir arkebüz kurşunu görmüşlerdi. Nihayet kalenin, kimbilir ne zaman döşenmiş temel taşlarına ulaştılar. Lağımcının hesapları doğru çıkmıştı, çünkü duvarın tam köşesindeydiler. Bununla birlikte, geriye kalan yirmi bir adımlık mesafe, işin en güç ve en tehlikeli kısmıydı. Çünkü kazma sesleri kaledekiler tarafından duyulabilir ve bu kez onlar, kendilerini bulmak için bir karşı-lağım kazabilirlerdi. Lağımcılık sanatı ortaya çıkalı beri yerüstünde olduğu gibi yeraltında da korkunç savaşlar yapılıyordu. Bunun için Vardapet, durumu paşaya anlatıp ondan muhafız istemeye karar verdi.

Paşa, kuzey surlarına sabahtan akşama kadar humbara atılmasını buyurdu. Bu patlamalar onların kazma seslerini sözümona bastıracaktı. Köşeden kalenin içine doğru on bir adım ilerlediklerinde, Vardapet kazmasını bırakıp Bünyamin'e sessiz olmasını işaret etti. Yanlarındaki iki muhafız yatağanlarına davrandılar. Kulak kabarttıklarında, toprağın derinliklerinde bir yerden kazma sesleri işittiler. Varlıkları kaledekiler tarafından anlaşılmış ve kendilerini bulmak için bir karşı-lağım kazılmaya başlanmıştı. Nefeslerini tutup beklemeye başladılar. Bulundukları yerde duyulan yegâne ses, Vardapet'in göğsünden gelen tıkırtılarla, kendilerini arayan lağımcıların kazma sesleriydi. Sesler giderek yaklaştı. Aralarında bir adımdan fazla mesafe olmadığı açıktı, ama gürültü üstlerinden bir yerden geliyordu. Anlaşılan onları yeterince derinde aramıyorlardı. Fakat bu sevinçleri kısa sürdü, çünkü bir başka yerden gelen sesi işittiklerinde, kaledekilerin ikinci bir lağım daha kazmakta olduklarını anladılar. Üstelik bu, tam da onların bulunduğu derinlikte açılıyordu. Bereket versin ki kazma sesleri giderek uzaklaştı. Ama Vardapet, onların hangi yönde ilerlediklerini anlamak için tehlikeli bir işe kalkıştı: Bıçağıyla sessizce, dehlizin duvarında küçük bir delik oymaya başlamıştı. Toprak yumuşayınca elleriyle eşeledi ve altı yedi karış sonra elinin boşluğa çıktığını hissetti. Bu delik kendilerini aramakta olan adamların lağımına açılıyordu. Vardapet'in amacı, bir çubuğa bağlı olan aynayı delikten sokup düşman lağımcıların hangi yönden gelip nereye doğru gittiklerini görmekti. Önce Bünyamin'den meşaleyi isteyip delikten bakmaya yeltendi. Fakat gördüğü şey aklını başından almıştı: Gözleri kırmızı, ağzından alevler saçan, kanatlı bir canavardı bu. Beti benzi atıverdi. Hayal gördüğünü sanıp tekrar baktı; hayır, hayal görmüyordu, ama bu canavar sanki gerçek değil de bir resimdi. Daha dikkatli baktığında bunun bir dövme olduğunu gördü: Üzeri ıslaktı. Sonunda aklı başına geldi ve ne kadar tehlikeli bir işe kalkıştığını anladı. Onları arayan lağımcılardan biri terlemiş olacak ki, gömleğini çıkartmış ve bir canavar dövmesi bulunan terli sırtını lağımın duvarına, onların deliğinin tam önüne dayamış dinleniyordu. Çamura buladığı gömleğiyle deliği hemen tıkayan Vardapet ıstavroz çıkarıp dua etmeye başladı. Ama korktukları şey gerçekleşmedi. Diğer lağımcılar kendilerini bulamamışlardı.

Ayın on altısının akşamı, binbir zahmetle ve sayısız tehlike atlatarak yirmi birinci adıma gelmişlerdi. Vardapet durumu paşaya bildirip haketti'ği beş yüz altını istedi. Gel gör ki paşa, işlerinin henüz bitmediğini söylüyordu. Kuzey burcunun tam altına yerleştirilen barut fıçıları henüz patlatılmamıştı. Fakat bundan da önce yapılması gereken daha önemli bir iş vardı: Ertesi akşam yirmi birinci adımdan yukarı doğru kazıp kaledeki bir casusu kurtaracaklardı. Vardapet bu ikinci meselenin başlangıçtaki pazarlıklarına dahil olmadığını söyleyince suratına okkalı bir tokat yedi. Paşa, emrindekileri aynı anda hem korkutup, hem de cesaretlendirmedeki başarısını göstererek, lağımcıyı binbir tehditle sindirirken onun bahşişini de altı yüz altına yükseltti. Üstelik ona, zincir halkalardan örülmüş bir zırh gömlek hediye etmişti.

Vardapet çadıra gelip Bünyamin'i görünce, "Yarın gece çok tehlikeli bir iş bizi bekliyor. Yirmi birinci adımdan yukarı doğru kazacağız. Neyle karşılaşacağımız belli değil. O yüzden şu zırh gömleği üzerine giysen iyi olacak" demişti. Örme zırhı delikanlının yatağının üzerine bıraktı. Dudakları sürekli kıpırdıyor, belli ki dua ediyordu. Meryem Ana tasviri üzerinde bir mum yakıp diz çökerek duasına sabaha kadar devam etti. Tedirginliği Bünyamin'e de bulaşmıştı. Delikanlı, içinde bulunduğu belirsizliği gidermek için, haftalar önce babasının kendisine verdiği Dünya Atlasını koynundan çıkardı. Amacı, rastgele herhangi bir sayfayı açıp gözüne ilk çarpan cümleyi okumaktı. Parmağını kitabın arasına sokup açıverdiğinde mum ışığı altında "yeraltı hazinelerinin arasına karıştı" ifadesini gördü. Kitabı kapatıp yorgan niyetine kullandığı keçeyi üstüne çekti. Ustası hâlâ dua ediyor, endişeyle kımıldayan dudaklarından dökülen mırıltılar delikanlı üzerinde bir ninni etkisi bırakıyordu. Bünyamin uykuya daldığında paslanmış zırhları ve küflenmiş kalkanlarıyla, karanlık bir sisin içinde yol alan o yeniçerileri gördü. Sağın ve solun, kuzeyin ve güneyin olmadığı yönsüz bir uzamda, belki de yeraltında dolaşıyorlar, bir hazineyi sessizce arıyorlardı. Hazine onları bir mıknatıs gibi kendine çekiyor, ama pusulaları olmadığı için onlar bu çekimin yönünü kestiremiyorlardı. Aradıkları şey hem her yerde, hem de hiçbir yerdeydi. Kim bilir, belki de içinde ilerledikleri karanlık sis, bu çekimin kendisiydi.

Vardapet delikanlıyı gün doğmadan önce uyandırdı. O gün son günleriydi. Ustasının ısrarına dayanamayan Bünyamin, paşanın verdiği zırhlı üstlüğü giymek zorunda kaldı. Kazdıkları toprağı küfelerle lağım dışına taşıyan adamlar dışarıda onları bekliyordu. Lağımdan içeri girip, kuzey burcunun dibine yerleştirdikleri barut fıçılarının fitillerini kontrol ettiler. Nihayet, yirmi birinci adıma gelip iskele kurmaya başladılar. Zırhlı üstlüğü adamakıllı ağırlık yaparak Bünyamin'i yoruyordu. Sessizce çalışıp akşama doğru beş kulaç yukarı çıktılar. Altıncı kulacın ortalarında zemine çakıl taşları düşmeye başladı. Bir yapının temeline eriştiklerinin işaretiydi bu. Sonunda kesme taşlara ve çürümüş kalaslara eriştiler. Vardapet demir bir kalemle taşları ve tuğlaları birbirine bağlayan harcı ustalıkla oyuyordu. Böylece bir tuğlayı yerinden oynatıp aşağıya attığında, açılan bir delikten ışık sızdı. Vakit gece yarısıydı. Aşağıdaki üç muhafız kılınçlarını çekmiş bekliyorlardı.

Vardapet tuğlaları tek tek söküp deliği büyütürken, kurtarmaya geldikleri adamın da yukarıdan kendilerine yardım etmeye çalıştığını farketti. Adam, "Allah aşkına çabuk olun, neredeyse buraya gelirler" diyordu. Delik, bir çocuğun geçebileceği kadar büyüdüğünde, yukarıdan birtakım gürültüler işitilmeye başladı. Anlaşılan, casusun orada bulunduğu şu ya da bu şekilde haber alındığından baskına gelen askerler kapıyı kırmaya çalışıyorlardı. Casusun sıska bacaklarını gören Vardapet onun zayıf biri olduğuna hükmedip, "Bre adam! Rahatını düşüneceğine bacaklarını sarkıt. Ayaklarına asılıp seni aşağıya çekelim" diye bağırdı. Fakat casus, kalenin erzak anbarını ateşe verdiğini, ama oradayken dayanamayıp bir kuzu budunu mideye indirdiğinden karnı adamakıllı şiştiği için delikten geçmesinin imkânsız olduğunu söylüyordu. Bu cevabı işiten lağımcı sövüp sayarak iki tuğlayı birden yerinden oynatınca, yukarıda, kırılan bir kapının gürültüsünü işitti. Aynı anda delikte bir adamın bacakları belirmişti. Göbeği sıkıştığından, kendisini kurtarmaları için yalvarıyordu. Vardapet'le Bünyamin adamın bacaklarına asılıp onu iskeleye aldıklarında delikten fırlayan bir mızrak yanıbaşlarına saplandı. Yukarıdan, kâfir lisanında bağrışmalar çağrışmalar duyuluyordu. Büyük bir tehlikenin içindeydiler. Kurtardıkları casusla birlikte ip merdivenden aşağı telaşla inmeye başladılar. Yukarıdakiler ise delikten teker teker iskeleye atlıyorlardı. Aşağıdaki yeniçeriler ise iskeleyi yıkmak için casusun aşağıya inmesini beklerlerken kâfirlerden birisi tam dört kulaç yükseklikten atlayıp onlarla boğuşmaya başladı. Diğerleri ip merdiveni kesmeyi başarınca üç kişi iki kulaç yükseklikten aşağı düştüler. Bereket versin ki yaralanmış değillerdi. Gelgelelim yukarıdan sallandırılan bir halattan kâfirler teker teker aşağı kayıp yeniçerilerle boğuşmaya başladıklarında kendilerini bir curcunanın ortasında buldular. O daracık dehlizde kimin kime vurduğu belli değildi. Sadece hangi dinden olduğu anlaşılmayan gölgelerin kılınçları inip kalkıyor ve lağım, lisan-ı hal ile atılan naralar ve feryatlarla inliyordu. Birkaç yeniçerinin onca hasımla başetmesi imkânsızdı. Üç kişi bu hengamenin arasından sıyrılıp lağım çıkışına yöneldiklerinde yeniçerilerin oluşturduğu etten duvarı aşan bir kâfirin kendilerine yetişmek üzere olduğunu farkettiler. O sırada kuzey burcunun tam altındaki barut fıçılarının yanındaydılar. Kâfirin yaralı olduğunu gören Vardapet kuşağındaki yatağanı çekti ve onlara, "Siz gidin. Bu adamı haklayınca ben de size yetişirim" diye bağırdı. Fakat hasmını karşılamaya hazırlandığı anda, adamın elinde bir topuz olduğunu farketti. Birinci darbeyi göğsüne yediğinde dünyası karardı, ikinci darbeyi güç bela savuşturdu, üçüncü darbe tavanı tutan payandalardan birine isabet edince tepeden dökülen toprak yaralı askeri şaşırttı ve Vardapet göğsünde hissettiği onca acıya rağmen yatağanını adamın karnına batırdı. Dehlizin ucunda vuruşma hâlâ sürüyordu. Lağımcı dizlerinde derman kalmadığını hissetti, göğsüne yediği darbenin bir eseri olarak ağzından kan geliyor ve onun durmadan öksürmesine neden oluyordu. Toprak yine titremeye başlamıştı. Herhalde kaledeki süvariler bir karşı saldırıya geçmişlerdi. Tavandan topraklar dökülürken, Vardapet ikide bir öksürerek çakmağını ve kavını çıkarıp bir çırayı tutuşturdu. Barut fıçılarına giden fitile doğru sürünerek ilerledi ve yaktı. Bir talih eseri, tam bu sırada öksürdüğü anda, yıllardır göğsünde duran taş ağzından fırlayıverdi. Onca yıldır sinesinde sakladığı bu taşı alan Vardapet, kıvılcımlar saçarak yanan fitilin ışığında, bunun fındık büyüklüğünde bir elmas olduğunu gördü. Yegâne ışık kaynağı olan fitilin ateşiyle birlikte sürünerek ilerleyip, yıllarca göğsünde taşıdığı bu hazineyi inceledi. Emin olmak için kuşağından bir ayna çıkarıp camı bile çizdi. Tahmini doğruydu: Su içinde 80.000 altın eden bir elmastı bu. Fitilin ateşi barut fıçılarına yaklaşana kadar elmastan gözlerini ayırmadı. Aklına İncil'den birtakım sözler geldi. Ateş, ana barut fıçısına tırmanırken bu değerli taşı son bir kez görmek için kıvılcımlara iyice yaklaştırdı. Fitilin ateşi fıçının deliğinden içeri girince bu hazinenin pırıltıları da kayboldu.

Bünyamin ve casus delikten dışarı çıktıklarında büyük bir patlama oldu. Yeraltında açılan bütün dehlizler çöktü. Kendilerini kovalayanlardan kurtulmalarına rağmen tehlike henüz geçmiş değildi. Onca çabanın bir casusu kurtarmaya yönelik olduğu sanılınca kaledekiler bir huruç başlatmış ve lağımı çevreleyen metrislere süvari saldırısı düzenlemişlerdi. Bünyamin ve casus lağım ağzından çıkınca ortalıkta kan gövdeyi götürüyordu. Üç kola ayrılan süvarilerden bir kısmı lağımı koruyan metrise saldırırken, diğerleri de buraya kaydırılmaya çalışılan destek kuvvetleriyle kıyasıya çarpışıyordu. Hatta bazı atlılar, kuru dallardan sepet gibi örülüp içi taşla doldurulan palanka duvarlarını aşmayı başarmış, yaya yeniçerilerin başlarına bela olmuşlardı. Durum son derece vahimdi. Gel gör ki bütünüyle kıstırılmış değillerdi. Yere kazılan derin hendeklerden ve sıçan yollarından kaçabilirlerdi. Fakat tam bu anda üzerlerine yağmur gibi arkebüz kurşunu yağmaya başladı. Gerçekten de zayıf ama şiş göbekli biri olan Zülfiyar adlı casus, kurşun yağmuru kesildikten kısa bir süre sonra yeniden ateş açılacağını biliyordu. Çünkü bu silahlarla dakikada ancak iki kez ateş edilebilirdi. Bulundukları metrisin düşmek üzere olduğunu gören yeniçerilerle birlikte kaçmaya başladılar. Hesaba göre, tüfenk ateşinden korunmak amacıyla emin bir yere sığınmaları için yarım dakikaları vardı. Fakat yanlış bir tahmindi bu. Çünkü kendilerine ateş açan arkebüz bölüğü, genellikle olduğu gibi iki değil, dört sıra halinde dizilmiş ve atış hızı dakikada dört yaylım ateşine çıkmıştı. Bünyamin ve casusla birlikte metrislerden kaçan yeniçeriler daha açık arazideyken üzerlerine yine yağmur gibi kurşun yağdı ve çoğu düştü. Bünyamin korkuya kapılmıştı. Bacağından vurulan Zülfiyar arkadan ona bağırdı: "Al şunu! Al ve paşaya ver. Haydi! Yakala!" Bünyamin casusun kendisine fırlattığı nesneyi yakalamaya çalıştı ama bu kaygan nesne ellerinin arasından kurtulup zırh gömleğine yapıştı. Delikanlı, zırhına yapışan garip şeyi güçlükle çekip aldığında, bunun kapkara bir mıknatıslı para olduğunu gördü. Bir yandan gerideki metrislere doğru vargücüyle koşarken, bir yandan da, paşaya verilmesi gerektiği için değerli bir şey olduğuna hükmettiği bu garip parayı koynundaki kitabın arasına el yordamıyla yerleştirmeye çalışıyordu. Ne var ki peşlerindeki süvariler, metrislere varmadan onlara yetişecek gibi görünüyorlardı. Bununla birlikte yeniçerilerin tüfenk menzillerine girmişlerdi ve açılan bir ateşle süvarilerin çoğu telef oldu. Ama içlerinden biri Bünyamin'e yetişmeyi başarmıştı. Fakat delikanlı, sırtını hedefleyen süvari kargısını hissedince ani bir hareketle geri dönüp adamın silahını yakalayarak elinden almayı başardı. Kargısız kalan süvari kılıncını çekerek Bünyamin'in üzerine tekrar saldırdı. Ancak delikanlı, kargının sapını yere gömüp ucunu ata doğrultarak hasmının saldırısını engelliyordu. Süvari yılmayarak ilerledi ve ustaca bir hareketle kargının ucunu kılıncıyla kopardı. Fakat bu hareketi dengesinin bozulmasına neden olunca, delikanlı kargısının sapıyla adamın sırtına okkalı bir darbe indirip onu atından düşürdü. Kılınçsız kalan adam, demir halkalardan örülme zırh gömleğini çıkarıp Bünyamin'e atıldı. Delikanlı elindeki kargıyı hasmının kafasına tam indirecekti ki, adam zırh gömleğini elinde döndüre döndüre onun yüzüne doğru fırlattı. Demir halkalardan örülmüş zırh, o soğukta Bünyamin'in yüzüne yapışıverdi. Adam ise eldivenli eliyle zırhın öbür ucuna yapışmış, delikanlıyı sağa sola savurmaya başlamıştı. Sonunda zırhı öyle bir çekti ki, demir halkalar Bünyamin'in yüzünden et parçaları koparıp ayrılıverdi. Yüzü kanlar içinde, delikanlı yere yığıldı. Adam yanına gelerek üstünü aramaya başladı. Belli ki, paşaya verilmesi gereken şu garip parayı bulmayı umuyordu. Fakat tam bu sırada kolombornelerden birinin fırlattığı bir humbara yanıbaşlarına düştü. Fitili hâlâ yanıyordu. Süvari, arayıp taramayı bırakarak humbarayı alıp daha uzağa fırlatmak üzere yerinden doğruldu. Fakat tam eline almıştı ki, humbara patlayıverdi. Bünyamin o sırada yerde yattığı için kurtulmuştu. Ancak o kadar bitkindi ki, metrislerden gelen yeniçeriler bir ara onu ölü zannettiler. Ağzına ayna tuttukları bu gencin yaşadığını gördüklerinde onu çadırlardan birine taşıdılar. Karargâhtakilerin hiçbiri, yüzü paramparça olmuş bu delikanlının kimliğini tespit edemedi.

II

Bünyamin düş görüyordu.

Vardapet'le birlikte dehlizler açarak yeraltında ilerliyorlardı. Yerin kim bilir kaç kat dibinde olmalarına rağmen dehlizlerin duvarları sanki toprak değil de karanlık bir sisti. Kazmalarını duvara vurdukça toprak zifiri karanlık bir dumana dönüşüyor ve bu sis, dizlerinden aşağıya yayılıyordu. Ne var ki her ikisi de bu duruma şaşırmış görünmüyordu. Vardapet ikide bir delikanlıya dönüp hınzırca gülerek işlerinin ne kadar kolay olduğunu anlatıyordu. Bıkıp usanmadan kazıp sarkıt ve dikitlerle dolu sayısız mağaraya, kaynar suların gürüldediği hesaba gelmez yeraltı nehrine ve bir nice azman kertenkele iskeletine ulaşmışlardı. Ancak, en ufak fısıltının bile madeni duvarlarda gökgürültüsüne dönüştüğü bir mağaraya eriştiklerinde donakaldılar: Sarkıtların altında ve dikitlerin üstünde tahtaları çoktan çürümüş devasa bir gemi vardı. İçine girdiklerinde hepsinden bir erkek ve bir dişi olmak üzere envai çeşit hayvanın iskeletini görüp korktular. Dehşet içinde güverteye çıktıklarında, mağarada gördükleri Bünyamin'in kanını dondurdu: Paslanmış zırhlarıyla demir peçeli yeniçeriler mağaranın duvarlarından, sanki bir sisi yarıyorlarmış gibi çıkıyorlardı. Delikanlı ustasını dürterek gördüklerini ona da gösterdi. Yeniçeriler karşı duvarın içine girip kaybolunca, her ikisi dehlizlerini bu yönde açmaya başladılar. Durup dinlenmeden yerin altına indiler, cinlerin yıkandığı kaynar çamurları, ergimiş kurşun ırmaklarını, deliklerden püsküren kibrit buharlarını geride bırakıp mıknatıslı bir mağaraya geldiler. Burası bütün pusulaların gösterdiği yerdi. Dehşetten donakalmışlardı. Çünkü kara alevler mıknatıslı duvarları yalıyor, geçmişin ve geleceğin bütün günahkârları bu mağarada azap içinde inliyordu. Burası, varabilecekleri nihai derinlikti. Kaçıp kurtulmak istediler. İçlerinden bir ses onlara, bir ağaç kökünü izleyip yukarı çıkmalarını söyledi. Kibrit buharlarının arasında, o ağacın kökünü böylece buldular. Yukarıya yol alırken, ejderhaların koruduğu hazinelere, taşıllaşmış canavar yumurtalarına, yaşayıp ölmüş bütün hayvanların kalıntılarına rastladılar. Altın damarlarını geçip, zümrütleri, yakutları, elmasları, azül taşlarını ve nice cins billuru gördüler. Mücevherli taçları ve altın zırhlarıyla yatan kral ölülerine, zincirlere vurulmuş lanetli iskeletlere, göğüslerine çakılmış kazıklarla uyuyan upirlere, başsız gövdelere ve kesik başlara kayıtsızca baktılar. Kabir azabı çeken ölülerin inlemelerini ibretle dinlediler. Kökü izleyip çok geçmeden tilki, köstebek, tavşan ve fare yuvalarına ulaştılar. Vardapet kazmayı bırakıp derin bir nefes aldı. Bir elması bulmaktan söz ediyordu. Bu kez onun belirlediği yönde kazdılar ve elması, barut dumanlarının arasında buldular. Vardapet esnedi ve bu değerli taşın üstüne yatıp uyudu. Bünyamin ne yaptıysa onu uyandırmayı başaramadı. Çaresiz, yukarı doğru kazmaya başladı ve ağacın gövdesine erişti. Artık yeryüzündeydi. Yıldızları gördü ve gecenin duru havasını ciğerlerine çekti. Ayışığında ağacın silueti seçiliyordu. Bünyamin dolunaya ulaşmak istedi. Ağaca tırmandı, sincapları uyandırıp yuvalarındaki kuşları ürküterek tepeye erişince, dolunay sandığı şeyin, aslında ağacın yegâne meyvası olduğunu gördü. Bu meyvayı tatmak için dayanılmaz bir istek duydu. Gümüş rengi meyvayı ısırdığında hazineleri koruyan ejderhaların alevlerini tattı, kanlı altınların, mavi azül taşlarının, kızıl yakutların dayanılmaz lezzetini tattı, ateş ve suya hükmeden sultanların gazabını ve upirlerin hüznünü tattı, mezarlarında iki meleğin sorguya çektiği ölülerin azabını, günahkârların neşesini ve bu neşenin bedeli olan kara ateşin yakıcılığını tattı. Meyvesini yediği ağacın köklerinin uzandığı her yerden gelen binbir çeşniyi, binbir lezzeti, binbir hüznü ve kahkahayı tattı. Bu yeraltının tadıydı ve tanıdı. Babası Uzun İhsan Efendi'nin kendisine verdiği Atlas'ın bütün sayfalarını bu tatla tanıdı ve onda, içinde bulunduğu dünyanın karanlık ayrıntılarını gördü. Görür görmez yeraltı hazinelerinin arasına karıştı.

Bünyamin uyandığında gözlerini açmakta zorluk çekti. Çünkü yüzüne bir sargı bezi sarılmıştı. Şakaklarında, alnında ve yanaklarında dayanılmaz bir acı vardı. Üstelik ateşler içinde yanıyor, sık sık öksürüyordu. Onu karların üzerinde bitkin bir durumda yatarken bulduklarından dört gün sonra zatürre olmuştu. Yüzü parçalandığından onu tanıyan olmamıştı, ama zırh gömleğine bakıp onun bir yeniçeri olduğuna hükmetmişlerdi.

Yaralılarla dolu bir öküz arabasında olduğunu hemen anlamıştı. Şiddetli soğuktan korunmak için üzerlerinde üç kat keçe vardı. Gözleri sarılı olmasına rağmen Bünyamin, arabanın yanında yürüyen askerlerin konuşmalarından, "Kaledeki casusun Vardapet'in çırağına çok değerli bir şey verdiğini, ama Bünyamin adlı zındığın emanet aldığı bu şeyle birlikte kaçtığını, büyük ihtimalle onu kaledekilere sattığını" öğrendi. Zülfiyar adlı casus, savaş meydanında Bünyamin'in cesedine rastlayamamış, akıncılara delikanlının eşkalini tarif ederek onu ölü ya da diri getirmelerini buyurmuş ve delikanlının başına yüz altın ödül koymuştu.

Bünyamin elini koynuna soktu. Babasının ona verdiği kitap hâlâ oradaydı. Parmaklarını sayfaların arasına sokup casusun kendisine verdiği parayı aradı ve buldu. Bu sözümona değerli şeyle birlikte kaçtığına Zülfiyar'ın neden inandığını uzun uzun düşündü. Bu adam bir casustu ve hiçbir işini tesadüfe bırakmayan biri olmalıydı. Böyle birinin tesadüflere kolay kolay inanmayacağı da açıktı. Çünkü mesleği gereği tedbirli olmak zorundaydı ve daima muhtemel en kötü durumu dikkate alarak davranırdı. Kalede ele geçirip kendisine teslim etmek zorunda kaldığı o şey, artık her ne ise, gözünde o kadar değerliydi ki, işin aslının zaten hiçbir önemi yoktu. Zülfiyar'ın aradığı bu değerli şeyi şu anda taşıyan kişi, ister iyi niyetli ister kötü niyetli olsun, bu casusun "muhtemel en kötü durum ne ise hakikat de odur" ilkesi uyarınca boynu vurulacak biriydi.

Bünyamin biraz olsun kendine geldiğinde, yeri yurdu ve hangi yeniçeri ortasından olduğuna dair soruları bertaraf etmek için hafızasını kaybetmiş numarası yapmaya karar verdi. İsabetli bir karardı bu. Çünkü kaleden ayrıldıklarının on yedinci günü, geceyi geçirmek için Sofya'ya üç gün uzaklıkta bir yerde mola verdiklerinde, Zülfiyar topallayarak gelmiş ve Yahudi hekime Bünyamin'in yüzündeki sargıları açmasını buyurmuştu. Hekim denileni yaparken Bünyamin'in kalbi küt küt atıyordu ama son sargı da açıldığında casusun kendisini tanıyamadığını gördü. Ancak orada bulunanlar, hatta Zülfiyar bile ona acıyarak bakıyorlardı. Elini yüzüne götürdüğünde garipliği sezdi. Sanki bir süngere dokunmuştu, göz kapaklarından birinin yarısı yoktu. Buna rağmen metanetini kaybetmeksizin, kendisine sorgu sual edenleri hafızasını kaybettiğine inandırmayı başardı. Casus ve adamları gittiğinde hekimden bir ayna istedi. Gelgelelim yirmi gündür onu tedavi etmeye çalışan bu adam ona ayna vermemekte direniyordu.

Sofya'ya girdikleri gün bir ayna bulabildi ve soğukta tenine yapışan örme zırhın yüzünü ne hale getirdiğini gördü. Dudağı, yanakları, alnı ve şakaklarından et parçalarının kopması sonucu, adeta bir gulyabani çehresi kazanmıştı. Sağ göz kapağının yarısı yoktu ve bu eksiklik onun daha sonra uyuyabilmesi için gözünün üzerine ıslak bir bez parçası koymasını gerektirecekti. Diğer yaralılar, aynaya bakıp bakıp ağlayan bu delikanlıya o kadar acıdılar ki, onu teselli etmek için adeta birbirleriyle yarıştılar. Anlattıklarına göre yiğit suratı böyle olmalıydı, hele yalın kılınç bu suratla keferenin üzerine koştu mu, alimallah hepsi arkalarına bile bakmadan kaçarlardı. Bacağı kesilen bir yeniçeri ise, Kostantiniye'de bir cerrahın neşterle yüzleri kesip biçerek korkutucu bir çehreye dönüştürdüğünü, üstelik bu iş için utanmadan yedi filuri aldığını söylüyordu. Dediğine bakılırsa, Eğri kalesi surlarına ilk tırmananlar bu cerrahın eseri olan gulyabani çehrelerine sahipti. Fakat ne kadar dil döktülerse de delikanlının ağlaması dinmedi. Yaralılarla birlikte Edirne'ye gönderildiğinde hâlâ ağlıyordu. Ayrıca yeni atlattığı zatürre onu iyice güçten düşürmüştü. Bacakları üzerinde zor duruyor ve sürekli öksürüyordu. Karargâhta, savaşamayacak durumda olduğu anlaşılan diğer eşkincilerle birlikte ona da ayarı düşük tam iki yüz akçe ihsan edildi.

Bünyamin, Kostantiniye'ye dönmek isteyen üç beş kişiye katılıp, kendilerini taşıyacak bir öküz arabası kiralamak için payına düşen parayı verdi. Artık ilkbahar gelmişti. Bu yüzden yolculukları zahmetsiz geçti. Serin ve temiz bahar havası, konakladıkları köylerden aldıkları sıcak ekmekler, çanak çanak yedikleri nefis yoğurtlar, Trakya balları ve leziz şaraplar Bünyamin'in sağlığına kavuşmasına büyük ölçüde yardımcı oldu. Fakat Kostantiniye surları göründüğü zaman aklına gelen bir düşünce delikanlının kanını dondurdu: Şu anda kendisinin eşkalini bilen yüzlerce ve belki de binlerce kişi onu arıyordu. Yüzü parçalandığı için kendisini bulmaları biraz zordu. Fakat adını biliyorlardı ve Kostantiniye'de nerede oturduğunu lağımcıbaşından mutlaka öğrenmiş olmalıydılar. Öyleyse babasının yanına gidemezdi. Ancak durum ne olursa olsun, babası büyük bir tehlike içinde olmayacak mıydı? Bütün bunlar aklından geçerken o kadar çok titremeye başlamıştı ki, diğerleri onun hastalığının nüksettiğini sandılar.

Arabaları Topkapısı'ndan geçip Divan Yolu'nda ilerlerken o hâlâ babasını düşünüyordu. Ayasofya önünde birbirleriyle vedalaştılar ve Bünyamin gücünün yettiği kadar hızlı yürüyüp Haliç'e indi. Bir kayığa binip Galata'ya geçti. Karaköy iskelesinden Yelkenci Hanı'na koşarak gittiğinde evlerinin yerinde yeller estiğini gördü. Yeniçerilerin paramparça ettikleri evlerinin tahtaları yakacak olarak kullanılmak üzere hamamcılar tarafından talan edilmişti. Kimliğini elinden geldiği kadar gizlemeye çalışan Bünyamin'i komşularından hiçbiri tanıyamadı. Delikanlı eski mahallelerinde amaçsızca uzun süre dolaştıktan sonra aynı sokaktaki bir kıraathaneye girip, selamını alanlara kendisini başka bir adla tanıttı. Babasının başına gelenleri öğrenmekte gecikmedi. Çünkü zavallı Uzun İhsan Efendi'nin başına gelenler, Galata'daki her kıraathane sohbetinin haftalardır süren ana konusuydu. Zavallı adam, evi yerle bir edildikten sonra Etmeydanı'ndaki yeniçeri odalarına götürülmüştü. Sakladığı sırrı vermeyince gözleri oyulup, kulakları, burnu kesilmiş ve bu haliyle Kostantiniye dilencilerinin kethüdası Hınzıryedi'ye iki altına satılmıştı. Bünyamin duyduklarına inanamıyor, ağlamamak için direniyordu. Alibaz'ın ve maymunları Müşteri'nin de akibetleri meçhuldü. Delikanlı başlarına bunca belayı açan o uğursuz kara paraya lanet etti. Kıraathaneden çıktıktan sonra koynundaki kitabın arasından bu tuhaf parayı alıp Haliç'e atmayı düşündü. Fakat fikrinden hemen vazgeçti. Galata rıhtımında bir fıçının üstüne oturup parayı inceledi: Mat ve zifiri siyahtı. Sanki ağırlığı bile yoktu. Üstelik o kadar güçlü bir mıknatisiyeti vardı ki, Bünyamin onu yapıştığı hançerden ayırmakta adamakıllı zorlandı. Bu garip şartlarda ne yapacağını bilemiyordu. Aklına yine kitaptan rastgele bir sayfa açıp fal bakmak geldi. Açtığı sayfada gözüne ilk çarpan cümle şuydu: "Dilencilerin arasına girip kaderini beklemeye başladı."

Bünyamin bu karmakarışık durumdan nasıl kurtulması gerektiğini kestiremiyordu. Ne var ki yapılması gereken ilk şeyden son derece emindi. Bir yolunu bulup babasını dilencilerin arasından kurtarmak zorundaydı. Fakat bu koskoca şehirde şüpheyi çekmeden onu bulması hiç de kolay değildi. Zaten geçtiği her mahallede yüzündeki yaralar nedeniyle dikkat çekmişti. Bu zorluğu gidermenin yollarını uzun uzun düşündü. Aklına, kendisini yolcu eden babasının sözleri geldi. Uzun İhsan Efendi ona tekrar tekrar, maceranın bir ibadet olduğunu söylemişti. Oysa kendisini içinde buluverdiği bu macera kötülükler ve belirsizliklerle doluydu. Kışın ortasında, sefer mevsimi değilken, o kaleyi niçin kuşatmışlardı? Eğer bu işi Zülfiyar'ı kurtarmak için yaptılarsa, bu adam kaleden neden çok değerli bir belge değil de, o uğursuz parayı getirmişti? Üzerinde bir tek yazı ve tuğra görünmeyen bu zifiri siyah para neden bu kadar değerliydi?. Bütün bu sorular onun hiç mi hiç merakını uyandırmıyor, cevapları da onu zerre kadar ilgilendirmiyordu. İstediği şey, eski güzel, rahat, endişesiz ve tekdüze günlere dönmekti. İnsanların Dünya karşısındaki kayıtsızlığını da işte tam bu anda kendi zihninde yakaladı ve babasının sözlerine bir anlam vermeyi başardı: Bu dünyada insanların korktuğu tek şey öğrenmekti. Acıyı, susuzluğu, açlığı ve üzüntüyü öğrenmek onların uykularını kaçırıyor, bu yüzden daha rahat döşeklere, daha leziz yemeklere ve daha neşeli dostlara sığınıyorlardı. Dünyaya olan kayıtsızlıkları bazan o kerteye varıyordu ki, kendilerine altın ve gümüşten, zevk ve safadan, lezzet ve şehvetten bir âlem kurup, keder ve ızdırap fikirlerinin kafalarına girmesine izin vermiyorlardı. Oysa Uzun İhsan Efendi, Dünya'nın şahidi olmanın gerçek bir ibadet olduğunu sık sık söylerdi. Her insan şu ya da bu şekilde dünyayı okumalıydı. Kuran'ın kendisi peygamberin dünyayı nasıl okuduğuna bir örnekti ve onun ardında giden herkes, dünyayı onun gibi okuyup şahadetlerini yazmalı ve bunları başkalarına aktarmalıydı. dünyaya şahit olmanın yolu ise maceranın kendisinden başka bir şey değildi. Yaşanılanlar, görülenler ve öğrenilenler ne kadar acı olursa olsun, macera insanoğlu için büyük bir nimetti. Çünkü dünyadaki en büyük mutluluk, bu Dünya'nın şahidi olmaktı.

Yılanın Renkleri

I

Rivayet ederler ki, Bağdat Acem mülkü olmadan çok önce bu kentte hırsızın biri açılmadık kilit, girilmedik ev, soyulmadık konak bırakmıyor, gözden sürmeyi, alttan minderi, parmaktan yüzüğü, kulaktan küpeyi çalıp gününü gün, gecesini sefa eyliyordu. Kentin paşası, sokakları ne kadar çok kollukçuyla doldurursa doldursun, hırsızın gadrine maruz kalıp her sabah kapısının önüne toplanan insanların ağlayıp sızlamalarını önleyemiyordu. Paşanın işi gerçekten zordu, çünkü bu Bağdat hırsızı kelimenin tam anlamıyla bir kılık değiştirme ustasıydı. Sadece yakalanmamasının değil, onun meslekteki başarısının nedeni de buydu. Yalnızca kılık değiştirmekle kalmıyor, balmumu ve türlü çeşitli boyayla çehresini de şekilden şekile sokup gözüne kestirdiği bir ev sahibinin suretine bürünüyordu. Böylece elini kolunu sallayıp eve girdikten sonra, hizmetkârlara evdeki bütün altınları toplayıp getirmelerini ve kendisine de bir orta şekerli kahve yapmalarını emrediyor, fırsat bulmuşken bir şeyler de atıştırarak akabinde altın dolu çuvalla evden çıkıp sırroluyordu. Günün birinde, evini soymak için zengin bir dul kadının kılığına girmek gafletinde bulundu. Gelgelelim paşanın oğlu bu dul kadına âşıktı ve adamlarıyla birlikte, hayatının dilberi saydığı kadın yerine, yolda gördüğü Bağdat hırsızını bir çuvala koyup kaçırdı. Onu doğruca saraya götürüp haremdeki kadınlara teslim ederek geceye hazırlamalarını emretti. Kadınlar hırsızı hamama sokup yıkamak üzere göbek taşına yatırdılar. Ne var ki halvet sıcağından yüzündeki balmumu erimeye başlayınca, onun cüzzamlı olduğuna hükmeden hamam ahalisinin feryatları göklere vardı. Çığlıklara koşup gelen paşaoğlu, sevgilisinin durumunu görünce işin içinde bir iş olduğunu anladı ve adamın apış arasını yoklayınca onun kadın madın olmadığını gördü. Yakayı ele verdiğini anlayan hırsız adamakıllı korkmuştu. O kadar çok yalvar yakar oldu, o kadar çok âbıru döktü ki, hem hırsız olduğu, hem de paşaoğlunun cariyelerinin mahrem yerlerini gördüğü halde, kendisini acındırmadaki yeteneği sayesinde affedildi. Sağ salim sokağa çıktıktan sonra Bağdat'ta artık hırsızlık yapamayacağını anlamıştı. Kendine yeni bir meslek seçmesini bildiğinden dilencilikte karar kıldı. Yüzüne ve bedenine balmumu ve boyalarla, Halep çıbanı, dolama, şirpençe, siğil, temriye, yenirce, itdirseği, isilik, hıyarcık, arpacık, incitmebeni, ceriha, bıcılgan ve akarcalar yapıp dilenmeye çıktığı ilk gün, Bağdat'ta bir günde verilen sadakaların onda dokuzunu topladı. Hayır sahipleri ona fels, mangır, akçe ve altınlarını vermek için adeta yarışırken, o da, "Ayağına Kâbe sevabı yazılsın, Allah yavuz dilden kem nazardan saklasın, Hakk Teala yavuz, yüzsüz, utanmaz avrat kazasından saklasın, yolun Hicaz olsun, el kazana sen yiyesin, mutluluk yağmuru altında kaftansız kalasın, Allah seni karı şerrinden azat eylesin, üç otuz on yaşın dolsun" diye dualarını sıralıyordu. Kısa zaman sonra bölgenin en makbul dilencisi olduğunda ünü yedi iklim dört bucağa yayıldı. Hatta Sultan Murad Bağdat'a girdiğinde ona bin altın ihsan edip, kentteki beş yüz ayrı zanaatin erbabıyla onu da, Kostantiniye dilencilerine sadaka istemenin esrarını öğretmesi için yanına aldı. Sultanla birlikte Kostantiniye'ye geldiğinde elinde bir kabul fermanıyla doğruca dilenciler loncasına gitti. Bu garip mekânda, ilk bakışta diğer meslekdaşları tarafından hüsnükabul görür gibi oldu. Ona bir hoşgeldin ziyafeti verilmiş ve önüne bir taskebabı çıkarılmıştı. Bütün yemeği iştahla yiyip üstelik bir de tencereyi ekmekle sıyırdığında, o zamanki dilenciler kethüdası pis pis sırıtarak ona, taskebabındaki etin domuz eti olduğunu, bilindiği gibi bu eti yiyenin duasının kabul olunmayacağını, dolayısıyla kendisinin artık duası gayri makbul bir dilenci olduğunu anlattığında duyduklarına inanamadı. Kendisine yapılan bu şaka onun ekmeğiyle oynamaktı. O kadar kızdı, o kadar kızdı ki, korkuyla bakan Kostantiniye dilencilerine, "Ömrünüz âh edip vâh işitmekle geçsin, burnunuzun sümüğüne bereket olsun, mekânınızda baykuşlar banlasın, gömleğiniz alev olsun, her parçanız bir kurdun ağzında kalsın, Allah size uyuz versin de kaşınacak tırnak vermesin, kefeniniz kara bezden olsun, iki gözünüz bir delikten baksın, Sûr üflendiğinde hiçbiriniz duymasın" diye ezberindeki duaları okumaya başladı. Dilenciler bu beddualar ya tutarsa diye o kadar çok korktular ki, kendilerini affettirmek için o gün kazandıklarını yeni pîrlerine verdiler. Ancak domuz artık bir kez yenmişti, böylece, Bağdat'tan gelen bu dilencinin adı Hınzıryedi olarak kaldı.

Gel gör ki, domuz etinden yapılan taskebabının tadı damağında kalmıştı. Hınzıryedi, hayatında ilk kez tattığı bu lezzeti arar oldu. Koyun, keçi, dana, tavşan, tavuk, tosbağa, kurbağa, mürmürbağa etini bile denedi, ama aradığı lezzet bunlardan hiçbirinde yoktu. Nefsini bastırmak için kendine türlü eziyetler yaptı. Fakat olmuyordu. Bedeni bu murdar hayvanın etini istiyor, geceleri rüyasında domuzları kovalıyordu. Sonunda Galata'daki bir Frenk kasabından, şişe geçirilip çevrilmeye hazır bir domuz yavrusu almaya cesaret edebildi. Aksilik bu ya, loncadaki odasında, kasabın hazırladığı paketi tam açmışken odaya bir dilenci girip domuzu görür görmez dehşetle haykırdı:

– "Allahumme ya Vedud!"

Hınzıryedi hiç istifini bozmadan hançerine davranıp fısıldadı:

– "Gözünü bağla dilini tut".

Hınzıryedi o günden sonra ne yapıp ettiyse de kendisinin domuz eti müptelası olduğu söylentisini bastıramadı. Hatta birkaç yıl geçtikten sonra bu işi açıktan açığa yapmakta artık bir sakınca görmez oldu. Bunun için subaşı tarafından mahalle imamı nezaretinde birkaç kez falakaya yatırıldığı bile vuku buldu. Fakat iptilasından kendini alamıyordu bir türlü. Nihayet onun tembih ve nasihatle yola gelmeyeceğini anlayan kadı, Hınzıryedi'yi karşısına alıp onu bu işi yaparken tekrar yakalarsa boynunu vurduracağını söyledi. Aradan birkaç gün geçtikten sonra onu sokakta çeviren kullukçular heybesinin içinde bir domuz budu buldular. Dilencilerin pîri böylece Eminönü'ndeki zindana atıldı. Fakat bütün bunlar, Bünyamin'in o uğursuz parayı bulmasından yıllar önce olmuştu.

Huyundan vazgeçmeyeceği tespit edilen Hınzıryedi'nin böylece idam cezasına çarptırılmasından birkaç gün sonra, infaz için gelen cellat onu hücreden teslim aldı. Âdet üzre, Zindankapı Hamamı'na götürüp bir güzel keseleyip yıkadı. Pirpak olan kurbanının boynuna bir urgan bağlayıp onu Eminönü'ne doğru götürürken, arkalarında idamı seyretmek isteyen bir kalabalık birikmişti. İskeleye vardıklarında Hınzıryedi'nin dizlerinin bağı çözülüverdi. Cellat, malum kütüğün önüne kadar mahkûmun yürümesine yardım ettikten sonra cebinden bir pusula çıkarıp kıbleyi tespit etti ve kurbanının başını bu yöne çevirdi. İman tazeleyip kelime-i şahadet getirmesi için ona verdiği sürede, kendisi de satırını bileğilemeye başladı. Nihayet başını kütüğe yatırdı ve satırını havaya kaldırdı. Ancak tam bu sırada meydana gelen birkaç atlı onu durdurdu. İçlerinden biri atından inerek celladın burnuna kapı gibi bir fermanı dayadı. Kâğıdın en üstünde padişahın tuğrası vardı. Celladın yamaklarından biri fermanı kekeleye kekeleye okuduğunda, Hınzıryedi nam dilencinin işbu fermanı getiren adamlara teslim edilmesinin emredildiği görüldü.

Zavallı Hınzıryedi bir eşeğe bindirilerek Bayezit'e götürüldü. Atlılar hayvanlarından inip teslim aldıkları adamla darphanenin hemen yanındaki bir kıraathaneye girdiler. Kahveci hem kulampara, hem de azılı bir katil olarak şöhretli biri olduğundan bu mekâna ayak basan pek olmuyordu. Gelenleri tanıdığından, bir perdeyi çekerek kim bilir nereye giden bir geçidi açtı. Adamlar dilenciyle birlikte geçide inip bir süre yürüdüler. Darphane tam üstlerindeydi. Nihayet ağır bir kapının kilidini açıp kasvetli bir odaya girdiler. Her duvarda birer kapısı olan bu oda mumla aydınlatılmıştı. Duvarlardaki raflarda ise ne işe yaradığı meçhul sayısız alet, askılarda ise Nemçe, Suvaç, Rus, Danıska ve Felemenk kavimlerinin giydiği türden elbiseler vardı. Kapıların birinden köpek havlamaları duyuluyor, diğerinden ise cıva kokan bir duman sızıyordu. Bu ortam ne kadar kasvetli olursa olsun, sedirlerden birinde şiş göbekli ama zayıf bir adam horlaya horlaya uyuyordu. Onca gürültüye, pis kokuya ve kasvete rağmen uyuyabilen bu adamın adı Zülfiyar'dı ve bu mekân onun rahat edebileceği belki de tek yerdi. Çünkü burası, Bünyamin'in yıllar sonra ayak basabileceği Teşkilat-ı İstihbarat-ı Humayûn'un merkeziydi. Zülfiyar ise o zamanlar teşkilatın en çetin casusuydu.

Adamlar onu dürtüp uyandırınca Zülfiyar uykulu gözlerle Hınzıryedi'yi süzmüştü. Kendisine getirilen kahveyi içerken bile onu hâlâ inceliyordu. Sonunda oturmasını emrederek ona, "Artık bizim için çalışacaksın" dedi, "Teşkilatımız ve efendimiz için".

Hınzıryedi şaşırmıştı. Neden bahsedildiğini bir türlü anlamıyordu, ama yine de bu sözleri canıgönülden kabul eder göründü. Ama Zülfiyar bu göstermelik minnete kanacak biri değildi.

"Artık efendimizin adamısın" dedi, "Ama sana ne ölçüde güvenebileceğimizi bilmiyoruz. Fakat bu halledilmeyecek bir mesele değil".

Hınzıryedi diller döküp dualar ederek kendisinin dünyadaki en güvenilir insan olduğunu anlatmaya çalıştı. Zülfiyar gülümsedi:

"Güvenilir biri değilsen bile üzülme. Bunu başarmak için elinden geleni yapacaksın" dedi ve bir işaretiyle adamlar sürgülü bir kapıyı açıp yaka paça bağlanmış birini içeri getirdiler. Hınzıryedi bu zavallıyı tanıdı. Bahçekapı'daki simit fırınında çalışan bir işçiydi.

Zülfiyar, "Onun hiçbir özelliği yok. Sadece adamlarımın rasgele seçip buraya getirdiği biri. Ama onun başına gelecekler belki de sana bazı şeyler anlatır" diyordu. Taburede duran bir bardak dolusu şerbeti gözüyle işaret edip, Hınzıryedi'ye bardağı yarısına kadar içmesini emretti. Dilenci denileni yaptıktan sonra kalan şerbeti zavallı fırın işçisine zorla içirdiler. Zülfiyar, koynundan çıkardığı yumurta büyüklüğündeki bir saate bakmaya başladı. Dilenci ve zavallı işçi, artık nedendir bilinmez, terlemeye başlamışlardı. Nihayet casus, ecza dolabından kırmızı hap dolu bir kavanoz aldı ve bunlardan bir tanesini Hınzıryedi'ye verdi. Hap zehir gibi acıydı. Öyle ki dilenci, onların kendisini zehirlediklerini zannetti. Fakat onun yerine fırın işçisi kıvranıp inlemeye başlamıştı.

Zülfiyar, "Gördün mü?" diyordu, "Aynı zehirli şerbetten içtiniz. Sen yaşıyorsun, o ölüyor. Ama hemen sevinme, senin de bir günlük ömrün var, bunlardan günde bir tane almazsan elbette. Vücudundaki zehirin etkisi yıllarca sürer, ama bu haplardan aldığın sürece bedenin hiçbir zarar görmez. Dediğime inanmıyorsan elbette hapları almayabilirsin. Denemesi bedava. Ama terlemeye başladığında –ki bu ölmek üzere olduğun anlamına gelir– işte o zaman bizi ziyarete gelirsen hakkında hayırlı olur. Belki derdine derman bulabiliriz".

Fırın işçisi bir hayli yeşil safra kustuktan sonra ruhunu teslim etmişti.. Adamlar cesedi bir çuvala koyup götürdükten sonra Zülfiyar bir boy aynasında kılığına çekidüzen verdi. Teşkilat-ı İstihbarat-ı Humayûn'un efendisinin huzuruna çıkacaklardı. Başkalarına karşı son derece acımasız olan bu casus, Büyük Efendi'nin adını ağzına alırken, sonsuz bir saygının alameti olarak sesini alçaltıyor, ellerini önünde kavuşturup sanki gizli bir ibadetin bir parçasını yerine getiriyordu. Aklını başına henüz toplayamayan dilenci ona Büyük Efendi'nin adını sorduğunda, beriki fısıldayarak, "Ebrehe" demişti. Onun bu tavrı Hınzıryedi'yi o kadar ürküttü ki, haline bakılırsa zaten korkunç biri olan Zülfiyar'ın bile çekindiği şu Büyük Efendi'yi tahayyül etmeye çalışmak dudağının uçuklamasına yetti.

Zülfiyar bir kapıyı açarak içeri bir şeyler fısıldamıştı. Yüzündeki saygılı ifadeye bakılırsa efendisi Ebrehe'yle konuşuyordu. Odadan gelen tiz ve çatlak sesi işittiğinde Hınzıryedi'nin kanı dondu. Ses o kadar bet, zerafetten o kadar yoksundu ki, adeta kadın sesiyle sübyan sesi arası bir şeydi. Casus, dilenciye içeri girmesini emrettiğinde zavallının eli ayağı birbirine dolaştı. Üstelik, odadan iğrenç kokulu bir duman çıkıyordu.

Aradan yıllar geçtikten sonra, Uzun İhsan Efendi adındaki, gözleri oyulmuş, kulakları ve burnu kesilmiş olan adam kendisine aynı yerde iki altına satıldığı gün, Hınzıryedi yine aynı kokuyu alıp o günü yadedecekti. Darphanenin tam altındaki gizli odalarda faaliyet gösteren istihbarat teşkilatına yıllar sonra girebilecek olan Bünyamin'in hafızasından aylarca çıkmayacak olan bu koku, kör imbikte ısıtılan cıvadan tütüyordu.

Dilenci burnunu tıkayarak içeri girdi. Burası bir elkimya cehennemiydi. Orta yerdeki üç zosimos ocağından ikisi yanıyor ve üstlerindeki imbikler fokurduyordu. Duvarlarda çeşitli boy ve işlevlerdeki körükler, maşalar ve potalar asılmıştı. Tezgâhlarda tuzları kırmak için havanlar, maden filizlerini ufalamak için değirmenler, sarmal cam borular ve envayı çeşit alet edevat vardı. Raflarda kırmızı, yeşil, sarı ve mavi tozlarla dolu irili ufaklı kavanozla, renk renk sıvıyla dolu boy boy şişe görünüyordu. Eğer hemen her tarafa nüfuz eden mavi duman sayılmazsa, tuğla ocaklarda harlayan ateşin kırmızısı ve turuncusu odanın hâkim rengi sayılırdı. Dilenci ocağa doğru ilerleyince Büyük Efendi Ebrehe'yi gördü. Kara sarığı ve kızıl cübbesiyle yarasa misali biri olan bu kişi, odadaki mavi dumandan hiç etkilenmemişe benziyordu. Uzun parmakları ve nice zamandır kesmediği kirli tırnakları zaç yağıyla meşgul olmaktan sararmıştı. Çenesi kücücüktü ve bir kadınınkini andıran teni o kadar saydamdı ki, şakaklarında, alnında ve ellerinin üstünde mavi damarlar görünüyordu. Gözleri iriydi ama kapkara gözbebekleri kücücüktü. Yüzünde ve vücudunun diğer yerlerinde asit yaraları vardı. Köse olmasına rağmen çenesinde göze çarpan birkaç kıl, onun hükmedici bir görünüm kazanmasına yetiyordu. Karşısında süklüm püklüm duran dilenciye o bet, o dayanılmaz derecede çatlak sesiyle istediklerini bir bir söylerken, sesi, kokusu ve görünüşüyle yarattığı izlenim sonucu hemen hemen hiç kimse onun emirlerine kulak asmamaya cesaret edemezdi.

Yıllar sonra, sakladığı sırrı vermediği için eziyet gören Uzun İhsan Efendi'yi dilendirmek üzere satın almaya gittiği gün, Hınzıryedi yine o çatlak sesi hatırlayacak ve her zaman olduğu gibi o gün de, Ebrehe'nin akla sığmaz amaçları üzerinde kafa yormaya devam edecekti. Teşkilata zoraki bir şekilde girer girmez Büyük Efendi'nin kendisinden istediği şey gerçekten de çok garipti: Kostantiniye'de dilencilerin topladığı bütün sadakalar ertesi sabah iade edilmek üzere bir geceliğine kendisine verilecekti. Hınzıryedi, idamdan kurtulur kurtulmaz o lanet zehiri bedenine aldığının ertesi günün akşamı, kendisini sözümona yaşatacak yedi tane kırmızı hap enfiye kutusunun içinde olduğu halde loncaya dönerken hâlâ bu tuhaf istek üzerinde düşünüyordu. Bütün gece bu meseleye kafa yordu. Sabah olur olmaz terlemeye başladığında haplardan bir tane aldı. Akşam ezanları okunduktan sonra sökün eden dilenciler toplayabildikleri bütün sadakaları, onun gözetiminde, yamalı torbalardan çuvallara boşaltırlarken kafasındaki sorulara hâlâ cevap bulabilmiş değildi. Fels, mangır, akçe, kuruş ve hatta tek tük altın sikkelerle dolu çuvallar her akşam Zülfiyar ve adamları tarafından alınıyor, sabah olunca yine aynı adamlar tarafından dilenciler loncasının önüne getirilip eksiksiz teslim ediliyordu. Avantasını aldıktan sonra paraları dilencilere dağıtan Hınzıryedi'nin merakı günler geçtikçe arttı. Alınan para ile teslim edilen para, felsine, mangırına, kuruşuna kadar aynıydı, hatta hatalı basılmış bazı paraları tanımak bile mümkündü. Eğer harcanmıyor veya borç verilmiyorsa bu paralar ne yapılıyordu? Hınzıryedi, Zülfiyar'ın parayı almaya gelen adamlarından birinin önüne bir maşrapa şarap sürerek ona bu soruyu sormuştu. Zaten çakırkeyif olan adam, bir sır verecekmiş gibi kulağına eğilerek şunları fısıldamıştı:

– "İnan ki ben de bilmiyorum. Ama efendimiz Ebrehe çuval çuval değersiz parayı bütün gece sayıyor. Aşırı kararmış pulları özellikle bir kenara ayırıyor. Zülfiyar'la konuşurlarken sık sık duyarım: Hep kara bir paradan bahsediyorlar. Galiba 'şeytan parası' dedikleri parayı arıyorlar sizin bu sadakaların içinde. Üstelik yalnızca sizden değil, başka yerlerden de para çuvalları geliyor".

Adam bunları söylerken Zülfiyar içeri girmiş ve görevi başında içen adamcağıza okkalı bir tokat şaplatmıştı. Hınzıryedi, ertesi akşam gelmeyen bu adama ait yüzüğü casusun parmağında gördü ve böylece yaşama isteği merakını bastırdı. Artık hayatını tehlikeye sokacak soruları kendine bile sormuyor, karşılığında kırmızı hapları alıyordu. Bu durum yıllarca sürdü. Gelgelelim bedenindeki zehir hâlâ etkisini gösteriyor ve özellikle sabahları onun terlemesine neden oluyordu. Ne var ki bu bir yanılsamaydı. Çünkü o uğursuz gün sunulan zehir sudan ağır olduğu için bardağın dibinde kalmış, ilk yarısını kendisi içtiği halde, fırın işçisi son yudumları içtiği için zehirlenmişti. Fakat o, hayatını zehirleyen şeyin bu meşum kandırmaca olduğunu yıllarca öğrenemeyecekti.

İdamdan kurtulup teşkilatın bir parçası olduktan altı yıl sonra artık rahatça domuz eti yiyebiliyordu. Günlerden bir gün koca bir tepsi dolusu domuz kokoreçini mideye indirirken Zülfiyar'ın adamlarından biri gelip ona, derhal teşkilata gitmesi gerektiğini söylemişti. Hınzıryedi kıraathanedeki geçitten girip Darphanenin altına indiğinde, yerde kanlar içinde yatan Uzun İhsan Efendi'yi gördü. Sakladığı sırrı vermediği için Et Meydanı'ndaki yeniçeri odalarında adamın gözleri oyulmuş, kulakları ve burnu kesilmişti. Zülfiyar ürkek, Ebrehe ise öfke içindeydi. Birini konuşturmak için işkenceye başvurmanın akılsızlara özgü olduğunu söyleyip, yakalanan adamı yeniçerilere bıraktığı için Zülfiyar'a ateş püskürüyordu. Ona göre daha etkili yollar vardı. Bunlar daha yumuşak olmasına rağmen daha etkili yöntemlerdi. Yerde yatıp artık ne gören, ne de işiten bu adamı konuşturmak ise artık imkânsız gibiydi. Ama o şimdiki haliyle bundan böyle Hınzıryedi'nin işine yarayabilir, istikbal vadeden bir dilenci olabilirdi. Uzun İhsan Efendi dilenciler kethüdasına iki altına böylece satıldı.

Hınzıryedi adamın yaralarını tımar etti. Fakat bu işi bilinçli olarak üstünkörü yapmış, yaraların tam kapanmamasına dikkat etmişti. Çünkü dilencilik mesleğinde yara, bere, kırık, çıkık geçer akçeydi. Bir hafta sonra sargıları açıp eserini incelediğinde hayal kırıklığına uğradı. Ne yazık ki beklediği iltihaplar, cerahat sızıntısı ve çıbanlar yerlerinde yoktu. Üstelik, eli, kolu, bacağı titresin diye adama içirdiği kurşunlu şurup beklediği etkiyi bir türlü göstermiyordu. Fakat oyulan gözlerinden kalan boşluklar, kesilen burnu ve kulağı insanda yine de bir acıma duygusu uyandırmıyor değildi. Loncada gözleri görmeyen bu adamı yedecek bir dilenci buldu ve onları Eyüb Camii avlusuna dilenmeye gönderdi. Uzun İhsan Efendi'yi güden dilenci, torbası sadakayla dolu olduğu halde akşam vakti çıkageldiğinde, bu kör ve sağır adamın sanki her şeyi görüp işittiğini hayretle anlatıyordu. Kuşkuya kapılan dilenciler yeni meslekdaşlarının sağır olup olmadığını anlamak için, doldurdukları bir piştovu kulağının dibinde patlattılar, ama adam tepki vermemişti. Şüphelerini yine bastıramayarak kör olduğundan emin olmak amacıyla gözkapaklarını kaldırıp baktılar, ama göz yuvalarında sadece boşluk vardı. Herkesin içi ferahlamıştı. Bununla birlikte Hınzıryedi'nin içi rahat değildi. Çünkü Ebrehe ona, büyük bir işin peşinde olduklarını, bunun için hep birlikte çalışmaları gerektiğini ve eğer bir aksilik olursa ister suçlu, ister suçsuz olsun, aldığı hapları ona vermeyi derhal durduracaklarını söylemişti. Görevlerinden biri artık Uzun İhsan Efendi'ye gözkulak olmak, onu asla yalnız başına bırakmamak, eğer bu adamın yanına genç biri yaklaşacak olursa durumu derhal Zülfiyar'a bildirmekti.

Zülfiyar, bu gencin eşkâlini ona uzun uzun anlatmış, hatta bir nakkaşın tarif üzere çizip boyadığı resmini bile vermişti. Ne var ki Hınzıryedi, Uzun İhsan Efendi'yi orada burada dilendirmeye başladıktan iki ay sonra, loncaya gelen bir gençten hiç şüphelenmemişti. Çünkü Anadolu'dan gelip Kostantiniye'de iş bulamadığını söyleyen ve yüzü insan içine çıkamayacak kadar parçalanmış bu genç adam, Zülfiyar'ın tarifine hiç mi hiç uymuyordu. Sesinden ve ellerinin derisinin gerginliğinden genç olduğu belliydi, ama zaten dilencilerin beşte ikisi çocuk ve gençti. Üstelik, bu dilenci adayı o parçalanmış yüzüyle bir hayli sadaka toplayacağa benzerdi. Yine de ona biraz sorgu sual etmeyi de unutmadı. Böylece, yüzünün kan davalısı tarafından tırpanla parçalandığını, öldürülmekten korktuğu için köyünü terkettiğini, yüzündeki hasar nedeniyle Kostantiniye'de değil kefil bulmak, hiç kimsenin ona iş bile vermediğini öğrendi. Hayattaki bütün amacının sadece sağ kalmak olduğunu, parada pulda gözü olmadığını, loncanın defterine yazılmak için aldığı sadakanın onda yedisini değil, onda sekizini bile vermeye razı olduğunu söylüyordu. Hınzıryedi, bu kelepir avanta kaynağını kaçıracak biri değildi. Yardımcılarına lonca defterini hemen getirmelerini buyurdu. Üç kişi, koskoca ve kapkalın defteri getirdiler. Bu defter o kadar ağırdı ki, özel olarak yaptırılan rahlenin üzerine konar konmaz tahtalar gıcırdadı. İlk sayfaları Latince, sonraları Rumca ve nihayet Osmanlıca olan bu defter, fetih öncesi ve sonrası dilencileri tarafından özenle saklanmış, asırlar boyunca ulustan ulusa, nesilden nesile geçerek sonunda Hınzıryedi'ye erişmişti. Defterin boş bir sayfasını açıp delikanlıya dönerek, "İsmin her ne ise, burada onun pek önemi yok" dedi, "Bizler aramıza katılanlara lakap takarız. Bir lakabı olan dilenci gedik sahibi sayılır, yani onun kendisine mahsus daimi bir dilenme yeri olur. Ama bunun için önce, yerine göre on filuriden yüz elli filuriye kadar bir ücret ödemesi gerekir. Bu kadar paran olmadığına göre şimdi sana ne lakap, ne de gedik verebiliriz. Yine de seni bir şekilde, hiç olmazsa geçici bir adla çağırmamız gerekir. Acaba ne desek?"

Hınzıryedi elini çenesine dayayarak düşündü. Aksilik bu ya, aklına hiçbir isim gelmiyordu. Fakat Zülfiyar'ın ona, sakın unutmamasını tembih ettiği bir ismi hatırladı. Karar verip kalemini hokkaya daldırarak, "Tamam buldum!" dedi, "Adın Bünyamin olacak".

Bu adı deftere yazarken karşısındaki delikanlının bir an için ürperdiğini farkedememişti.

II

Babasını kurtarmak amacıyla dilencilerin arasına giren Bünyamin, Hınzıryedi tarafından defter-i kebire böylece kaydedildikten sonra lonca binasında kendine yatacak bir yer aramaya başladı. Bulundukları bina, Süleymaniye Camii ile Valide Hanı arasında, vaktiyle bir yangına maruz kaldıktan sonra yeniden tamirine izin verilmediği için rahiplerin terkettiği bir kilise viranesiydi. Fakat terketmek zorunda kaldıklarından dolayı rahiplerin mağdur durumda olduklarını söylemek abes kaçardı. Çünkü bu bina, fetihten asırlar önce Kostantiniye dilencilerinin, topladıkları sadakalarla yaptırdıkları kendi lonca binalarıydı ve anlayışsız bir kral tarafından vaktiyle kiliseye dönüştürülmüştü. Bu kilisedeki yangının, binalarını rahiplere yar etmek istemeyen dilenciler tarafından çıkarıldığı hâlâ söylenegelen bir şayiaydı.

Bina ne kadar büyük olursa olsun içeride sayıları bine yakın yersiz yurtsuz dilenci altalta üstüste, otların, paçavraların, eski ve bitli şiltelerin üzerine yığıldıkları için, Bünyamin oturacak yer bulmakta zorluk çekti. Sonunda, anaları olduğunu söylediği yedi sakat çocukla dilenen şişman bir kadının yanına oturdu. Çünkü cinsiyet ayrımının olmadığı loncada haremlik ve selamlık yoktu. Zaten, genç olsun, yaşlı olsun, erkeklerin hemen hepsinin kadidi çıkmış, burunları düşmüş, dişleri dökülmüştü. Çevrede o kadar çok kör, kötürüm, inmeli, aksak, dilsiz, düztaban, damlalı, çolak, paytak, sağır, topal, şaşı, yatalak, kolsuz, çalık ve şehla vardı ki, yabancı biri burayı hastane sanabilirdi. Fakat bir ya da daha çok azaları eksik olmasına rağmen körler dahil bütün bu insanların gözlerinde bir canlılık parıltısı vardı. Gel gör ki bu parıltı, sadaka toplamaya çıktıklarında günün ilk ışıklarıyla birlikte kaçınılmaz olarak sönüyor, yüzlere meyus ifadeler yerleşiyordu. Acındırıp sadaka koparma sanatının dehaları olan bu ahali, her biri gerçek birer yaratıcılık eseri olan sayısız yöntem ve üslup geliştirmişti. Hatta bazıları mesleğin püf noktalarını anlatan kitaplar yazıp tecrübelerini gelecek nesillere miras bırakmışlardı. Gerçekten de loncanın kütüphanesi üstad dilencilerce yazılan hesaba gelmez kitapla doluydu. Bu kitaplar dilenme tarzları yanısıra, genellikle kaside ve maval besteleri, yetmiş iki ulusun darphanesinde basılan paraların katalogları, sadakayı arttırmak amacıyla bedende bir hasar yaratmanın usullerini gösteren cerrahi kitaplarından ibaretti. Tıp kitapları elbette ki loncanın resmi cerrahlarına aitti. Bu acımasız adamlar, Anadolu'nun çeşitli yerlerinden getirilip Hınzıryedi'ye satılan çocukların kollarını bacaklarını kırıp tenlerinde derin yaralar açarak dilenciler ordusuna yeni neferler kazandırıyorlardı. Cerrahların yanısıra lonca sarrafları toplanan paralar içinde şüpheli olanları inceliyor, sikkelerdeki altın ve gümüş oranlarını elkimya işlemleriyle tespit ettikten sonra hasılatı muhasebecilere teslim ediyorlardı. Paraları inanılmaz bir hızla sayan bu görevliler ise yekünü gelir gider defterine işleyip o günkü sadakaların hepsini kethüdaları Hınzıryedi'ye veriyorlardı. Dilencilerin tembel, âtıl ve hevessiz kişiler olduklarını savunanların, aslında ne kadar yanıldıklarını anlamaları için gelip de loncaya bir göz atmaları yeterdi. Çünkü onlarda gündüz vakti gözlenen bezginlik ve uyuşukluğun tersine, bu esnaf, geceleri sadece birkaç saat uykuyla yetinerek karıncalar gibi çalışıyordu. İş dönüşü o günkü hasılatı kirli çıkınlarından çıkarıp defalarca saydıktan sonra, şahitler nezdinde deftere işlenmesine dikkat ederek Hınzıryedi'ye teslim ediyorlar, bu arada da, sıraya girenler arasında kavga döğüş patırtı eksik olmuyordu. Paralar cins cins ayrılıp tasnif ediliyor, yekünler kontrol ediliyor, bu esnada kör bir adam muhasebecinin yaptığı bir çarpım hatasına bas bas bağırarak itiraz ediyordu. Gecenin ilerleyen saatlerinde birkaç meşale daha yakıldıktan sonra, inmeli ve tek bacaklı biri yeni bestelediği yürekler acısı bir kasideyi okuyor ve diğer meslekdaşlarından bu nağmeyi daha da iç paralayıcı yapmak için yardım istiyordu. Bir başkası küçük defterlere kamış kalemle yazdığı duaları satmayı kuruyor ve kırmızı mürekkep kullandığı halde bunları kendi kanıyla kaleme aldığını belirten bir şiiri bestelemesi için kulağı hassas arkadaşlarından medet umuyordu. Yedi çocuklu dilenci karıları ise, gelip geçen zavallıların üzerlerine saldıkları veletlere, daha yapışkan, daha ısrarcı ve tuttuğunu koparan biri olmalarını tembih edip, yola gelmeyenlere köteği basıyorlardı. Bütün bunlar yemek pişene kadar olan şeylerdi. O akşamki nevaleleri, bir kazanda kaynayan pirinç, bulgur, nohut, fasulye, tuz, bal, et ve yağ karışımından ibaretti. Odun ateşinde ağır ağır kaynayan bu aşın verilme zamanına yakın, çoluk çocuk, kadın erkek, genç ihtiyar bütün dilenciler, ellerinde sadaka topladıkları taslarla sıraya giriyorlar, kazanda tüten aşın kokusunu içlerine çekerken midelerinden gurultular duyuluyordu. Yemek pişirdikleri kazanı aynı zamanda yıkanmak için de kullanırlardı. Fakat dilencilik töresi gereği bu, yılda sadece bir kere, yani bütün sevapların işlenip fakir fukaraya son sadakaların verildiği Ramazan Bayramı ertesinde olurdu. Çünkü ölü mevsim bu tarihten sonra başlardı. Dilencinin pisi bitlisi makbul olduğu için, işlerin nasıl olsa kesat gideceği bayram ertesi loncada sular ısıtılır, ihtiyarların ve çocukların başlarındaki bitler kırılır, hatta ara sıra civar hamamlardan tellaklar tutulup getirilirdi. Yıkanıp yunma günü arefesinde çocuklara içirilen kurt düşürücü şurupların etkileri görülmeye başlandığında, kazanlardaki su çoktan ısınmış olurdu. Akabinde keselenme faslı başladığında o kadar çok kir çıkardı ki, parayla tutulan tellaklar, keseledikleri ihtiyar bir dilencinin sırtından dökülen kir yumaklarını gördükçe, "Ya Süphanallah!" derlerdi.

Babasını kurtarmak için bu garip ama renkli dünyaya dalan Bünyamin, kimseye farkettirmemeye çalışarak çevresini izliyor, o ana kadar tanıyamadığı bu âleme alışmaya çalışıyordu. Babası henüz gözüne çarpmamıştı. Ama onun loncada binasında olduğundan emindi. Bununla birlikte babasına yaklaşması pek kolay olacağa benzemiyordu. Çünkü eğer Zülfiyar hâlâ işin içindeyse, Uzun İhsan Efendi'nin izleniyor olması kuvvetle muhtemeldi. Fakat onun bu düşüncesi bir kuruntu da olabilirdi. O an kalkıp binada dolaşmayı ve babasının yerini tespit etmeyi düşündü. Fakat bazı dilencilerin günlük hasılatla dolu para çuvallarını kapının önüne yığdıklarını görünce, olacakları izlemek için bir süre durdu. Bunu yaptığı için sonradan dua edecekti, çünkü az sonra, kapı önünde dilencilere hiç benzemeyen, birtakım silahlı adamlar görünmüştü. Bünyamin onlar içinde Zülfiyar'ı tanıyınca donakaldı. Bu casus, Hınzıryedi'nin kendisine uzattığı birtakım kâğıtlara mührünü bastıktan sonra binadan içeri girmiş ve ihtiyar dilencilerin bulunduğu kısma geçmişti. Belli etmeden onu izleyen Bünyamin, Zülfiyar'ın, yerde yatan bir adamı inceleyip Hınzıryedi'yle bir şeyler konuştuğunu gördü. Yatan adam babasıydı ve neredeyse tanınmayacak haldeydi. Delikanlı gözyaşlarını zor tuttu, ama içinde hâlâ bir umut vardı. Umudu olmasaydı bile zaten o an yapıyor olduğundan başka bir şey yapamazdı. İçinden, Uzun İhsan Efendi'nin yanına gitmek ve onun ellerine yapışıp öpmek geliyordu. Birdenbire kendini o kadar çaresiz hissetti ki, oradan uzaklaşıp bir sütunun dibine çökerek ağlamaya başladı. Gelgelelim onu teselli edecek hiç kimse yoktu. Sadece birkaç dilenci, eğer böyle içli ağlayacak olursa bu hisli delikanlının meslekte kısa zamanda ilerleyip üstad payesine erişeceğini düşünmüşlerdi.

Bünyamin hıçkıra hıçkıra gözyaşı dökerken bir ilkbahar yağmuru başlamıştı. Hınzıryedi'nin kapattırmayı unuttuğu ana kapıdan esen serin yel delikanlıyı biraz olsun kendine getirdi. Derken yağmur iyice bastırmış, gök gürlemeye, şimşekler çakmaya başlamıştı. Dilenciler kendi aralarında, "Yağmur iyi. Bu yıl rahmet bereket olacak. Sadakalar artacak" diye konuşurlarken, o an kapıya bakanlar donakaldılar. Bütün binayı bir korku ve öfke uğultusu kaplayıverdi. Kimi aşırı kızgınlıktan, kimi de dehşetten titreyen dilencilerin gözleri ana kapıda sabitleşmiş, dudaklar sabır ve metanet talep eden dualarla kıpırdamaya başlamıştı. Kapıda, herkesin tüylerini ürperten biri vardı.

Bu adam, sakalsız, bıyıksız, kel, kaşsız ve kirpiksiz biriydi. Fakat görünüş itibariyle öyle ezik, öyle pısırıktı ki, Bünyamin bu adamdan neden korkulduğunu anlayamadı. Dilenciler, "Dertli yine geldi, laf lakırdı dinlemez bu adam, basın sopayı! Öldürün! Binayı başımıza yıkıcak deyyus" diye söylenmeye başladıklarında, içlerinde cesur olanlar tereddütlerini yenip yerlerinden fırladılar. Çocuklar adamcağızı taşa tutarlarken yetişkinler ve zebellah gibi kadınlar sopalarıyla adamcağızın kafasına gözüne, sırtına sırtına vuruyor, onu bu yağmurda sokağa sürüklüyorlardı. Bünyamin daha sonraki günlerde dilencilerin bu korkularında haksız olmadığını anlayacaktı. Çünkü Dertli lakabıyla anılan bu adamı hayatında tam altı kez yıldırım çarpmıştı. Bir zamanlar zengin bir tüccar olan Dertli'ye, ticarethanesinin içinde olduğu sırada pencereden giren bir yıldırım isabet etmiş ve adamın saçı sakalıyla birlikte malı mülkü de yanıp kül olmuştu. Sefil perişan, parasız pulsuz sokaklarda gezerken dilenciliğe heves etmişti. Sakalsız dilenci makbul olmadığı için, yaz boyunca sakal büyütüp beyaza boyamış, gel gör ki böylece kazandığı saygınlık sermayesini sonbaharda tepesine düşen bir yıldırım, saçı kirpiği ve kaşlarıyla birlikte kül etmişti. Ama o yılmayıp, bu tüysüz, köse ve dazlak haliyle az da olsa sadaka toplamayı başarmıştı. Tepesine tam üç kere daha yıldırım isabet edince adı uğursuza çıktığından dolayı, yanından geçtiği minarelere, saraylara ve konaklara şimşekleri cezbetmesin diye Kostantiniye'de dolaşması padişah fermanıyla yasak edilmişti. Fakat o bu yasağa aldırmıyordu. Çünkü bir ara fermana karşı geldiği için tutuklandığında, atıldığı zındana yıldırım düşmüş ve binanın onarımı 17.000 akçeye malolmuştu. En sonunda Dertli, kaderinin de bir geçim kapısı olduğunu düşünüp, köşklerin ve kasırların çevresinde dolaşarak ahaliyi, şimşekleri evlerine düşürmekle tehdit etmeye başlamıştı. Görüldüğü yerde bazan sadaka verilip savuluyor, bazan da taşa tutularak kovalanıyordu. Yıllardan beri başını bir dam altına sokamayan bu adamın en büyük özlemi, kapalı bir yerde, bir çatı altında gönül ferahlığıyla uyumaktı.

Dertli'yi taş ve sopalarla emniyetli bir mesafeye kadar kovalayanlar geri döndükten sonra binayı aydınlatan meşaleler israf olmasın diye birkaçı hariç söndürüldü. Dilencilerin kimisi en son bestelenen kasideleri ezberlerken, kimi levhalara dualar karalıyor, kimileri de meşale ışığı altında barbut oynuyordu. Çocukların hepsi çoktan uyumuştu. Eski kilisenin yangın izleri taşıyan kubbesinde, öksürük sesleri, dualar ve küfürler tek tük yankılanıyor, arada bir de rasgele temennisiyle yuvarlanan zarların tıkırtıları duyuluyordu. Uyumakta zorluk çeken Bünyamin, loncada geçirdiği ilk gün bir hayli bilgi edinmişti. Hınzıryedi'den öğrendiği kadarıyla dilenciler arasında tam bir hiyerarşi vardı. Bünyamin'in baş amiri Alemsattı adında biriydi. Bu adam, kâğıtçıbaşı, göygoycubaşı, kasidecibaşı ve âmâbaşından sorumlu olmasının yanısıra, aynı zamanda başgedikliydi. Alemsattı'nın yardımcısı da Öterbülbül adında bir inmeliydi. Loncanın en kıdemsizi olan Bünyamin, bu aksakallı pîrlerin emriyle Utarid adında bir kâğıtçının çırağı yapılmıştı. Artık görevi, her sabah namazından önce elini öptüğü bu kişiyle birlikte camileri dolaşıp onun usulüne göre sadaka toplamaktı.

Uyumakta zorluk çeken Bünyamin sabaha karşı tam dalmak üzereydi ki, ustası onu değneğiyle dürtüp uyandırdı. Utarid nam bu usta dilenci, sol gözü kör, sağ bacağı inmeli, uzun ve ağarmış sakalı kir içinde biriydi. Üstünde, sayılamayacak kadar çok yama vurulmuş bir cübbe vardı. Cübbesindeki yamalar onun başlıca övünç kaynağıydı. Çünkü bunlar, sadrazamların, kubbealtı vezirlerinin, âlimlerin ve geri kalan bir nice eşrafın, bir zamanlar giydikleri hilatlar, kaftanlar, donlar ve gömleklerden artakalmış kumaş parçalarından ibaretti. Yeni çırağına elini öptüren Utarid ona avuç büyüklüğünde bir deste kâğıt teslim etti. Her bir kâğıdın üzerinde "Alnını koyduğun her yer Kâbe olsun – Allah rızası için bir sadaka" yazıyor ve bu ibarenin üstünü bir Kâbe resmi süslüyordu. Bünyamin'in yapacağı şey gayet basitti. Namaz kılınırken hademeleri atlatıp camiye girecek ve namaz kılıp secde eden herkesin başını koyduğu yere bu kâğıtlardan birini bırakacaktı. Adam secde ederken ister istemez bu kâğıdı okuyacak, o sırada dini duygulara garkolduğundan nasıl olsa gönlünden bir sadaka kopacaktı. İşte o zaman, cemaat dağıldığı esnada çırağıyla birlikte sadakaları kabul eden Utarid'e bir akçe olsun vermemezlik etmeyecekti.

Bünyamin'i bekleyen iki tehlike vardı. Birincisi cami hademeleriydi. Çünkü o zamanın kanunlarına göre cami içinde dilenip ibadet edenleri rahatsız etmek yasaktı. Zaten eli sopalı hademelerin baş görevi, bu işe heveslenen dilencileri kovmaktı. Yine de delikanlı kendisine ibadet edermiş süsü vererek içeri girip duvar kenarında bir yer kapabilir, secde ettikleri anda, yani cemaatin dikkatinin en az olduğu zaman kâğıtları kaşla göz arasında ilk sıraya dağıtıp bir ikincisine geçebilirdi. Cami içinde gösterdiği bu faaliyetin, namazın sonuna doğru hademeler tarafından farkedilmesi kaçınılmaz olduğundan, cemaat dağılmadan çok önce kapağı dışarı atmak zorundaydı. Onu bekleyen ikinci tehlike ise ustasından geliyordu. Cemaat dışarı çıkmaya başladığında kendisine sadakayla birlikte teslim edilen bu kâğıtlardan biri eksik çıkarsa sorumlusu Bünyamin olacaktı. O yüzden ne yapıp edip içerdekilerin acıma duygularını uyandırmalıydı. Eğer bunu başaramazsa bir köteği haketmiş sayılacaktı. Çünkü kendisine teslim edilen kâğıtları hazırlayan nakkaş, yaptığı iş için dünyanın parasını istiyordu.

Utarid dişinden tırnağından arttırarak Tahtelkale'de bir ve Ayasofya'da iki caminin gediğini almıştı. Bunlardan son ikisi, cami hademeleriyle rüşvet konusunda henüz bir anlaşmaya varılamadığı için tehlikeliydi. Bu yüzden Bünyamin ilk gün, biraz da tecrübesiz olduğundan bir hayli hırpalandı. İkindi namazından sonra ustası onun yüzüne tükürüyor, böyle giderse dilencilik mesleğinde asla peştemal kuşanamayacağını söylüyordu. Akşama doğru ihtiyar adam her nedense pek efkârlandığından Haliç kıyısındaki meyhanelerden birine gitmek zorunda kaldılar. Utarid, peşin para isteyen meyhanecinin getirdiği şarabı içip içip ağlıyor, ne kadar dövüp sövse de Bünyamin'i evladı gibi sevdiğini, onu kendi elleriyle evlendirip başını bağlayacağını, çocukları olduğunda onlara öz torunları gibi bakıp ihtimam göstereceğini ve hepsine dilenciliğin esrarını öğreteceğini söylüyordu. Ama yine de en iyisi, delikanlının, ailesinde soydan gelen bir sakatlık bulunan bir kızla evlenmesiydi. Sakat doğan çocukları böylece istikbal vaat eden dilenciler olabilirlerdi.

Utarid içtikçe ağladı, ağladıkça içti. Sonunda oturduğu yerde sızıp kaldı. Akşam namazını kaçırmışlar ve henüz Hınzıryedi'nin payını bile toplayamamışlardı. Bu yüzden Bünyamin, gömleğinin içine diktiği altı akçeyle yirmi bir mangırı ihtiyar dilencinin torbasına koydu. Ama bu miktar da yeterli olmadığından, üstünü arayarak göze çarpmayan birkaç metelik daha bulmayı umdu. Gel gör ki taşıdığı son para, babasının ona verdiği kitabın arasında taşıdığı paraydı. Önce bu uğursuz sikkeden kurtulmanın tam sırası olduğunu düşündü. Ama sonra, parayı ihtiyar dilencinin torbasına atmak üzereyken vazgeçti. Loncada verilen yemeği kaçırdıkları için bu parayla belki de fırının birinden yarım somun ekmek alabilirdi. Çoktan sızmış ustasını sırtına alıp loncaya seğirttiğinde bütün fırınların kapanmış olduğunu gördü. O akşam aç uyuyacaktı.

Bünyamin'in Utarid'le dilendiği sonraki günler bu ilk günden farklı olmayacaktı. Delikanlı zamanla ustasının huyunu suyunu öğrendi. İhtiyar dilenci sabahları uykusunu alamadığında pek aksi oluyor, ama öğle namazını beklemek için gittikleri kıraathanede kahvesini içtikten sonra huysuzluğu geçmeye yüz tutuyordu. Akşamüstleri en neşeli zamanıydı. Gel gör ki akşamları gittikleri meyhanede birkaç maşrapa şarap içer içmez haleti ruhiyesi değişiyor ve ruhunu bir hüzün kaplıyordu. İçkinin etkisinde kaldığı zaman boyunca kederli olduğu kadar anlayışlı ve cömert de olabiliyordu. Bazan çırağına, en kötüsünden de olsa şarap ısmarlayacağı tutuyor, bu içkinin bedelini sahip olduğu yegâne parayla ödemek isteyen çırağını durdurup kendi kesesini açıyordu. Ustası çok geçmeden sızdığında Bünyamin bu ihtiyar adamı sırtlayıp loncaya taşıyor, hasılatı Hınzıryedi'ye teslim ettikten sonra, belli etmeden babası Uzun İhsan Efendi'yi gözlüyordu. Babası, Hınzıryedi'nin sağ kolu Alemsattı'nın gözetimindeydi. Gördüğü bir kâbus sonucu bacaklarına inme indiği için koltuk değnekleriyle yürüyebilen bir dilenci olan Alemsattı, aynı zamanda loncanın asayişinden de sorumluydu. Uzun İhsan Efendi'ye gözkulak olma yükümlülüğü yanısıra, Kostantiniye'de dilencileri tehdit eden bir tehlikeyle de başetmesi gerektiğinden bir hayli sıkıntılı görünüyordu. Bu tehlike, kendisine Efrasiyab diyen ve suç işlediği mahallere kendi el izini bırakan bir çocuktu.

Daha sonra bazı güvenilmez vakanuvislerin "etfal isyanı" diyeceği hareketin başını çeken bu çocuk, sekiz-on yaşlarındaki kırk dört veletten oluşan çetesiyle oyuncakçı dükkanlarını basıp kaynana zırıltılarıyla hacıyatmazları talan ediyor, kaymakçıların kapısına dayanıp haraç istiyordu. Çetesiyle birlikte nerede yatıp nerede kalktığı meçhuldü. Asıl adının Alibaz olduğu ve bir Kıptî anadan doğduğu söylenmekteydi. Dilencilere olan nefreti, Hınzıryedi'nin de çok iyi bildiği gibi, onun çetesinden olan bir çocuğun lonca ilerigelenlerince yakalanıp sakat bırakılarak zorla dilendirilmesinden kaynaklanıyordu. Efrasiyab'ın gazabı o kadar korkunçtu ki, köründen kötürümüne, inmelisinden damlalısına kadar bütün dilencilere kan kusturmaya başlamıştı. Âmâları çelmeyle yere yuvarlıyor, inmelilerin koltuk değneklerini kırıyor, kamburları kementle bağlıyordu. Gelgelelim eziyetleri içinde en kötüsü, yaşlı dilencilerin özenle büyütüp ağarttıkları sakallarını yakmaktı. Bu da adamcağızın ekmek parasının elden gitmesi demekti, çünkü sakalsız bir dilenciye hiç kimse sadaka vermezdi.

Efrasiyab'ın zulmü o kadar büyük boyutlara varmıştı ki, emniyet ve asayişi sağlamakla yükümlü olan Alemsattı, hasılatın gitgide azaldığını gördükçe gözleri yaşla dolan Hınzıryedi tarafından hemen her gün azarlanıyordu. Nihayet kilit noktalardaki bazı dilencilere piştov dağıtıldı ve bunun sonucu hemen görüldü. Gözlerinden biri kör, biri perdeli olan ve sıtmalıymış gibi elleri kolları sürekli titreyen bir dilenci yanlışlıkla bir ineği vurmuş, üstelik hamile bir kadın silah sesinden ürkerek çocuğunu düşürmüştü. Bu dilenci derhal tutuklanarak zındana atıldı. Suçunun cezası, organlarından birinin kesilmesiydi. Fakat aza noksanlığının dilencilikte geçer akçe olduğunu bilen kadı, bu cezadan vazgeçip adamı Kostantiniye'den sürdü. Bununla birlikte, dilenciler piştovları kendisine teslim ettiğinde Alemsattı yılmamıştı. Bir gece vakti loncadan ayrılarak Topkapısı'ndan dışarı çıktı. Gece boyunca kırlarda yürüdü, dere tepe düz gitti ve bir dağın eteğine geldi. Kırmızı astarlı cübbesini çıkarıp havada bir iki sallayınca, dağda ne kadar haydut varsa aşağı inip yanına geldi. Haydutların reisiyle anlaşıp üç adamını bir ay süreyle kiraladı. Bu adamlar, reislerinin aldığı kırk altın karşılığında Efrasiyab ve yiğitlerinin hakkından geleceklerdi. Haydutları bir öküz arabasında samanların arasına gizleyerek kente sokan Alemsattı, ertesi gün ne kadar isabetli bir iş yaptığını anlamıştı. Bir dilenciyi kıstıran çocuklardan ikisini kesen adamlar, diğer ikisini sağ getirip Hınzıryedi'ye teslim etmişlerdi. Fakat sonraki günler yan gelip yatmaya başlayarak, ikide bir Alemsattı'dan bahşiş, diş kirası, otlakiye ister oldular. Öyle ki, asesbaşıya haber vermekle tehdit edilip yurtları olan dağa güç bela gönderildiler.

Dilenciler, Efrasiyab'ın zulmü altında yine inlemeye başladıklarında, kethüdaları olan Hınzıryedi'nin kendini düşüncelere kaptırıp loncayı ihmal etmeye başlaması her şeye tuz biber ekti. Adam o kadar kederli o kadar meyustu ki, takla atıp ney çalan kambur cüceler bile onu güldürmeyi başaramamıştı. Çünkü sonunda beklenen olmuş, bir ayağı çukurda olan ihtiyar Hınzıryedi'nin vicdanı harekete geçmişti. Adam, cehennem azabından kurtulamayacağını, çünkü gereğinden fazla domuz eti yediğini söylüyor, her akşam yarım fıçı şarap içerken bu mekruh hayvanın etini mideye indirdiği için kendine lanetler ediyordu. Onu hemen her gece şarap fıçısının başında gören sofu dilenciler birbirlerini dürtükleyerek ibret olsun diye kethüdalarını işaret ediyor ve kendi aralarında, "Zaten çok günah işlemişti, cenazesinin eli kulağında" diye söyleniyorlardı.

Hınzıryedi, hayatı boyunca mideye indirdiği onca domuzun vicdanında uyandırdığı pişmanlığın bir eseri olarak lonca işlerini o kadar ihmal etti ki, Ebrehe'ye her akşam göndermeyi vaat ettiği günlük hasılatı hazırlamayı da savsakladı. Hatta bir gece gelen Zülfiyar, paraların çuvallara konulmamış olduğunu görünce zavallının suratına okkalı bir tokat patlatmış, ertesi gün de bu davranışını tekrarlarsa kendisine artık şu kırmızı haplardan vermeyeceklerini söylemişti. Gel gör ki yaşayıp yaşamamak Hınzıryedi'nin artık pek umurunda değildi. Ebrehe'nin adamları ertesi gece tekrar gelince, ortalıkta yine para mara olmadığını gördüklerinde zavallı adamı öyle bir dövdüler ki, biçarenin ağzından burnundan kanlar boşaldı. Buna rağmen, "Vurun, indirin, acımayın öldürün. Bu dünyada hayat bana haram!" diye bağırıyor, burnundan akan kanın domuz kanı olduğunu söylüyordu. Ölmeye razı olan adamı görünce Zülfiyar ne yapacağını şaşırmıştı. Kanlar içinde yerde yatan Hınzıryedi'ye birkaç tekme daha attıktan sonra adamlarıyla birlikte çekip gitti.

Bu olayın ertesi günü, Bünyamin'in Ebrehe'yi ilk kez göreceği gündü. Loncaya geldiğinden bu yana Zülfiyar ve adamlarını özellikle izleyen delikanlı, eğer Hınzıryedi bu tutumunu sürdürürse onların nasıl davranacağını merak ediyordu.

Dilenciler kethüdası ise sanki o gün sıradan bir günmüş gibi şarap fıçısının başında demleniyordu. Adamların geleceği zamana bir saat kala para çuvalları hâlâ hazırlanmış değildi. Sonunda beklenen oldu. Loncanın ana kapısı bir asker tekmesiyle açılmış, içeriye, yirmiye yakın yeniçeri girmişti. Zülfiyar ve adamlarının ortasındaki kişi Bünyamin'in ilgisini çekti: Ebrehe'ydi bu.

Kara sarığını sarmış, zifiri cübbesini giymişti. Hışımla ilerleyip Hınzıryedi'nin yanına gitti. Fakat bu adam çoktan sızmıştı. Bir fincan kahveyle bir kova su getirilmesini emretti. Üzerine soğuk su dökülen sarhoş adam kendine geldiğinde sade kahve ona zorla içirildi. Gözlerindeki buğu ortadan kalktığında, adam karşısında Ebrehe'yi gördü. Gözlerine inanamadı. O azametli Büyük Efendi kakıp ta ayağına gelmişti. Belki de mekruh şeyleri yiyip arttırdığı onca günaha bir de kendi nankörlüğünü eklemek istiyordu. Günlerdir çektiği pişmanlık ve suçluluk duygularıyla küçüldükçe küçülen Hınzıryedi, efendisini, o heybetli adamı, o yüce Ebrehe'yi olanca azametiyle karşısında görünce ve onu zahmetlere sokup bu sefil yerlere getirdiğini düşününce o kadar utandı, o kadar utandı ki, kendisinin bir bit, bir pire kadar bile değer taşımadığına karar verdi. Hürmeten yerinden doğrulup bağdaş kurdu. Fakat midesi adamakıllı bulanıyor, içinden kusmak geliyordu. Sonunda dayanamayıp o gece ne yediyse çıkardı. Efendisi ona gülümsüyordu, ama korkunç, ürpertici bir gülümsemeydi bu.

Ebrehe, "Efendini ne çabuk unuttun?" dedi, "Onun istediklerini neden yapmıyorsun? O olmazsa bu dünyada yaşayamayacağını bilmiyor musun?"

Hınzıryedi, günlerdir gösterdiği sadakatsizliğin, Büyük Efendi'yi uzun süre görmemesi ve onun azameti ve heybetini unutmasından kaynaklandığını anlayıverdi. Titreyen sesiyle:

– "Affet Büyük Efendi" dedi, "Kendimi günahlarıma o kadar kaptırdım ki, ne yaptığımı bilmez oldum. Beni ister öldür, ister bırak, bu sana kalmış, ama Hınzıryedi kulunun pişman olduğunu bil. Bundan sonra ne istersen yapacağım. Şimdiden tezi yok, öl de, öleyim".

Ebrehe, konuştuğu adamdan gözlerini ayırmadan:

– "Ölmeni istemiyorum" dedi, "Elbette şimdilik. Ama yaptıklarını tekrar yaparsan ölüm senin için kolay bir kurtuluş olur. Bunu biliyorsun, değil mi?"

Bu sözleri duyan adamın eli ayağı titremeye başladı. Aksi gibi Ebrehe gözlerini ondan hiç ayırmıyor, bu da kendisini adamakıllı bocalatıyordu. Çünkü Büyük Efendi'nin keskin bakışlarına uzun süre maruz kalmak onu canından bezdirirken, gözlerini onun gözlerinden kaçırmak da bir samimiyetsizlik olarak yorumlanacağından onu korkutuyordu. Güç karşısında duyduğu bu şaşkınlıktan nasıl kurtulacağını bilemedi. Bu yüzden efendisine evsahipliği taslamaya karar verdi.

– "Heybetli Ebrehe," dedi, "Buraya kadar geldin, önüne bir şey çıkartamadık. Fakirhanemize ilk kez teşrif ediyorsun. Öyle bir şeyler yiyip içmeden gitmek olmaz. İzninle sana bir sofra donatalım".

Bu kurnaz dilenci böylece inisiyatifi göstermelik de olsa eline alıp sağa sola emirler vermeye başladı. Ortaya siniler kurulup şilteler serildi. Şarap fıçıları açıldı. Kethüda erzağından sucuklar, pastırmalar, hasekmekler getirilip sinilere yerleştirildi. Ateşler yakılıp kuzular ve piliçler çevrilmeye başlandı. Hınzıryedi elinde şarap şişesiyle efendisinin kadehini bizzat doldurup sakilik yapıyor, misafirlerin hoşnut olduğunu gördükçe yüzüne bir mutluluktur yayılıyordu.

Diğer dilenciler bu yemeklere iştahla bakarlarken Bünya-min'in gözü Ebrehe'nin üstündeydi. Demek Zülfiyar'ın efendisi bu köse, kara giysili, çatlak sesli kişiydi ve hem kendisinin, hem de babasının kaderini değiştiren bu yarasa kılıklı, tuhaf tavırlı, saydam tenli uğursuzdu. Karmakarışık düşünceler içinde ne yapacağı konusunda bir hayli düşünen Bünyamin, yakaladığı ilk fırsatı kullanmaya karar verdi.

Çok geçmeden beklediği fırsat karşısına çıkacaktı. Misafirler Hınzıryedi'nin donattığı sofradaki birbirinden lezzetli yemekleri mideye indirirken, artık nasıl bir talihin eseriyse, Ebrehe elini göğsüne götürdü. Beti benzi atmış, yuvalarından fırlayan iri gözleri kanlanmıştı. Sanki öksürmek istiyordu. Önce hiç kimse duruma bir anlam veremedi. Efendisinin zehirlendiğine hükmeden Zülfiyar'ın eli gayri ihtiyari yatağanının kabzasına gitti. Gelgelelim mesele bütünüyle farklıydı: Yediği haram lokmalardan biri Ebrehe'nin nefes borusuna kaçmıştı. Az önce kül kadar beyaz olan benzi şimdi mosmor kesilmişti. Birden, bir curcuna koptu. Zülfiyar, efendisine su içirmeye çalışırken sağa sola emirler yağdırıp hekim çağırmalarını ve çıkış kapılarını tutmalarını söylüyordu. Ama tam bu sırada beklenmedik birşey oldu.

Bünyamin yerinden fırlayarak sofraya gelmiş ve Ebrehe'yi yerden kaldırmıştı. Boğulmak üzere olan Büyük Efendi'nin arkasına geçerek kollarıyla karnını çepeçevre kavrayıp göğüs kafesine ani bir basınç uyguladı. Bu basıncın etkisiyle ciğerlerde sıkışan hava çıkarken, nefes borusunu tıkayan haram lokma da adamın ağzından fırlayıverdi. Lonca hasılatından Hınzıryedi'nin payına düşen otlakiyeyle alınan tavşanın suyuna yapılmış tiridin bir parçasıydı bu. Herkesin içi ferahlamıştı. Hınzıryedi, efendisine nane ruhu koklatırken, zehirlenme ve boğulma belirtilerini birbirine karıştıran Zülfiyar, Ebrehe'nin ağzından fırlayan lokmayı sonradan incelemek üzere bir mendile sarıyordu.

Koklatılan nane ruhunun etkisiyle kendine gelen Büyük

Efendi, hayatını kurtaran delikanlıyı tepeden tırnağa süzdükten sonra,

– "Sen cerrah değilsin" dedi, "Bunu nereden öğrendin ve niçin öğrendin?"

Bünyamin artık bir kahraman gibi davranması gerektiğini anlamıştı. Ebrehe'nin hayatını kurtaran numarayı babası Uzun İhsan Efendi'den öğrendiği halde,

– "Bunu nereden öğrendiğimin hiçbir önemi yok" dedi, "Amacım seni kurtarmak da değildi. Sadece bu yöntemin etkili olup olmayacağını görmek istedim. Niçin öğrendiğime gelince: Ben bu dünyaya bilmek için geldim. Benim için kutsal bir şey varsa o da bilgidir, gerek bu dünyanın, gerekse öte dünyanın bilgisi. Bu yüzden öğrendiklerimi akıl terazisinde tartıp doğru olup olmadıklarına bakarım".

Ebrehe'nin suratı asılmıştı. Loncasından birinin bıraktığı böylesi küstahça bir izlenimden endişeye kapılan Hınzıryedi ise Bünyamin'in aslında bir nükte yaptığını anlatmak istercesine inandırıcılıktan uzak bir kahkaha attı. Fakat Büyük Efendi'nin yüzü asıldıkça asılıyordu. Şüphesi yatışmayan Ebrehe, delikanlının, tanınmayacak hale gelmiş yüzünün arkasındaki kimliği çıkarmak ister gibi, uzun uzun ona baktıktan sonra,

– "Eğer bu dünyadaki en büyük amacın bilmekse, daha öğreneceğin çok şey var" dedi, "Belki de bunları benden öğreneceksin. Çünkü bazıları bilgiyi medresede, bazıları ise viranelerde ararken, ben onu başka bir yerde arıyorum. Peki sen nerede arıyorsun?".

Bünyamin kararlı bir sesle cevap verdi:

– "Dünyada".

Büyük Efendi'nin yüzüne bir tebessüm yayıldı. Ender görünen bu tebessüm Zülfiyar'ı bile şaşırtmıştı. Ebrehe,

– "Tuhaf bir benzerlik" dedi, "Bu cevabı sadece bana mahsus sanıyordum. Demek ki seninle daha sık görüşeceğiz. Paramparça suratında aslında kimin sureti var, merak ediyorum. Yarın, tam geceyarısı bana gel. Beni nerede bulacağını bu sefil biliyor".

"Sefil" derken Hınzıryedi'yi kastetmişti. Adamları, hazırlanan para çuvallarını sokaktaki katırlara yüklerken, kendisi cübbesini alıp dışarı çıktı. O kadar gururlu bir tavrı vardı ki, onu ilk kez gören birisi, bu kişinin az önce ölümle burun buruna geldiğini düşünemezdi.

III

Minarelerin şerefelerindeki müezzinler avuçlarındaki saatlere bakıp elleri kulaklarında ezan vaktini beklerlerken, Kostantiniye uyanmadan az önce, yüzünde sayısız yara izinin altında sadece kendisinin bildiği bir kimlik taşıyan genç adam kentin tam ortasında amaçsızca dolaşıyordu. Onu önce kara hırsızlar gördü. Sırtlarında çalıntı eşya dolu torbaları, kemerlerinde binbir kapıyı açan maymuncuklarıyla işlerinden dönen bu adamlar, Tanrı'ya şükredip bir yandan da pîrleri Mirdesenk Sehpernebî'nin adını otuz dokuzluk tespihleriyle zikrederlerken onu şüpheli gözlerle süzdüler. Zihnini tarumar eden düşünceler nedeniyle o gece uyuyamayan delikanlıyı gören ikinci esnaf, cellat taifesiydi. Bellerinde asmaya, kesmeye, boğmaya mahsus kementler, baltalar, şifreler ve ipler taşıyan çıraklar, kalfalar ve cellatların bizzat kendileri, sekiz yüksek görevlinin o gece kesip tuzladıkları kellelerini bir çuvala koymuş, saraydan gelecek katırları bekliyorlardı. Horozlar ötmeye başladığında bu kez onu kulamparalar görmüştü. Fiili livata esnasında aletlerine sürecekleri yağın bulunduğu kutucukları zar gibi yerde yuvarlayıp barbut oynayan bu adamlar, delikanlıyı tepeden tırnağa süzdüler. Mahmutpaşa'da dolaştığı sırada, ağlayan gülen, takla atan, amuda kalkan, ağzı salyalı beli zincirli deliler tarafından farkedildiği zaman artık sabah ezanları okunuyordu. Mebunlar ve utanmaz oğlanlar ise binbir naz ve işveyle kırıtıp göz süzdükleri gence davetkâr gözlerle ve edâlarla bakıp ona ücretlerini fısıldadılar. Esnaf ilk müşterilerini dolaplarına ve dükkanlarına buyur etmeye başladığında, para sandıklarını artık taşımaya başlayan Ermeni sırık hammalları onu sezinleyip arkalarına bakar bakmaz, değerli yüke nezaret eden muhafızların elleri yatağanlarına gitmişti. Tahtelkale'de gündüz sarraf ve gece kumarbaz olan her kim varsa, kafasında binbir düşünce taşıyan delikanlı önlerinden geçer geçmez, "Vay vay vay! Altının ayarını diliyle anlayan ve bir atışta düşeş düşüren efendimizin hayatını demek bu genç kurtardı" dediler. Ticaret hanlarının önünden geçerken pencerelerde, yedi iklim dört bucaktan gelen her milletten tüccarın renk renk serpuşları göründü. Darülfülfül, kebabe ve darçın satan tüccar, adülkahır, kakule ve zencefil alan simsara, "Vay canına! Bire alıp on bire satan Efendi demek hayatını bu gence borçlu" diyor ve enfiye kutusunu pazarlık ettiği adama uzatıyordu. Güneş, usturlabların on altıncı kertesine yükseldiği zaman, bütün büyülerin tuttuğu anda, delikanlının aniden Uzunçarşı'nın bir sokağında belirip çöplükteki kara kedileri ürkütmesi, sihirbazlarca uğur telakki edilmedi. Müneccimler usturlablarına bakıp güneşi bu kez yirmi birinci kertede gördüklerinde Bayezid Camii minarelerine tırmanan müezzinlerin hepsi cemaatin öğle namazı için aptes aldığı çeşmeden bu delikanlının su içtiğini farkettiler. Camidekiler ikinci rekâtlarını kılmaya başladıklarında, Büyük Efendi'nin hayatını kurtaran bu genç, sahaflar tarafında görüldü. Dillerinde ve parmaklarında yazı yazarken yaladıkları mürekkebin karasını taşıyan bu adamlar, delikanlı dükkanlarının önünden geçerken esrarengiz şeyler fısıldadılar. Bünyamin o gün Kostantiniye'nin dört bir yanını dolaştı. Hanlara hamamlara, kahvelere külhanlara, camilere dükkanlara girip çıktı. Agâhlar ve ahmaklar, âlimler ve cahiller, külahçılar ve madrabazlar, sahtekârlar ve batakçılar tarafından defalarca görüldü, sezildi, seçildi, farkedildi. Gelgelelim Mısır Çarşısı'nda bir numara çevirerek, Zülfiyar ve adamlarını atlatmayı başardı.

Bir kayıkta boş kalan son yere atlayıp Galata'ya geçerken kafası hem umut, hem de endişeyle doluydu. Daha düne kadar kendisine hükmeden olaylara bir yön vermesi umudunu arttırmış, Zülfiyar'ın şüpheli gözleri ise onu endişeye boğmuştu. Çünkü bu adam, sefer dönüşü asıl kimliğini öğrenememesine rağmen yaralılarla dolu o arabada elbette ki onun parçalanmış yüzünü görmüştü. Kuvvetle muhtemel olduğu gibi, sorguya çekilen Hınzıryedi eğer ona kendisinin Anadolu'dan dilenmeye geldiğini söylemişse, şüphesinin iyice artması kaçınılmazdı. Gece, Ebrehe gittikten sonra Hınzıryedi yanına gelerek,

– "Aşkolsun sana delikanlı!" demişti, "Ebrehe'nin hayatını kurtarmakla kendi hayatını da kurtardın. Bunlar büyük oynuyor. O yüzden yakaladığın fırsatı kaçırma. Ne yap et, aralarına gir. Onlardan biri olduğunda ise sana yardım eden şu zavallı Hınzıryedi'yi unutma".

Dilenciler kethüdası bunları söyledikten sonra, uğur getirsin diye delikanlının avucuna tam kırk bir akçeyle üç altın saymış ve o gün gönlünce gezip eğlenmesini, ama vakit geceyarısına gelmeden darphanenin yanındaki kıraathanenin önünde olmasını tembih etmişti.

Kayık Haliç'i geçerek Karaköy'e ulaştığında Bünyamin rıhtıma atlayıp arkasına baktı. Kıyıdan yüz kulaç açıktaki kayıkta Zülfiyar ve üç adamını tanımıştı. Adamlar karaya çıkmadan izini kaybettirmek için Karaköy kapısından girip Arap Camii yoluna saptı. Kuytu sokaklardan birindeki kıraathanede bir kahve içmek için mola verdi. Duvara sırtını dayayıp çevresini kollarken o gece olacaklar üzerinde düşünmeye başladı.

Dördüncü kahvesini içip bitirdiğinde tanıdık bir ses işitti. Babası Uzun İhsan Efendi'yi gözetmekle görevli Alemsattı'ydı bu. Birlikte olduğu üç köre, "dikkat etmeyip adamı kaybettikleri için" bağırıp çağırıyor, "eğer akşama kadar Galata'da onu bulamazlarsa, gece üçünü de falakaya yatıracağını" söylüyordu. Farkedilmemek için başını çeviren Bünyamin, bunları duyar duymaz yüreği sevinçle atmaya başladı. Çünkü babası, Galata'da Allah bilir nerede, yanında kimseler olmadan dolaşıyordu. Bu, ona yaklaşması için büyük bir fırsattı.

Bünyamin, Zülfiyar'ın adamlarıyla karşılaşmamaya dikkat ederek Galata'da dört dönmeye başladı. Güneş ufukta iyice alçaldığı sırada babasını henüz bulabilmiş değildi. Sonunda Kasımpaşa mezarlığına bakmaya karar verdi. Hava kararmaya başladığında, mezarlıkta sadece bir kişiye rastladı. Babası Uzun İhsan Efendi'ydi bu. Yedi meydanın ve yetmiş iki külhanın efendisinin kabri başında çömelmiş bekliyordu.

Delikanlı sessizce babasının yanına yaklaştı. Elini adamın omuzuna tam koyacaktı ki, Uzun İhsan Efendi'nin ağzından, "Bünyamin! Evladım!" sözleri döküldü. Adamın oyulmuş gözlerine dehşetle bakan genç, onun kendisini nasıl tanıdığına şaştı. Kesilen burnunu ve koparıldıktan sonra sağır edilen kulaklarını gördükten sonra gözyaşlarını tutamadı:

– "Babacığım!" dedi, "Beni ne görüyor, ne duyuyorsun, ama ben, gerçekten oğlun Bünyamin'im".

Zavallı adam başını kaldırıp oğlunun elini tuttuktan sonra,

– "Kör ve sağır olmama rağmen seni hem görüyor, hem de duyuyorum oğlum" dedi, "Aslında seni görüp duymaktan da öte, hem seni, hem de içinde yaşadığın dünyayı düşünüyorum".

Bu sözleri işiten Bünyamin kendini iyice koyverip hüngür hüngür ağlamaya başladı. Başına gelen bunca şeye dayanamayan babasının delirdiğine hükmetmişti. Fakat adam mezarın başından kalkıp hüzünlü ve derin bir sesle oğluna,

– "Sizler, hepiniz, içinde yaşadığınız dünya, Kostantiniye, her şey, sadece ve sadece benim düşüncemde varsınız" dedi, "Rendekâr yanılıyor: Düşünüyorum, ama sadece ben var değilim. Düşündüğüm için asıl sizler varsınız; sizler ve içinde yaşadığınız dünya".

Hüngür hüngür ağlayan delikanlı, koluna girdiği babasıyla birlikte Galata'ya doğru ilerlerken Uzun İhsan Efendi hâlâ,

– "Her şey ben ve benim düşüncelerimden ibaret olsa da bu dünyada yaşamak zevkli bir şey" diyordu, "Sen! Oğlum! Sen benim zihnimde bir düş, bir düşüncesin. Bana şu anda dokunuyorsun. Ama ben sana dokunamıyorum. Çünkü düşlere dokunmak mümkün olabilir mi?".

Bundan sonra olanlar, ağlamaktan gözleri kan çanağına dönen Bünyamin'e bir kâbus gibi göründü. Hava kararmış, dolunay tepelerin ardından çıkmıştı. Koluna sımsıkı yapışan babası, kendisini Galata'ya doğru adeta sürüklüyordu. Ay ışığı altında dar sokaklarda yürürlerken, Uzun İhsan Efendi sanki düşüncelerini okumuş gibi oğluna, ikide bir arkasına bakmamasını, çünkü zihniyle olaylara yön verebildiği için emniyette olduklarını söylüyordu. Rıhtıma indiklerinde Bünyamin'in gözyaşları dinmiş değildi. Neredeyse sayısız fıçı, sandık ve denk, gemilere yüklenmek üzere sağa sola yığılmıştı. Babası, sanki bir kör değil de, her şeyi görüyormuş gibi bir fıçının önünde durup kapağına vurdu.

– "İşte tam aradığım gibi bir fıçı" dedi, "Beni alabilecek büyüklükte. Haydi! Şu levyeyi alıp kapağını aç bakalım".

Babasının emrini işiten Bünyamin duraksadı. Etraf karanlıktı ve kimseler görünmüyordu. Sadece yanıbaşlarındaki geminin kaptan köşkünden sarhoş gemicilerin şarkıları kulağa geliyordu. Aynı emri tekrar işitti:

– "Haydi! Korkma. Gördüğün her şey benim düşüncemden ibaret. Bunu sakın unutma. Zihnimle bütün olaylara yön verebilirim. Eğer ister ve düşünürsem, şu gemiyi içindekilerle birlikte yok edebilirim. Haydi! Yap dediğimi. Baban olarak sana emrediyorum".

Bütün umudunu kaydeden Bünyamin ağlayıp sızlayarak denileni yaptı. Ne kadar ağır görünürse görünsün, fıçı bomboştu. Aksi gibi babası fıçının içine girmişti. Oğluna bir emir daha verdi:

– "Şimdi kapağı sıkıca kapat ve derhal buradan git".

Fakat delikanlı babasını o halde bırakmak istemiyordu. Bununla birlikte içinden gelen bir dürtü onu, kendisine emredildiği üzre kapağı sıkıca kapatmaya zorladı. Bunu yapmadan önce, fıçının içindeki babasına son bir kez bakmıştı. İşini bitirdikten sonra yere çömelip ağlamaya devam etti. Uzun zaman geçmesine rağmen babası fıçıdan çıkmak bilmiyordu. Sonunda levyeyi alıp kapağı açmaya çalıştı. Amacı Uzun İhsan Efendi'yi ne bahasına olursa olsun oradan çıkarmaktı. Fakat kapağa tam abandığı sırada, geminin güvertesine çıkan bir denizci "Hırsız var!" diye feryat etmeye başlamıştı. Paniğe kapılan delikanlı levyeyi bir kenara atıp ağlaya sızlaya karanlıkta kaçmaya başladı.

Soluk soluğa kuytu bir yere sinip kafasını toplamaya çalıştı. Babasını şimdilik kaybetmişti. Ancak Ebrehe'yle buluştuktan sonra, sabaha karşı buraya yine gelebilir ve onu kurtarabilirdi. Olağanüstü bir çaba göstermesine rağmen zihnindeki dağınıklık arttıkça arttı. Cesareti de adamakıllı kırılmış, aklını kaçıran babasının hali onu perişan etmişti. Bu yüzden, Büyük Efendi'yle buluşmadan önce bir meyhaneye gidip cesaret toplamayı uygun gördü.

Kahkahaların en bol duyulduğu meyhaneye girdi. İçeridekiler, şaraplarını içip çubuklarını tüttürürken, ikide bir iri kıyım bir adama takılıp duruyorlardı. Bünyamin yarım sürahi şaraptan sonra kendine gelmiş, meyhane müşterilerinin, "Bak! Bak! Arap geldi!" diye sataştıkları adama bakıp gülümsemeye bile başlamıştı. Adam, bu söz kendisine söylenir söylenmez öfkeyle yerinden doğrulup kapıyı açarak sokağa bakıyor, onunla dalga geçenler de adamın bu haline kahkahalarla gülüyorlardı. Hinoğlu hin görünüşlü, gözleri yuvalarında sansar yavruları gibi dönen biri sanki bir sır veriyormuş gibi başkaları duymasın diye elini ağzına siper ederek Bünyamin'e, bu adamın Gülletopuk adında bir kabadayı olduğunu, ancak sonradan delirdiğini ve yıllar önce ölen Arap İhsan nam kabadayının yaşadığına inanıp hır çıkarmak için onu köşe bucak aradığını anlattı. Gelgelelim şarap kendisini çarptığı için, delikanlı son söylenenleri anlayamadı. Hesabı ödeyip dışarı çıktığında serin hava onu biraz olsun kendine getirdi. İçinde bulunduğu durum ona o kadar belirsiz görünüyordu ki, bu dünyada yolunu bulabilmek için babasının atlasını açıp rastgele bir cümle seçti: "Artık bir kahraman, bir bilge gibi davranmalıydı" ibaresini meyhanenin feneri altında gördü. O uğursuz kara para hâlâ kitabın arasındaydı.

Geceyarısına doğru, Karaköy'de bekleyen kayıkçıya iki akçe verip Haliç'i geçerek Odunkapısı'na çıktı. Karanlıkta Tahtelkale ve Okçularbaşı'nı geçip darphaneye ulaştı. Bitişikte, kapalı bir kıraathanenin önünde, Hınzıryedi kendisini bekliyordu. Delikanlıyı görünce kıraathanenin kapısını tıklattı. Bir süre sonra, katil suratlı bir adam kapıda görünüp onları içeri aldı ve pis bir perdeyi kaldırıp gizli geçidin kapısını açtı.

Büyük Efendi

I

Rivayet ederler ki, oğlu Bünyamin tarafından bir fıçıya konan Uzun İhsan Efendi'nin içinde bulunduğu geminin Galata rıhtımından ayrılıp Cebelitarık'a doğru yelken açmasından tam yüz elli yıl önce, Kostantiniye'de bazı paşalar, saray görevlileri ve nazırlar esrarengiz bir şekilde ruhlarını teslim ediyorlardı. Sarayın Yahudi hekimleri zehirlenme belirtilerini hemen tanımışlardı. Bedenlerinden kan dökülmeksizin böylece acı bir tarzda öldürülme korkusu saraydaki cesur insanlara o kadar nüfuz etti ki, mutfakta yemeklerin pişer pişmez hemen kilitli kaplara konulup sofraya getirilmesi alışkanlığı da kentte bu yüzden yayıldı. Kilitli tencerelerin iki anahtarından biri ahçıbaşında, diğeri ise ev sahibinde bulunuyor, tencere sofraya getirilerek anahtarla besmele çekilip açılıyor ve kilit denen nesneyi, servetini korumak amacıyla üç bin yıl önce icad eden Harun'un ruhuna dua ediliyordu. Gel gör ki Harun'dan yüz yetmiş üç sene sonra Fisagor matkabı, bin iki yüz altmış iki sene sonra da Bağdat hırsızı Mirdesenk Sehpernebî maymuncuğu icad ettiğinden ölümler azalmadı. Ne tuhaf ki rahmetliler hep Devlet-i Âliye'ye mahsus gizli bilgileri evlerinde bulunduran kimselerdi. Sadrazam hem başsağlığı dilemek, hem de rahmetliye emanet edilen belgeleri geri istemek için bu evlere ve konaklara ne kadar adam yollarsa yollasın, gidenler hep elleri boş dönüyor ve gönderildikleri yerde evrak mevrak bulunmadığını söylüyorlardı.

Günlerden bir gün, nihayet, bu cinayetlerin faili yakalandı. Konaklara ve yalılara temizlik yapıp çamaşır yıkamak için gündelikle giden kadın kılığında bir Frenk casusuydu bu. Devrin padişahı, huzuruna getirilen casusun apış arasını yokladığında onun erkek olduğunu farketti. Tuttuğu organı bırakmaksızın, aksine daha bir sıkıp gözdağı vererek sordu:

– "Bre melun! Avrat kılığında dolaşıp onu bunu kahpece zehirleyeceğine ne diye yiğitler gibi kılıncınla döğüşmezsin? Bu yaptığın erkekliğe sığar mı?"

Padişahın sıktığı hayalarındaki acı nedeniyle yüzü şekilden şekile giren casus da ona şu şekilde cevap verdi:

– "Yüce padişahım. Yaptığım elbette ki erkekliğe sığmaz. Ama bilgeliğe sığar".

Padişah:

– "Melun kâfir! Bilgelik dedin ha. Sen bilgin misin yoksa? Hangi bilginin peşindesin?"

Casus:

– "Evet, çok şey bilirim. Limanlarınıza girip çıkan gemilerin ne yük taşıdığını, yaptığınız gizli anlaşmaları, idareniz altında olan milletlerin isyana eğilimlerini, depolarınızdaki barutun miktarını, toplarınızın sayısını, her şeyi, her şeyi bilirim".

– "Bre melun, sen bana bilgin olduğunu söyledin. İnsan bu anlattıklarını bilmekle hiç bilgin olur mu?"

– "Sizin bilginleriniz ne bilirler?"

– "Müneccimlerimiz ilanı harp ve sünnet için uygun zamanları bilirler. Şeyhler gayb âlemine mahsus sırları, medrese âlimlerimiz ise neyin günah neyin sevap olduğunu bilirler".

– "Yüce padişah! Eğer bu saydığın bilginler sadece anlattığın şeyleri biliyorlarsa, onların pek fazla bir şey bildikleri söylenemez".

– "Neden?"

– "Çünkü bilgi tehlike ile ölçülür".

– "Ne demek bu?"

– "Bilgi doğru olmak zorundadır ve bilgin, hata yapmaktan ölümden korkar gibi korkar. Sizin bilginleriniz hata yapmaktan korkarlar mı?"

– "Doğrusu bundan pek emin değilim. Ama önce ne demek istediğini iyice anlat bana".

– "Şunu kastediyorum: Müneccimleriniz ya da medrese hocalarınız bir hata yaptıklarında sözgelimi cezaya çarptırılırlar mı? Hata yapmaktan korkmuyorlarsa belki de hatanın cezasından korkuyorlardır".

– "Hayır. Onlar cezaya çarptırılmaz. Çünkü onlara bilgin diye saygı duyarız".

– "Öyleyse onların doğru düşünmeleri için yeterince şart yok demektir. Çünkü onlar doğru düşünseler de düşünmeseler de nasıl olsa saygı göreceklerini, tehlikeye düşmeyeceklerini bildiklerinden hatadan da korkmazlar. Ama, mesela tüccarlar öyle mi?. Bu mesleğin adamları doğru düşünmedikleri anda iflas ederler. Benim gibi casuslar da hata yapar yapmaz yakalanıp asılırlar. İşte bu yüzden, hata yaptığı anda servetini, hatta canını kaybedebilecek olmayan insanların fikrine güvenilmez. Çünkü malı, canı, sevdikleri tehlikede olmayan biri doğru düşünemez. Bilgi tehlike ile ölçülür dediğimde kastettiklerim bunlardı. Benim neden bilgin olduğuma gelince: Yaptığım işten büyük para aldığım için ülkemde aşağılanırım. Kralıma verdiğim bilgi yanlış çıkarsa hemen asılırım. Bu yüzden, yaşadığım tehlike en büyük tehlike olduğu için, bir casus olarak bilginlerin en büyüğü de benim. Peşinde koştuğum bilgi de kaçınılmaz olarak en doğru bilgi olacaktır. Çünkü doğru ya da yanlış olduğu er ya da geç anlaşıldığında, ben ya zengin ya da ölü olacağım".

Casusun sözlerinden ziyadesiyle etkilenen padişah o gece uyumayıp sabaha kadar düşündü. Sonunda, Enderun talebelerinden birkaçını yanına çırak alıp onlara mesleğinin sırrını öğretmesi karşılığında, casusun hayatını bağışlamaya karar verdi. Ertesi sabah tutukluyu huzuruna çağırtıp ona düşüncesini söylediğinde hiç beklemediği bir karşılık aldı. Bu melun kâfir, hayatta kalabilmek için teklifi kabul edebileceğini, ama öyle her önüne geleni de yanına çırak alamayacağını söylüyordu. Padişah ona, çıraklarında ne gibi vasıflar aradığını sorduğunda, kâfirin cevabı karşısında ağzı bir karış açıldı. Casus, dairenin çevresinin çapına oranı olan 3,14 sayısını 666 haneye kadar hesaplayabilecek birini istiyordu. Bu şart Enderun talebelerinin başına bir hayli iş açacaktı. Çünkü, sözkonusu sayının bir an önce hesaplanmasını buyuran ferman karşısında boynu kıldan ince olan bu oğlanlara, sonuca varamadıkları her günün sonunda onar değnek vuruluyordu. Enderun'dan nihayet umut kesilince medreselere başvuruldu. Fakat ulema taifesi de arzu edilen sayıyı bir türlü hesaplayamadı. Sonunda, sokaklarda tellal bağırtılarak, dairenin çapına oranını 666 haneye kadar hesaplayabilecek bir babayiğidin 10.000 altınla ödüllendirileceği bütün Kostantiniye'ye duyuruldu. Aradan bir ay geçtikten sonra, tefecilerin muhasebe işlerini yürüten bir adamın çırağı, kafasında 666 hanelik bir sayıyla Bab-ı Humayun'a geldi. Bütün ısrarlara rağmen, bulduğu sayıyı ancak ve ancak padişaha söylemekte kararlıydı. Aynı gün casusu Yedikule Zındanı'ndan getirip bu delikanlıyla yüzleştirdiler. Cevabı işiten kâfir sayının doğru olduğunu gördü ve oracıkta, bu sayıyı kimselere söylememesi için gence yemin ettirdikten sonra onu çıraklığa kabul etti.

Efraim adındaki bu çırağa bildiği her şeyi, kılık değiştirmeyi, şive taklidi yapmayı, kapı dinlemeyi, meslekdaşlarıyla haberleşmeyi, adam zehirlemeyi ve akla hayale gelmedik daha bir nice yolu yöntemi öğretti. Casus öldükten sonra, padişahın izniyle Teşkilat-ı İstihbarat-ı Humayûn'u, tam da ustasının öğrettiği üzere, gizlilik esası üzerine kuran da Efraim oldu. Teşkilatın merkezinin darphanenin altında olduğunu yalnızca padişah ile, Efraim ve adamları biliyordu. Efraim'in adamları, sustalı divitleri, zehirli ve panzehirli yüzükleri, odalardaki gizli konuşmaları dinlemeye mahsus boruları yapan kuyumcu ve saatçiler; sahte fermanları, mazbataları, şahadetnameleri, hüsnühal kâğıtlarını, gothik, italik, sülüs ve kûfî tarzlarda yazıp tuğraları ve imzaları taklit edebilen hattatlar gibi meslek erbabı ile casusların bizzat kendilerinden ibaretti. Teşkilatın, darphanenin altındaki gizli merkezindeki odalarda çırak adaylarına, Frenk, Acem, Suvaç, Nemçe, Rus, Danıska ve Arap dilleri öğretiliyor, kılık değiştirmenin yolları yordamları ile, kapı dinlemek, haberleşmek, adam öldürmek gibi işlere mahsus tuhaf aletleri kullanma usulleri gösteriliyordu. Zamanla bu casus nesli yedi iklim dört bucağa gönderilir oldu. Onların her biri, kale planları, asker sayıları, savaş taktikleri, satın aldıkları kişilerin adları, savaş gemilerinin rotaları, top döküm formülleri gibi gizli bilgilerle geri döndükçe, teşkilatın değeri ortaya çıktı. Efraim'in bu bilgileri şifreyle kaydettiği defterlerin sayısı da arttıkça arttı. Bu defterlerdeki şifreli yazılar özel bir cihazla okunuyordu. Bir kuyumcuya yaptırılan bu cihaz, üstünde saydam kâğıttan kapak olan bir kutuya benziyordu. İçinde, küçük küçük 666 adet ayna ile bu aynaların her birini ekseni etrafında döndüren aynı sayıda madeni düğme vardı, öyle ki, bu düğmelerin üzerindeki ibre, 0'dan 9'a kadar herhangi bir rakama getirilince, ona bağlı olan ayna da sayıya göre ekseni etrafında dönüyordu. Bir mum yakılıp kutunun içindeki özel yere konunca, kapaktaki saydam kâğıt aydınlanıyor ve her sayfasında 666 harf bulunan defter kutunun altına konunca da kâğıdın üzerinde aynı harfler, ama bu kez değişik yerlerde beliriyordu. Frenk alfabesine göre şifrelenen bu yazıdaki her bir harfe karşılık birer ayna bulunduğundan, aynanın, harfi kâğıt üzerinde doğru yere yansıtması zorunluydu. Ama bunun için her bir aynanın doğru açısını bulmak gerekiyordu. Bu da 666 sayıyı akılda tutmak demekti. Bu sayılardan ilk üçü olan 3, 1 ve 4'ü çok kimse bilirdi, ama 666 tanesini bilmeksizin şifreli metinlerin hiçbirini okumak mümkün olamazdı.

Padişah öldükten sonra, teşkilatın varlığını Efraim ile adamlarından başka hiç kimse bilmiyordu. Zaten böyle bir şeye gerek de yoktu. Bununla birlikte Efraim yeni padişahın huzuruna çıkıp ona teşkilattan bahsetmeyi uygun gördü. Ondan, giderler için para istemedi. Çünkü kendisi, en büyük sermaye olan bilgi'nin kendisine zaten sahipti. Gerçekten de limanlara gelen ve giden malların fiatlarının ne zaman yükselip düşeceğini casusları aracılığıyla bildiğinden paraca sıkıntı sözkonusu değildi. Fakat Efraim'i üzen bir şey vardı: Artık bir ayağı çukurdaydı. Casusların dünyanın dört bir yanından getirdiği son derece önemli bilgilerin şifrelenip doldurulduğu defterler artık raflardan taşıyordu, ama okuma cihazındaki 666 rakamı kendisinden başka hiç kimse bilmediği için, o öldükten sonra bu bilgiler hebâ olabilirdi. Bu yüzden kendisinden sonra teşkilatın başına geçebilecek birini tayin etmeliydi. Böylece, bir zamanlar ustasının yaptığı sınavı, bu kez kendi çıraklarına ve kalfalarına uygulamaya karar verdi. Teşkilat üyeleri, dairenin çapına olan oranını 666 haneye kadar hesaplayacaklardı. Zamanla bir geleneğe dönüşecek olan sınavı kazanan bir casus muhakkak çıkacak ve teşkilatın daima bir "Büyük Efendisi" olacaktı. Fakat saat gibi çalışan teşkilatın, dayandığı gizlilik esası yüzünden, bazı beklenmedik durumlara düşmesi kaçınılmazdı.

Teşkilatın Efraim'den sonra gelen Büyük Efendisi de ustası gibi canla başla çalıştı. Gelgelelim padişahın tahttan indirilmesi bu kez sorun oldu. Büyük Efendi, teşkilatın varlığını bildirip bağlılık yemini etmek için saraya gittiğinde Bab-ı Humayûn'daki nöbetçiler tarafından durduruldu. Onlara, yeni padişaha son derece önemli bir şey söylemeye geldiğini anlattığında sarayın baltacısını çağırdılar. Bu adam ise padişahla görüşmesini sağlayacağını söylüyor ama bunun için utanmadan yüklü bir bahşiş istiyordu. Kendisine istediği rüşvet verildiğinde sözünde durmadı ve kapıda bekleyen Büyük Efendi'ye derhal defolup gitmesini söyleyip hançerine davrandı. Fakat Teşkilat bu durumdan yılacak gibi değildi. Son derece tehlikeli olmasına rağmen, iletilmek istenen bilgi bir kâğıda yazılıp becerikli casuslar tarafından padişahın yatak odasına bırakıldı. Ama sonuç koskoca bir sıfırdı. Padişah böyle bir teşkilat bulunduğuna inanmıyordu. İstihbarat-ı Humayûn, kurmaya çalıştığı gizliliğin kurbanı olmuştu.

Efraim'den sonraki Büyük Efendi'nin son derece dürüst bir mizacı vardı. Bu yüzden teşkilatı kendi çıkarları için kullanmaya tenezzül etmedi. Casusları ona yedi iklim dört bucaktan durmaksızın son derece önemli bilgiler getirmeye devam ediyor ve o da bunları ustasının şifresiyle defterlere işliyordu. Stratejik önemi son derece fazla bazı bilgileri casusları aracılığıyla yine padişahın yatak odasına bıraktıysa da bunun bir sonucunu göremedi. Ordu-yu Humayûn, istihbarat eksikliği nedeniyle, çıktığı seferlerde yenilmeye başlamış, saray zevk ve sefaya düşmüştü. Büyük Efendi düşündü taşındı ve sonunda, hattatlara yazdıracağı sahte ferman ve emirnamelerle hem orduyu, hem de imparatorluğu yönlendirmeye karar verdi. Bunun sonucu hemen görüldü. Hattatların taklit ettiği padişah tuğrasını taşıyan fermanlar, kılık değiştirmiş casuslar tarafından, orduların başında sefere çıkan paşalara iletilir iletilmez Kostantiniye'ye ganimet akmaya başlamıştı. Birçok yeniçeri bölüğü, topçu taburu, hatta sık sık koskoca bir kolordu, bazan da ordunun ta kendisi, sahte fermanlar ve doğru bilgilerle zaferden zafere koştu. Fakat bu durum çok uzun sürmeyecekti. Yaşlanan Büyük Efendi, Teşkilatın yeni reisini yine sınavla seçmeye karar verdi.

İstihbarat-ı Humayûn'un bu defaki reisi, yüzü bir kadını andıran, çenesinde sakal yerine ancak birkaç kıl bulunan, şakakları ve ellerinin derisi altında mavi damarlar gözüken, adeta cam gibi saydam bir tene sahip olan Ebrehe adında bir casustu. Büyük Efendi'nin ölümünden sonra padişaha gidip bağlılığını sunmaya gerek görmedi. Zaten mümkün olsa bile böyle bir şeyi yapmaya pek istekli olacak biri sayılmazdı. Çünkü o, öncekilerden oldukça farklı biriydi ve Teşkilat, adeta onun deney masası olmaya doğru gidiyordu. Okuma cihazını 666 rakamla ayarlayıp öncekilerin doldurduğu defterleri yutarcasına okuduktan sonra casusları kendi merakı için kullanmaya başlamış, sadece sonucunu görmek için sahte belgelerle kendince birtakım oyunlara girişmişti. Hattatlara hazırlattığı belgeler ve kılıktan kılığa giren becerikli casuslar yardımıyla oynadığı bu oyunlar, her ne kadar başkalarının canlarına malolurlarsa olsunlar, elinde tuttuğu gücü onun tanımasını sağlıyordu. O günlerden sonra insanları birer satranç taşı gibi görmeye başlamıştı. Bilme hırsı onu adamakıllı sarhoş ettiğinde, artık suçsuz insanları türlü komplolarla zındana attırıyor ve adamlarını yollayıp bu insanların durumlarına gösterdiği tepkileri öğreniyordu. Ona göre hayat, artık, insanın büyük bir eğlenceyle çok şey öğrendiği bir oyundu ve içinde herkesin yaşamaktan korktuğu şu dünya, gerçekten en eğlenceli oyuncaktı. O zamanlar gülmeyi o kadar çok seviyordu ki, sahte bir belgeyle delinin birini paşa yapabiliyor ve yine onu aynı yöntemle, stratejik önemi son derece fazla bir sınır kalesine atayabiliyor, adamları kendisine kalenin nasıl düştüğünü anlatırken de çatlak sesiyle kahkahalar atıyordu. Bu durum yedi sene öncesine kadar sürmüştü. O günden sonra Büyük Efendi Ebrehe, cellat mezatından aldığı tuhaf bir aynaya alışılmışın dışında bir ilgi gösterir oldu. Artık neşesi sönmüş, nemrut suratlının biri olmuştu.

Anlatılanlara bakılırsa, şekil itibariyle, kapak yerine bir ayna parçasıyla kapatılmış büyük bir tencereyi andıran bu ayna duvara asılmayıp yere ya da sehpaya dört ayağı üzerine konuyordu. Ayakları bir karış kadardı. Gövdesi ise yaklaşık dört karış çapında ve üç karış yüksekliğindeydi. Oldukça ağır olan bu tuhaf aynanın içinde neler olduğu meçhuldü. Gelgelelim onun, artık her nasılsa, geleceği gösterdiği söyleniyordu. Gerçi Ebrehe bu aynayı yıllar önce satın almıştı, ama günün birinde onda bazı şeyler görmüş olacak ki, artık aynanın başından ayrılmaz olmuştu. İlahiyat kitaplarına ilgisi de o sıralar başlamıştı. Adamları aracılığıyla bu konuda hatırı sayılır bir külliyata sahip oldu. Yüzü hâlâ gülmüyor, alınan onca güvenlik önlemine rağmen kendini tehlikede hissettiği suratından okunuyordu. Ardından, elkimyaya ve diğer doğa bilimlerine merak saldı. Aristatalis'in *Fizik*'i elinden düşmüyordu. Bu bilginin eserinde, özellikle "zamanı" anlattığı bahsi defalarca okuyup hatmetmişti. Günün birinde adamları ona, Kuzeyde ilginç bir dinsel tarikattan söz ettiklerinde, onlara bu konuda derhal daha fazla bilgi getirmelerini buyurdu. Bu tarikatın kutsal kitabının bir kopyası çok geçmeden elindeydi. Ebrehe'nin eline bu eserin geçtiği gün, teşkilatın dönüm noktası oldu. Ebrehe eski oyunbazlığını bırakarak artık sadece ticaret ve para konusundaki bilgileri kabul etmeye başlamıştı. O günden sonra teşkilata çuvallar dolusu para akmaya başladı. İşin ilginç yanı, gelen çuvallar açılarak, içindeki günah yüklü paralar Büyük Efendi tarafından tek tek, kuruşu kuruşuna inceleniyordu. Çok geçmeden dilenciler kethüdasının idam edileceği öğrenildiğinde bu adam sahte bir fermanla kurtarılıp teşkilata bağlandı ve Kostantiniye dilencilerine akan paralar da teşkilata gelen paraya eklendi.

Alım satımla, haraç ve vurgunla, bağış ve sadakayla teşkilata gelen paraları Ebrehe tam beş yıl boyunca tek tek, en küçük bir mangırı bile atlamadan geceler boyunca incelemiş ama aradığı parayı bulamamıştı. Fakat casuslardan birinin verdiği bilgiyle harekete geçip büyük bir işe atıldı. Gözleri umutla parıldıyor ve son derece tehlikeli bir harekâtı gerçekleştirmek için gecesini gündüzüne katıyordu. En güvendiği adamı Zülfiyar'ı, aradığı şeyi bulması için kuzeydeki bir Frenk kalesine sokmayı başarmıştı. Gelgelelim, adamını bu kaleden çıkartmak başlıbaşına bir meseleydi. Bu yüzden, hattatların hazırladığı sahte bir fermanla, Edirne'deki karargâhtan dört yeniçeri bölüğünü bu kaleyi kuşatmaya gönderdi. Açılan bir lağımla Zülfiyar nihayet kaleden kurtarılmış, ama bacağından yaralandığı için kaleden çalmayı başardığı şeyi lağımcının çırağına vermişti. Fakat, emanet aldığı şeyle birlikte daha sonra o kargaşada kaybolan lağımcı delikanlının kaçtığına hükmederek büyük bir aptallıkla, onun ölü ya da diri yakalanmasını istemiş, böylece kuşu elinden kaçırmıştı.

Ebrehe'nin umudu, adının Bünyamin olduğunu öğrendikleri bu delikanlıyı bulmaktı. Gel gör ki, sahte ferman usulüyle kendilerine sözkonusu delikanlının evini aramayı buyurduğu yeniçeriler evi yıkmış ve Bünyamin'in babası Uzun İhsan Efendi'nin gözlerini oyup burnu ve kulaklarını keserek işi berbat etmişlerdi. Büyük Efendi'nin ikinci bir umudu ise, aradığı nesneyi o an taşıyan delikanlının, üstünde bulundurduğu şeyin değerini kestiremeyecek olmasıydı. Bu yüzden onu kolaylıkla elden çıkarabilirdi. Ebrehe bu nedenle, Kostantiniye içindeki aramalarını sıklaştırmıştı. Yüzü her zamankinden daha asıktı. Fakat kethüda Hınzıryedi'nin çıkardığı bir aksilik nedeniyle dilenciler loncasına gidip, boğazına kaçan bir lokma yüzünden maruz kaldığı boğulma tehlikesinden, yüzü tanınmayacak kadar hasar görmüş genç bir dilenci tarafından kurtarıldığı zaman, altı yıl önceki neşesi yerine gelmişti. Öyle ki, buna Zülfiyar bile şaşırmıştı. Hele hele, adamlarına, artık loncanın sadakalarına ihtiyaç olmadığını söylediğinde şaşkınlık iyice artmıştı. Büyük Efendi'deki bu değişim belki de biraz onun aklından, biraz da, kendisini aşağılayan o çirkin, o küstah delikanlının, onun kirli yüreğinde yeşerttiği marazi bir duygudan kaynaklanıyordu. Bu duyguyu tanımlamak güçtü. Sevgiyle nefret arası bir şey, belki de her ikisiydi. Ama herhalde en doğrusu, insanoğlunun o güne kadar hissettiği bütün duyguların bir karışımı, bir çamuruydu. Zülfiyar'ın daha sonra ona söyledikleri, hayatını kurtaran bu delikanlıyı incelerken sezdiklerinin ne kadar doğru olduğunu gösterecekti. Yine de mesele, bu kez akılla değil duyguyla ilgiliydi. Gece yarısı gelecek olan delikanlıyı elkimya odasında beklerken Ebrehe, hissettiklerinin kadınlara özgü birtakım duygular olduğunu sezdi. Hayatını kurtardığı için bu gence şükran duyması gerekirken, aynı nedenden ötürü ondan nefret ediyordu. Küstahlık edip kendisini aşağıladığı için ondan nefret edeceği yerde, onu seviyordu. Bir an önce "işi bitirmek" isteyen Zülfiyar, efendisini anlayamamıştı. Fakat kendisini dünyayla oynayacak kadar güçlü hissetmeye alışmış olan Ebrehe'nin amacı belki de, son derece rahatsız edici olan bu duygularının nedenlerini ortadan kaldırmaktı. Nasıl olsa henüz "vakti vardı". Bunun için o güne dek dünyayla nasıl oynadıysa, bu küstah delikanlıyla da öyle oynamayı tasarlıyordu. Ona, sahip olduğu gücü hem göstermeli, hem de bunu bir yandan örtbas ederek göstermeye çalıştığı şeyin gölgesini büyütmeliydi. Delikanlı onun muhteşem gücünü görüp hayran olunca, Ebrehe'nin onu sevmesine neden olan küstahlığı ortadan kalkacak, Büyük Efendi'nin yüreğinde filizlenen duygu da böylece silinip gidecekti.

II

İçinde babası Uzun İhsan Efendi olduğu halde, Galata rıhtımında bıraktığı fıçının bir gemiye yükleneceğinden ve bu geminin de ertesi sabah Cebelitarık'a doğru yelken açacağından habersiz olan Bünyamin, tam geceyarısı Ebrehe'nin huzurundaydı. Hınzıryedi efendisinin elini öptükten sonra çekip gitmişti. Bulundukları elkimya odasındaki cıva buharı ve kükürt dumanı delikanlıyı oldukça rahatsız ediyordu. Odada üç kişi çalışıyordu. Bunlardan biri odadaki üç zosimos ocağından birinin başında bir imbiğe zaç yağı dolduruyor, öteki ise zemindeki gübre havuzunda beklettiği zincifrenin yeterince mayalanıp mayalanmadığını denetliyordu. Buyurgan tavrına bakılırsa kıdemce onlardan üstün olduğu anlaşılan üçüncüsü ise adamların yaptığı işlerin yolunda gidip gitmediğini inceliyor ve yeri geldikçe emirler vererek onları yönlendiriyordu. Duvarlardaki raflarda, sülyen, şap, mürdesenk, havacıva, göztaşı, tebeşir, zincifre ve daha bir nice maddeyle dolu kavanozlar sıralıydı. Zaç yağı, kezzap, tizap ve tuzruhu ise cam şişelerde muhafaza ediliyordu. Ocakların üzerindeki imbikler, erişilmek istenen maddenin doğup ortaya çıkmasını kolaylaştırmak için dölyatağı şeklinde imal edilmişlerdi. Ebrehe, gördüklerinden etkilenmişe benzeyen Bünyamin'e,

– "Geldiğinden beri bu tuhaf mekânın nasıl bir yer olduğunu merak ediyorsun herhalde" dedi, "Belki de burada altın yapmayı amaçladığımızı sanıyorsun. Öyle değil mi?"

Delikanlı,

– "Bundan pek o kadar emin değilim" diye cevap verdi, "Altını kazanmak ya da gaspetmek mümkün iken sizin böyle bir işe girişeceğinizi sanmıyorum".

– "Çok şey biliyormuş gibi konuşuyorsun. Ancak fazlasıyla silik birisin. Ağzından çıkan sözler beni şaşırtıyor, sanki biri bu sözleri kulağına fısıldıyor gibi. Kimbilir, belki de birinden ilham alıyorsun".

Bünyamin'in aklına nedense babası Uzun İhsan Efendi geldi. Elkimya cehenneminden bir an önce gidip, rıhtımda babasını kurtarmak istiyordu. Ama içindeki bir dürtü onu, Ebrehe'nin amaçlarını öğrenmeye zorlamaktaydı.

– "Peki, burada ne elde etmeye çalışıyorsun?" diye sordu.

Büyük Efendi'nin neşesi yerine gelmişti. Bu soruyu işitince gözleri parladı ve delikanlıya,

– "Tabiatta yedi çeşit cisim olduğunu bilirsin mutlaka" dedi, "Ancak, altın, gümüş, kükürt, kalay, bakır, kurşun ve harısinîden ibaret olan bu yedi cisim yanında bir sekizincisinin olduğunu pek az kişi bilir. Biz sekizinci cismi elde etmeye çalışıyoruz".

– "Elkimyacıların aradığı filozof taşı olmasın bu?"

– "Hem evet, hem hayır. Fakat birçok bilgin, filozof taşıyla belki de bizim aradığımız şeyi kasdetmiş olabilir".

– "Peki, sizin aradığınız bu sekizinci cisim ne?"

Ebrehe bu soruyu işitince duraksadı. Sanki bir sırrı verip vermemekte tereddüt ediyordu. Neden sonra gülümsedi ve fısıltıyla,

– "Yaratılmamış olan" dedi, "Biz yaratılmamış olanı arıyoruz".

Bu cevap Bünyamin'i afallattığında, sözlerinin bıraktığı etkiyi gören Ebrehe'nin memnuniyeti yüzünden okunuyordu. Delikanlının kafasını iyice karıştırıp, kendi karanlık gölgesini onun zihnine sokmaya oldukça kararlıydı. Sözlerini şöyle sürdürdü:

– "Bu deyim seni korkutmasın. Çünkü fazlasıyla basit bir şeyden bahsediyorum. 'Yaratılmamış olanı' anlaman için önce 'yaratılmış olan' ile kastedilen şeyi bilmen yerinde olur. Bir dokumacı için 'yaratılmış olan' kumaş iken, 'yaratılmamış olan' ipliktir. Çünkü onun yarattığı şey iplik değil, kumaştır. Ama bu kez iplikçi için durum farklı görünüyor. Çünkü o, yünü eğirip ipliği bükerken, yüne 'yaratılmamış olan', ipliğe de 'yaratılmış olan' diye bakar. Oysa ipliğe dokumacı 'yaratılmamış olan' diyordu. Şu halde, üzerindeki elbisenin kumaşı, onu diken terzi için 'yaratılmamış olandır'. Elkimyacı için de durum buna benzer görünüyor. Çünkü kumaş nasıl ki iplikten meydana geliyorsa, aynı şekilde zaç yağı da kibritten meydana gelir ve ipliğin yünden meydana gelmesi gibi, kibrit de lap taşından oluşur. Dokumacının kumaşı iplikten yarattığını biliyoruz. Peki sence Tanrı dünyayı hangi şeyden yarattı?"

– "Elbette varolmayandan yarattı".

– "Öyleyse üzerindeki elbise nasıl ki yünden meydana geliyorsa, içinde yaşadığımız dünya da 'varolmayandan' meydana geliyor. İşte biz buna, 'yaratılmamış olan' diyoruz".

– "Ve onu varlığa getirmeye çalışıyorsunuz?"

– "Hayır. Öyle denemez. Zor da olsa, elbiseni iplik haline getirmek ve ipliği de yüne dönüştürmek mümkün. Bu işleme 'yok etme' denir. Biz sadece, Tanrı'nın yaratım aşamasını tersine izleyerek, yaratılmamış olana, boşluğa erişmeye çalışıyoruz".

– "Onu yeniden, bu kez kendi istediğiniz biçimde yaratmak için mi?"

– "Hayır. Bize onun kendisi gerekli. Sen hiç 'boşluğa tapanları' duydun mu?"

– "Boşluğa tapanlar mı?"

– "Bunlar bir Frenk tarikatidir. Yaratılmamış olanın, yani boşluğun gücünü gören insanlar. Onlarla hiçbir ilgisi olmayan Fon Gerike adlı biri tarikat sırlarını keşfettiği için ateş püskürüyorlar. Adını söylediğim bu bilgin Magdeburg'da bir deney yaptı. Madeni iki yarımküreyi birleştirip içindeki havayı tulumbalarla boşaltarak boşluğu meydana getirdi. Böylece yapışan her bir yarımküredeki halkalara altışar at bağlatıp onları kırbaçladı. Tam on iki at, boşluk nedeniyle birbirlerine yapışan iki yarımküreyi ayırmayı başaramadı. Bu da boşluğun gücünü kanıtlar".

– "İnanılması gerçekten zor".

– "Ama doğru. Bununla birlikte, böylece meydana getirilen boşluk bizim işimize yaramaz. Çünkü biz, daha doğrusu ben, kendisinden dünyanın meydana geldiği asıl boşluğa erişmek istiyorum".

– "Peki amaçladığın bu şeye eriştin diyelim. Onu ne yapacaksın?"

– "İşte şimdi bambaşka bir konuya geçiyoruz. Eline bir taş alıp fırlatırsan ne kadar hızla gider sence?"

– "Benzetmeyle ifade etmek gerekirse, bir kırlangıç kadar hızlı gideceğini söyleyebilirim".

– "Peki neden daha hızlı, mesela sonsuz bir hızla gitmez?"

– "Çünkü o havanın içinde yol alır ve hava ona direnç gösterir. Bu direnç olmasaydı belki sonsuz bir hızla gidebilirdi".

– "Şimdi havanın olmadığını ve taşın boşlukta fırlatıldığını farzet. Bu durumda ne diyebilirsin?"

– "Yoksa sonsuz hızın mı peşindesin?"

– "Bu soruya cevap vermek için henüz erken. Aristotales *Fizik* adlı eserinde, boşluğun olmadığını, eğer olsaydı boşlukta yol alan bir cismin sonsuz hıza erişeceğini, bunun da imkânsız olduğunu söyler. Oysa bana göre boşluk var. Bunu adım gibi biliyorum. Böylece sonsuz hız da mümkün. Yaratılmamış olanın gücünü görebiliyor musun? Boşluğun gücünü on iki atınkiyle kıyaslamak onu küçültmek sayılır. O sandığımızdan da güçlü. Bu yüzden ona tapanların sayısı hızla artıyor. Yakında belki bütün insanlar boşluğun, dünyanın maddesi, malzemesi olduğunu görecekler".

– "Boşluktan, sanki o imbikle damıtılabilir ya da işlem görebilir bir maddeymiş gibi bahsediyorsun".

– "Doğru, bundan eminim".

Ebrehe bıraktığı izlenimden memnundu. Akla sığmaz açıklamalarıyla kafasını karıştırdığı delikanlıyı, üstelik bir de odayı kaplayan cıva buharının sersemlettiğini görüyor ve gülümsemesinde büyük bir kibir okunuyordu. Şartlar onu, her ne kadar kurbanını ağına düşürdüğünü gizlemeye zorlarsa zorlasın, yine de içinde belirsiz bir endişe vardı: Hayatını kurtaran bu delikanlıya gereğinden fazla önem verdiğini hissediyor ama bunun nedenini kendine yeterince açıklayamıyordu. İçinden bir ses ona, avucuna aldığını sandığı delikanlının meçhul bir şey tarafından korunduğunu söylese de, sahip olduğu büyük güçler Ebrehe'nin bu sesi dinlemesine engel oluyordu. Oysa Büyük Efendi hissettiği sıkıntıyı biraz deşseydi, iktidarın acizlik, güçsüzlüğün ise dirim çağrışımlarıyla yüklü olduğunu farkedecek ve Bünyamin'in kendisine karşı taşıdığı üstünlüğü biraz olsun anlayabilecekti.

Sanki tasarlanmış bir oyun gibi, güneşin doğmasına dört saat varken Ebrehe değerlendirilmesi zor bir şey yapacaktı. Duvar saatine baktıktan sonra,

– "Namaz vakti gelmiş. İzin verirsen sabah namazımı kılmak istiyorum" dedi.

Büyük Efendi seccadesini yere serip namazını kılmaya hazırlanırken Bünyamin meseleyi henüz anlayabilmiş değildi. Çünkü odanın kirli havası onu adamakıllı sersemletmişti. Üstelik ocaklardaki ateşin harıltısı, imbiklerin fokurtusu ve Ebrehe'nin dua fısıltıları onun düş ile gerçeği karıştırmasına yolaçıp kafasını bulandırmaya devam ediyordu. Biraz olsun kendine gelebilmek için odayı dolaşmaya başladı. Fakat bu sırada gözüne bir şey çarptı. Bu, sırmalı bir Şam kumaşıyla örtülmüş, dört ayaklı ve şekil itibariyle mangalı andıran bir eşyaydı. Bununla birlikte onun mangal olması pek mümkün değildi. Çünkü üzerindeki kumaşın fiatı su içinde en az elli filuri olmalıydı. Sağında şifreli metinleri okumaya yarayan o tuhaf cihaz, solunda ise bir gemici pusulası vardı. Delikanlı önce pusulaya, sonra da namazını kılmaya devam eden Ebrehe'ye baktı. Kafası iyice karışmıştı. Duvar saatine bakmayı akıl ettiğinde ise zihni adamakıllı bulandı. Büyük Efendi ibadetini bitirene kadar, Bünyamin ne kadar düşündüyse de işin içinden çıkamadı. Sonunda ona,

– "Namazını yanlış zamanda, yanlış yöne dönerek kıldın" dedi, "Elbette eğer bu pusula ile bu saat bozuk değillerse. Çünkü kıble yerine tam kuzeye secde ettin".

Ebrehe tam da bu sözleri bekliyormuş gibi şaşırmadı. Bununla birlikte delikanlıya bir açıklama yapmaktan kaçınarak,

– "Bunun üzerinde durmanın sırası değil" dedi, "Gördüğün her şeyi merak etmeni anlayışla karşılıyorum. Ne var ki soruların cevabını öğrenebilmen için önce buna layık olduğunu göstermen gerekir. İçimden bir ses seni sınava çekmemi söylüyor. Belki de aynı ses sana bütün soruların cevabını fısıldayabilir. Ama belki de böyle bir yola başvurmadan bizzat sen bütün cevapları öğrenebilecek kadar güçlüsündür. Gerçekten güçlü müsün? Herhalde bunu hem sen hem de ben bilmek istiyoruz. Arzu edersen bunu ölçebiliriz. Şu tezgahın üzerindeki gürzü görüyor musun? Değme babayiğit onu yerinden bile kıpırdatamaz. Sen denemek ister misin?"

Sağlam ve sert tahtalardan yapılmış tezgahın başına gittiler. Üzerindeki darbe izleri ve yanıklara bakılırsa uzun yıllardan bu yana ağır işlerde kullanıldığı anlaşılan tezgahta tuhaf bir gürz vardı. Kol boyunda ve iki parmak kalınlığında demirden bir mille, bu milin ucuna raptedilip madeni bir kafesle korunmuş demir bir tekerlekten ibaretti. Tekerleğin ağırlığı yirmi okkadan fazla görünüyordu ve mili üzerinde kolayca döndürülen bu tekerleğe, üzerine sağlam bir ip dolanmış bir kasnak eklenmişti.

Ebrehe çatlak sesiyle,

– "Haydi! Bu gürzü kaldırmayı dene" diye bağırdı.

Bu iş imkânsız görünmesine rağmen Bünyamin denileni yapmaya çalıştı. Fakat kendisini ne kadar zorlarsa zorlasın başaramadı. Bunun üzerine Ebrehe yardımcılarını çağırdı. Gelen adamlar üç kişi oldukları halde gürzü güç bela kaldırıp, verilen emir üzerine, yanyana duran iki mengeneye milinden sıkıştırdılar. Bu işi başardıktan sonra tavandan sarkan bir zincire asılıp binbir güçlükle çekmeye başladılar. Zincir, tavandaki iki makaradan geçirilip en az yüz elli okka gibi görünen bir kurşun ağırlığa bağlanmıştı. Adamlar bu ağırlığı kaldırınca, Ebrehe gürzün kasnağına sarılı ipin ucunu zincirin halkalarından birine bağladı. Adamlar zinciri bırakır bırakmaz ağırlık düştü ve mengeneye kıstırılmış mile bağlı tekerlek, tıpkı bir topaç gibi fırıl fırıl dönmeye başladı. Ebrehe gürzün milini tuttuktan sonra mengeneleri gevşetti ve ucundaki o ağır tekerlek fırıl fırıl döndüğü halde, Bünyamin'in kaldırmayı başaramadığı bu tuhaf aleti cılız koluyla yavaş yavaş havaya kaldırdı. Fakat delikanlı şaşırmamıştı. Ebrehe'ye,

– "Göz boyamak için fena bir yöntem değil" dedi, "Topaç yasasına göre işleyen bir alet bu. Merkezkaç kuvveti tekerleğin ağırlığını ortadan kaldırıyor. Bu haliyle onu bir çocuk bile kaldırabilir".

Delikanlının küstahça sözleri karşısında Ebrehe'nin gözlerinde bir an şeytanca parıltılar belirmişti. Fakat bu nefret belirtileri göründükleri kadar çabuk kayboluverdiler. O ise, elindeki gürzü adamlarına teslim ettikten sonra eskisi gibi gülümsemeye başlamıştı.

– "Senin, tanımadığım biri tarafından meçhul bir amaçla bana gönderildiğini düşünmeden edemiyorum" dedi, "Sanki söylediğin ve yaptığın her şey, sana o kişi tarafından öğretilmiş. Senin o silik şahsiyetinle sözlerin arasında bir bağ kurmakta zorluk çekiyorum. Hem küstahsın hem de alçakgönüllü. Hem güçsüzsün hem de ne olduğunu henüz bilemediğim bir üstünlük taşıyorsun".

Bünyamin sordu:

– "Güçlü olmayı neden bu kadar çok istiyorsun?"

– "Elbette herkes gibi, varlığımı sürdürmek için".

– "Senin yaptığın bir tür tahnitçilik. Güç ancak ölüleri korur".

– "Bu sözler kesinlikle sana ait değil".

– "Belki de sahip olduğum hiçbir şey bana ait değil. Zihinsel yeteneklerim de bunun içinde. Oysa sen, tabiatın kuvvetlerine sahip olmayı istiyorsun".

– "Evet, haklısın. Dünya benim bir uzantım. Sen sadece kendi bedenini denetleyebilirsin. Oysa ben, uzaklardaki bir insanı, hatta bir kralı bile kendi elimi kullandığım kadar kolay kullanabilirim. İstersem seni kandırabilirim, seninle oynayabilirim. Ama özgür olduğunu görmek hoşuma gidiyor. Zülfiyar gibi her dediğime inansaydın bu kadar zevk duymazdım. Haklısın. Tabiatın bütün güçlerinin sahibi olmayı istiyorum. Bunu bir ölçüde başardım da. Nasıl başardığımı sorsana bana. Sence tabiatta etki eden kuvvetler içinde en büyüğü hangisi?"

– "Emin değilim. Ama sen bunun akıl olduğunu söyleyeceksin galiba".

– "Bunlar senin sözlerin değil. Ama önemi yok. Doğru cevabı verdin. Evet, akıl. Ateş dediğimiz güç nasıl ki odunla beslenirse akıl da bilgiyle beslenir ve ben, tahmin edebileceğinin çok üstünde bilgiye sahibim. Hatta senin hakkında bile".

Ebrehe şeytanca gülümsüyordu. Bu sözler Bünyamin'i ürkütmüştü. Birdenbire bütün ruhunu saran endişeyi Büyük Efendi'nin anlamamasına imkân yoktu. İçeri adamlar girince, Bünyamin yaka paça derhal bağlanacağını, üstünün aranıp o uğursuz paranın ele geçirileceğini sandı. Oysa Büyük Efendi adamlara, yirmi bir numaralı defteri getirmelerini buyurmuştu.

Defter gelince Ebrehe rastgele bir sayfa açtı. Sol tarafta Frenkler gibi giyinmiş bir adamın resmi görülüyordu. Sağ yaprak ise birtakım anlaşılmaz yazılarla doluydu. Büyük Efendi,

– "Bu defterlerden daha yüzlerce var" dedi, "Eğer bu bilgilere sahip olabilirsen dünyayı yönetebilirsin. Bakalım neymiş. Sanırım İspanya'daki adamlarımın bir listesi. Eşkalleri, ikamet ettikleri yerler, başarıları, başarısızlıkları ve sicilleri. Neler yazıyor, istersen bir bakalım".

Defteri üstü saydam kâğıtla kaplı bir kutunun içine yerleştiren Büyük Efendi mumun alevinde tutuşturduğu çırayı kutunun bir deliğine sokar sokmaz saydam kâğıt aydınlanıverdi. Kâğıt üzerindeki harfler yine karmakarışıktı. Bünyamin'e bu harflere dikkat etmesini söyledikten sonra kutunun kenarlarındaki 666 adet düğmeyle teker teker oynamaya başladı. Düğmeler döndükçe, kâğıt üzerine yansıyan harfler esrarengiz bir şekilde yerlerinden oynuyorlardı. Ebrehe,

– "Defterin her bir sayfasında 666 harf var" diyordu, "Düğmeler aynı sayıdaki aynayı harekete geçirerek harflerin kâğıt üzerinde doğru yere yansımasını sağlıyor. Fakat bunu başarabilmen için her bir düğmenin hangi rakama getirilmesi gerektiğini bilmen gerekir. Bununla birlikte sözkonusu rakamlar gizli de değil. Aklına güvenen herkes bu 666 rakamı bulabilir, elbette eğer bir dairenin çapına oranını ifade eden sayıyı 666 haneye kadar hesaplayabilirse. Eğer bunu başarabilirse hem bütün bilgilerin sahibi, hem de buranın Büyük Efendi'si olur. Fakat bu iş bazılarına çok zor geliyor. Zülfiyar hâlâ sayıyı hesaplama peşinde. Ne var ki daha çok işi var. Çünkü henüz ilk altı rakamı bile bulabilmiş değil".

Ebrehe bütün düğmeleri belli rakamlara getirdikten sonra, saydam kâğıt üzerinde Frenk harfleriyle yazılmış bir metin göründü. Büyük Efendi defteri kutudan çıkarıp sayfasını çevirdikten sonra tekrar içeri soktu. Bu defterde, gerçekten, İspanya'da bulunan casusların isimleri, yerleri ve sicilleri vardı. Ebrehe, kendi kişisel bilgisini de ekleyerek Bünyamin'e bütün defteri okudu. Delikanlı da böylece, bulunduğu bu garip mekânın ne amaçla kullanıldığını öğrendi. Büyük Efendi şöyle diyordu:

– "Sana bu kadar gizli bilgileri neden anlattığımı merak ediyorsundur elbette. Birinci sebep, benim hayatımı kurtarmış olman. Ondan daha büyük bir ikinci sebep var, fakat bunu sana söylemeyeceğim. Bütün bunları öğrendikten sonra artık kolayca dışarı çıkabileceğini de sanma. Seni buradan hemen bırakmayacağımı biliyorsun. Ne var ki Teşkilat'ta canının sıkılmayacağına eminim. Çünkü burada, dışarıdakinden çok daha büyük bir dünya var. İstediğin yere girip çıkabilirsin. Bununla birlikte, dokunmamam gereken şeyi belki de biliyorsun. Şunu unutma. Burada olan her şeyi bilirim. Boş bir odaya girip kapıyı kapadığın zaman, bil ki mutlaka bir çift göz seni izliyor olacak. Kullandığım bu kelimeler için belki de özür dilemem gerekir. Fakat bunu yerleşmiş bir alışkanlığa ver. Çünkü misafirlerime, hele hele hayatımı kurtaran bir insana daha nazik davranmayı elbette isterdim".

Büyük Efendi bunları söyledikten sonra okuma kutusunun düğmelerini çevirerek ayarını bozdu. Artık harfler birbirinin içine geçmiş, defterdeki yazılar okunamaz olmuştu. Üfleyerek cihazın ışığını söndürdükten sonra, Ebrehe delikanlıya,

– "Şimdi seni yalnız bırakıyorum" dedi, "Belki görüp öğrendiklerin üzerinde düşünmek istersin. Bunun için uzun zamanın olacağından emin olabilirsin".

Ebrehe gittikten sonra Bünyamin elkimya odasında yalnız kaldı. Burada neden bulunduğuna, hangi akla hizmet bu uğursuz mekâna geldiğine açık bir cevap veremiyor, bilinmedik bir dürtünün sanki kendisini yönettiği sanısına kapılıyordu. O anda kendisinin, rüyalarında sık sık gördüğü yeniçerilerden biri olduğunu, karanlık bir sis içinde onlar gibi düş misali dolaştığını düşündü. Ancak bu, belirsiz bir düş olmalıydı. Kendisini bir kahraman gibi hissediyordu ama, Ebrehe'nin dediği gibi fazlasıyla silikti ve küstahca verdiği cevapları sanki birisi kulağına fısıldamıştı. Kendisine yol gösteren bu fısıltıyı tanır gibiydi. Babasının sesine benziyordu ve sanki her yere nüfuz etmişti. Bünyamin, elinde olmaksızın, zavallı babasının ta baştan beri büyük bir oyun oynadığını, karnından konuşanlar gibi su şırıltısından gökgürültüsüne, acı feryatlarından zevk inlemelerine, esnaf bağırtılarından savaş naralarına kadar bütün sesleri taklit ettiğini ve meddahlar gibi sesini kılıktan kılığa sokarak herkesi konuşturduğunu düşündü. Bu marazi düşünceler onu adamakıllı yorduğunda bir sedire oturup içinde bulunduğu durumu tartmaya çalıştı. Kendisini bitkin hissediyordu ama tuhaf bir bitkinlikti bu. Sanki bedenindeki gücün sahibi kendisi değildi ve karşı gelemeyeceği bir şey, belki de ona yorulmasını emretmişti.

Birdenbire odada yalnız olmadığını hissetti. Sedirden kalkıp odayı aramaya başladı, ama hiç kimseyi göremedi. Gözlerinde yaşlar belirmişti.

– "Baba!" dedi, "Babacığım! Sen misin?"

Fakat bu soruya cevap veren olmadı. Bünyamin hıçkıra hıçkıra ağlayarak,

– "Beni buradan kurtar baba!" dedi, "Ben kahraman değilim, olamam da!"

Delikanlı katıla katıla ağlamaya başlamıştı. Sedire kapanıp o kadar çok gözyaşı döktü ki, sonunda iyice bitkin düştü. Uyumak üzere olduğunu anladığında düş görmemek için dua etti. Buna rağmen, dalıp gittiğinde tıpkı kendisine benzeyen silik ve belirsiz düşler gördü.

III

Bir zamanlar Anadolu'nun orta yerinde, bütün kervan yollarının kesiştiği bir kavşakta, adına Girdbad derler bir kasaba vardı. Yecüc ve Mecüc diyarından alınan envai çeşit baharat, Hint kumaşları, Suriye armutları ve paha biçilmez Musul tülbentleriyle yüklü develerin sahipleri, uzakta bu kasabanın ışıklarını görünce eşkiya görmüş gibi titrer, ama bir yandan da yürekleri cız ederdi. Çünkü para kazanmanın cazibelerini ve iflas etmenin tehlikesini kalplerinde defalarca hissetmiş olan tüccarlar gözünde Girdbad, hem son derece cazip hem de akıl almayacak kadar tehlikeliydi. Eyyamıbahur nedeniyle gece yol almak zorunda kalan kervan ahalisi arasında, Girdbad'a gidip gitmeme konusunda çıkan tartışmalar her zaman için bu kasabanın elli bir kumarbazı lehinde sonuçlanır, çok geçmeden kasaba girişinde develerin çıngırak sesleri duyulduğunda, uğuru artması için bir gece önceden kokarca yağına yatırılan cıvalı zarlar çıkarılıp parlatılırdı. Dokuz aylık bir yolculuktan sonra dünya nüfusunu yarım gün besleyecek bir servet biriktirmiş olan tüccarlar, elli bir kumarbazın evlerine dağıldığı zaman her hanede bir barbut faslı başlar, Fağfur ülkesinde, Hint'te ve deniz canavarları diyarında bitimsiz pazarlıklar sonucu kazanılan onca para kaybedilmeye başlandığında misafirlerin aklı başına gelirdi. Sabaha karşı tüccarların her biri, kervan yolu üzerindeki bütün eşkiya pusularının, tam elli bir kumarbazı barındıran Girdbad yanında solda sıfır kaldığını bir kez daha anlar, ama bu esnada iş işten geçmiş olurdu. Seksen deve yükü mal, mülk, para ve ziynet böylece ütüldüğü zaman gün çoktan doğmuş olur, servetlerini kaybeden tüccarlar saçlarını başlarını yola yola kumarbaz yuvalarından çıkar çıkmaz, yaptıkları hatadan dolayı başlarını taşa, taşı başlarına vururlardı. Sözkonusu taş, Girdbad'ın yegâne meydanındaydı ve kasabaya yolu düşen saf bir adam bunu bir anıt, mezar taşı, yahut altar sanabilirdi. Oysa bu, servet sahibi tüccarlardan kendi canına kıymayanlarca "pişmanlık taşı" tabir edilen bir mermer bloktu. Üzerinde Rum lisanıyla birtakım yazılar vardı ve denildiğine göre hazinelerin yerini belli ediyordu. Efsaneye bakılırsa, ona başını yeterince vuranın aklı başına geliyor ve üzerindeki yazıları böylece okuyup kumarda kaybettiği servetin tam otuz katını teşkil eden hazinelerin yerini bulabiliyordu.

Gel gör ki günlerden bir gün bu kasabaya yolu düşen bir aksakallı pîr, gaflet anında şeytana kulak verdi ve kendisini barbuta davet eden kumarbazların çağrısına uydu. Attığı zarlar sebaye dü gelmiş ve masaya sürdüğü demir asası ile demir çarıklarını kaybetmişti. Yegâne servetini ütüldüğü için değil, ama şeytana uyup kumarbazlara kandığı için o kadar üzüldü ki, kasabanın hemen yanındaki bir mağarada inzivaya çekildi. Oradan açlık ve susuzluktan ölmeden önce bu günah kasabasına bir lanet savurdu ve böylece olan oldu. Lanetin bir eseri olarak tabiatın kanunları değişivermiş, elli bir kumarbaz avuçlarına tükürüp ne kadar zar yuvarlasalar da hep sebayü dü gelmeye başlamıştı. Ortadaki her iki öbek parayı da getiren o eski düşeşler ve dört ciharlar artık yoktu, hatta paranın yarısını getiren dubara, hepyek ve şeşiyek de bir türlü düşmez olmuştu. Kumar masasına gelen yegâne zar sadece, oyuncudan koyduğu paranın bir misli fazlasını talep eden sebayü dü oluyordu. Hiylesiz yahut, öküz, İzmir ve cıvalı olsun, sonuç değişmeyince kumarbazlar ne yapacaklarını şaşırdılar ve talihlerini döndürmek için akla sığmaz yollara başvurdular. Bazıları, görünmeyen bir kuyrukluyıldızın gökyüzünde kolgezerek talih seyyarelerini kararttığını düşünüyor, bazıları ise suçu düztabanlara yüklüyordu. Nihayet, çağırdıkları bir hekime bütün kasaba nüfusunun ayak denetimlerini yaptırıp, yakaladıkları iki düztabanı taşa tutarak kovdular. Bu da yetmeyince, sokaklarda ve damlarda gezen bütün kara kedileri telef ettiler. Barbuta gelen tüccarlar servetlerini ikiye üçe katlayıp güle oynaya kasabadan ayrılmaya başlayınca, Girdbad'ta on üç kişinin bir araya gelmesini yasakladılar ve zarlara yüksek dozda cıva damlattılar. Gelgelelim bu beyhude tedbirler de fayda sağlamayınca, sönen talih yıldızını yeniden tutuşturmak için havai fişekler atmaya başladılar. Öyle ki, bu çatapatlara belbağlayan herhangi bir kumarbaz, avucuna tükürüp zarları yuvarlamadan önce fişeğin fitilini ateşlemek zorundaydı. Ancak fitiller saniyeli olmadığı için patlama anı kestirilemiyor, zarlar durmadan sebayü dü geliyordu. Sonunda, kumarbazların çoğu açlıktan ve talihsizlikten ölünce, sağ kalanlar, kasabaya sayısız efsuncu ve sihirbazı buyur ettiler. Bir Çin büyücüsünün tavsiyesine uyup, her bir kenarı iki adam boyunda olan, mermerden oyulma bir çift devasa zarı, laneti bertaraf edip uğuru yeniden getirsin diye uçurumdan bile yuvarladılar. Ama bu dev zarlar bile sebayü dü gelmişti. Girdbad'ın talihi artık kapanmıştı. Fakat çocukluğunda, bir meslek öğrenip koluna altın bilezik taksın diye bir Girdbad kumarbazına çırak verilen Gazanfer böyle düşünmüyordu. Kasabaya lanet eden pîrden ütülen demir çarıkları giyip demir asayı eline alarak yola çıktı. Çarıklar ve asa onu götüre götüre yedinci iklimde bir dağ köyüne vardırdı. Bu diyarın üfürükçüsü köyde bir türbenin bekçiliğini yapıyor ve kapalı kısmetleri açıyordu. Kumarbaz ona derdini anlattı ve bir zamanlar düşeş düşüren ellerinin mahkûm olduğu sebayü düden kendisini kurtarmasını rica etti. Kumarbazın için için ağlayıp kapalı kısmetine yandığını görünce, üfürükçünün yüreği paralandı ve kesesinden çıkardığı bir çift abanoz zarı ona verdi. Gazanfer diyar diyar dolaşıp dünyadaki en talihsiz adamı bulacak ve kendisine verilen zarları bu zavallıya tam 66 kez attırıp sayıları dikkatle bir kâğıda not edecekti. Bu sayıların ebceddeki karşılığı olan harfleri bulup okuduğunda, kapalı kısmetinin nasıl açılacağını öğrenecekti.

Böylece yeniden yollara düşen kumarbaz, türbe bekçisinin tavsiyesine uyarak, ağlama ve feryad seslerinin geldiği yerlerde demir asa demir çarık gezerek, inlemeler vadisi denilen bir mevkiye vardı. Pınarlarda testilerini dolduran kadınlardan dağlarda sürülerini otlatan çobanlara kadar herkes ağlıyor, feryadlar göğe varıyordu. Onlara neden gözyaşı döktüklerini sorunca beklediği cevabı aldı. Hepsi, talihsizliği yedi iklim dört bucakta bilinen Şuayb adında bir dervişe acıyor, onun için feryad edip besteler yapıyorlardı. Gazanfer böylece ağıt seslerini takip ede ede bir köye vardı ve evin birinin penceresinde, oturup dizini döven, saçını başını yolan bir adam gördü. Bu, dünyanın en talihsiz adamı olan Şuayb idi.

Kendini Tanrı misafiri olarak tanıtıp Şuayb'ın elini öptükten sonra ona derdini anlattı. Ancak o sözlerini bitirir bitirmez, talihsiz adamın yüzü aydınlanıvermişti. Çünkü onun talihsizliğinin yegâne çaresi, yedinci iklimden gelen bir adamın vereceği zarları 66 kez atmak olacaktı. Sonunda abanoz zarlar, cümbüş, çalgı, çağanak ve davul sesleri eşliğinde belirtilen sayı kadar atıldı ve Gazanfer gelen sayıları dikkatle bir kâğıda kaydetti. Ebced hesabıyla harfleri bulduğunda talihinin nasıl düzeleceğini de gördü. Artık sebayü dü atmayacaktı. Ama bunun için kumardan kazandığı paranın ancak yüzde birini harcaması gerekiyordu.

Bu şart dikkate alınırsa, kumarbazın artık daha büyük oynaması gerektiği açıktı. Bunun için Kostantiniye'ye yerleşmeyi uygun gördü. Açılan talihi vasıtasıyla Tahtelkale esnafından kırptığı paralarla küçük bir servet biriktirdi. Bu miktar yüz altındı. Fakat asıl sermayesi, elbette bunun yüz katı olan 10.000 filuriye erişiyordu. Gel gör ki harcayacağı para kısıtlı olduğundan Fener'de bir batakhane kiralamak için tam dört yıl zar yuvarlaması gerekti. Nihayet batakhaneyi satın alıp fedailerini kiraladığı zaman eli biraz genişledi. Mahzendeki şarap küplerini çıkarıp servetinin yüzde doksan dokuzu olan parayı buraya yığdı ve yüzde biri olan 5.000 altının küçük bir kısmını gerekli rüşvetler için ayırdıktan sonra kumarhanesinin devamını sağlayabildi. Artık Kostantiniye'nin bütün kumarbazları onun müşterisiydi. Batakhanesinde oynanan asıl oyun ise, elbette ki barbuttu. Talih yıldızı artık parlayan Gazanfer, bu selametli ortamda kendisi gibi usta kumarbazlar yetiştirdi.

Böylece aradan yıllar geçti ve kazandığı paranın, kesinlikle harcamamak zorunda olduğu yüzde doksan dokuzluk kısmını batakhanenin mahzeni artık almayınca işçiler tutup duvarları oydurdu. Artık sermayesinin yüzde birini 50.000 filuri teşkil ediyor ve bu meblağ da gün geçtikçe büyüyordu. Fakat eli sıkılığı nedeniyle adı çıktı. Yüklü servetini cömertçe harcamaması nedeniyle piyasada para sıkıntısı baş-gösterdi. Tüccarlar bu işten hiç memnun değildiler. Fakat Gazanfer'de bulunan paranın tedavüle çıkmaması, asıl Büyük Efendi'yi rahatsız ediyordu. Bu yüzden önce, onun batakhanesine bir yeniçeri baskını yapmayı düşündü. Fakat dilenciler loncasında bir delikanlı tarafından ölümden kurtarıldığının sabahı aldığı bir haber üzerinde düşününce bu kararından vazgeçti. Hele hele, ertesi gece bu delikanlının küstahlığını görünce onun gözünü boyamayı kafasına koydu ve kendince basit bir plan hazırladı. Delikanlı teşkilattaki odada uyurken, o, bu planı en ince ayrıntılarına kadar geliştirdi.

Bünyamin derin uykusundan ikindiye doğru uyandı. Gözlerini açtığı halde Zülfiyar onu dürtmeye devam ediyor, iyice açılması için yanaklarına tokat atarken, efendisinin misafirini eğlendirmeye kararlı olduğunu, bunun için de kahvaltısını yaptıktan sonra derhal hazırlanması gerektiğini söylüyordu. Adamın biri, el yüz yıkamak için odaya bir leğenle ibrik getirmiş, ayrıca bir tepsi de kahvaltılık yiyecek hazırlamıştı. Ne var ki Bünyamin'in fazla iştahı yoktu. Yiyecekleri bu yüzden gönülsüzce atıştırırken, Ebrehe içeri girip misafirinin hazır olup olmadığına baktı. Dediğine göre o akşam çok eğleneceklerdi. Üstelik misafiri için bu cümbüşe uygun bir kıyafet satın aldırmıştı.

Ebrehe üzerindeki paçavraları çıkaran Bünyamin'e, ipek bir gömleği, otuz filurilik bir Acem şalını ve sırma işlemeli bir kaftanı kendi elleriyle giydirdikten sonra onu bir odaya götürdü. Delikanlı içerideki hazineyi görür görmez az kalsın küçük dilini yutacaktı. Oda tabandan tavana kadar parayla doluydu. Venedik sekineleri, filuriler, şahîler, esrefîler, Macar altınları, Alman eküleri, esedîler, Sevilla kuruşları, Zolotalar, sümünler, akçe ve mangırlar ayaklar altındaydı. Büyükçe bir keseyi altınla dolduran Ebrehe,

– "Bunların benim için fazla değeri yok" dedi, "Sen de istediğin kadar alabilirsin, zaten yakında bunların değer taşıyacağını sanmıyorum".

Doldurduğu keseyi eliyle tarttı. Fakat taşımak için fazla ağır olduğunu anlayınca yarısını boşaltıverdi. Kuşağını biraz bollaştırıp keseyi yerleştirdikten sonra Bünyamin'e çıkış kapısını işaret etti. Zülfiyar ve adamları onlarla gelecekti.

Dışarıda atlar hazır bekliyordu. Havada yağmur bulutları vardı ve karanlık çökmek üzereydi. Atlarını mahmuzlayarak Divanyolu'nu geçip Tavuk Pazarı'na geldiler. Ebrehe, esirciler hanının önünde atını durdurdu. Kalabalık avlunun dışına taşmıştı. İçeride mezat hâlâ sürüyor, müşteriler günün son kölesi olan bir hadım zencinin fiatını yükselttikçe yükseltiyorlardı. Kalabalık o kadar kızışmıştı ki, Zülfiyar efendisine yol açmak için kırbacını kullanmak zorunda kaldı. Avluyu ite kaka geçtikten sonra tahta merdivenlerden ikinci kata çıktılar. Bu kat, esircilerin hem yazıhane olarak kullandıkları, hem de esirleri muhafaza ettikleri odalarla doluydu. Girdikleri bir yazıhanede Ebrehe olağanüstü bir saygı gördü. Tacir ve yardımcıları Büyük Efendi'nin eteklerini öptükten sonra izzetü ikramda bulundular. Kısa bir sohbetten sonra konuya gelindi.

Esircinin daha o sabah Ebrehe'ye haber verdiği gibi, elinde ahu gözlü, kiraz dudaklı on bir Rus kızı vardı. Yemin billah ederek onları Tatarlardan 12.500 filuriye aldığını söylüyor, güzelliklerini ve zerafetlerini öve öve bitiremiyordu. Dediğine bakılırsa hepsinin de yaşları taş çatlasa on yediydi. Arkasından feryad ve figanlar, hıçkırık ve ağlama sesleri duyulan bir kapının anahtar deliğine gözünü dayayan esirci, sanki içeride cennet hurileri görüyormuş gibi yüzünü şekilden şekile sokuyor, aşk ve şehvetten yanıp tutuştuğunu dile getiren nidalarla müşterilerin aklını çelmeye çalışıyordu. İçerideki esir kızları görmek isteyen Ebrehe'ye rağmen, elindeki anahtarı tuttuğu halde kapıyı açma işini sürüncemede bırakıp mallarını övmeye bir süre daha devam etti. Sonunda anahtarı kilide sokup birkaç kere çevirdi.

Odada gerçekten birbirlerinden güzel esirler vardı. Müşterilere cazip göstermek için ellerine kına yakılmış, ve onlara, bulundukları izbeye hiç de uymayan ipekli elbiseler giydirilmişti. Ebrehe, Bünyamin'e kendi kadınını seçmesini söylediğinde delikanlı ne yapacağını şaşırdı. Ancak onun duraksamasını dikkate almayan Ebrehe ne yapacağını çok iyi bildiğinden, istediği kızın elbiselerini esirciye çıkarttırıyor, yarası beresi olup olmadığına bakıyor, dişlerinin sağlamlığını denetleyip yaşını kestirmeye çalışıyordu. Bünyamin'in hâlâ duraksadığını görünce ona, o gece birlikte olacağı kadını derhal seçmesini, çünkü fazla vakitleri olmadığını tekrarladı. Kendisi en sonunda iri yarı ve al yanaklı bir kadında karar kıldığında, delikanlının için için ağlayan bir kıza baktığını görünce, "Demek onu beğendin" dedi, "Ben olsam daha hareketli birini seçerdim. Ama zevkine saygı gösteriyorum".

Bu sözleri söyledikten sonra esirciye altınları sayarken Büyük Efendi'nin yüzündeki müstehzi ifade hâlâ kaybolmamıştı. Yazıhanedeki usta ve çıraklara bahşişlerini dağıtıp onlara o akşam esir kızları nereye gönderceklerini tarif ettikten sonra Zülfiyar'a "Gazanfer'in batakhanesine gidiyoruz" demişti. Atlarına binip bu kez Haliç yönünde ilerlediler. Hava kararmak üzereydi. Hatta Valide Camii arkalarına vardıklarında, evlerine dönen insanlar yanlarında taşıdıkları fenerleri bile yakmışlardı. Eminönü Camii'ne gelir gelmez öfke ile homurdanan bir kalabalığa rastladılar. Yeniçeriler, kalyoncular ve mollalardan oluşan birtakım adamlar, sövüp sayarak, yaka paça zaptettikleri birini yerde sürüklüyorlardı. Bu zavallı adam, giysilerine bakılırsa, Galata'da ikamet eden bir Frenkti ve kafaların kesildiği malum taşa doğru götürüldüğüne göre büyük bir suç işlemiş olmalıydı. Taşın yanında, adamcağızı ayağa kaldırarak itip kakmaya başladıklarında onun topal olduğu anlaşıldı. Zavallıya son bir şans vererek ondan din değiştirmesini istediler. Bununla birlikte, herhalde olumsuz bir cevap almış olacaklar ki, kafasını taşa yatırdılar ve bir yeniçeri adamın kellesini yatağanıyla uçuruverdi.

Ebrehe, silahını temizleyen yeniçeriye adamın suçunu sorduğunda, onun vaktiyle Venedik balyosunun kâtibi olduğunu, ama sonradan meslek değiştirip cerrahlığa başladığını ve evinde bir cesedi kesip biçerken yakalandığını öğrendi. Bünyamin'e dönerek,

– "Görüyor musun?" dedi, "Bilme tutkusu insanları nasıl bir sona sürüklüyor. Görmek, duymak, bilmek ve öğrenmek isteyen şu zavallı cerraha gösterilmeyen saygı, sadece karanlığı, soğuğu ve sessizliği algılayan ve hiçliği bilen bir cesede gösteriliyor. Onu katleden bu insanlar evlerine döndüklerinde belki de çocuklarına Kubelik'in acı sonunu ibretle anlatacaklar ve bilginin tehlikelerini birer birer sayacaklar".

Ebrehe bunları söylerken, infazı gerçekleştiren yeniçeriler maktulün mallarını açık arttırmayla satışa çıkartmışlardı. Herhalde onca öfke ve yorgunluktan sonra, böylece kazandıkları parayla meyhanede biraz demlenmek istiyorlardı. Bisturiler, tokmaklar, kerpetenler, kemik kesmeye yarayan tuhaf testereler bir iki mangıra gittikten sonra, geriye kalan büyük bir kitabı beş akçeye Ebrehe satın aldı. Hâlâ atının üzerinde olduğu halde sayfaları karıştırırken, bunun bir anatomi atlası olduğunu gördü. Kaslar, kemikler, bağdokular, damarlar, sinirler ve organlar, Kostantiniye'nin ünlü bitirimlerinin, meyhanecilerinin, oğlanlarının ve delikanlılarının adlarını taşıyordu. Büyük Efendi kitabı Zülfiyar'a teslim ettikten sonra, infazı seyretmiş olan bir kâfire iki altın vererek maktulün gömülmesi için gerekeni yapmasını söyledi.

Haliç boyunca ilerleyip Fener'e vardıklarında dolunay çıkmıştı. Gazanfer'in batakhanesi surlara bitişik olarak inşa edilmiş, iki katlı ahşap bir binaydı. Eşiğin önünde atlarından inip kapıya üç uzun ve üç kısa aralıkta altı kez vurdular. Kapıdaki gözetleme deliği açıldı ve bir çift mavi göz onları süzdü. Bir süre sonra dışarı fırlayan seyisler atlarını alıp ahıra götürmüş ve dalkavuk bir uşak onları içeri buyur etmişti.

Kesesi dolgun olanlara tahsis edilen üst katın tersine, zeminde sadece ayak takımı barbut oynuyor ve Gazanfer'in bir eli kan, bir eli katran fedaileri buradaki oyunlardan mano topluyorlardı. Binlerce akçenin, altının ve mangırın el değiştirdiği bu batakhanede, göze alınan onca riske, kaybedilen ve kazanılan servetlere rağmen heyecan, sevinç ve hayal kırıklığı yoktu; öyle ki, kumarbazlardan hangisinin kazanıp hangisinin kaybettiğini yüzlerindeki ifadeden çıkarmak mümkün değildi. Çünkü hemen hepsi, zar yuvarlamanın gerçek pîrleri olma payesine erişmiş, kalplerinde ve kafalarındaki son duygu kırıntıları da silinmişti. Böyle olmayanlar ise, batakhanede toprak kaplar içinde bedavadan verilen afyonlu şarap nedeniyle kazanmayla kaybetmek arasındaki farkı algılayacak yeteneklerini çoktan yitirmişlerdi. Çoğu uğurlarına, bazıları ise zarlarındaki cıvaya güveniyorlardı. Günlük hasılatının çoğunu hepyekle kaybeden bir esnaf sol elindeki tavşan ayağına bel bağlarken, topladığı haracı pencüseyle bırakan bir zorba koltuğunun altında muhafaza ettiği öküz kafatasına itikat ediyordu. Ganimet malları sebareyle sırrolan yeniçeriler muskaları ve camgözlerinin er ya da geç dübeşe sebebiyet vereceğini düşünürken, üstüste iki talihsiz dubarayla sadakalarına elveda diyen dilenciler bildik dualarını okuyorlardı. Uygunsuz bir ciharyekle rüşvetlerinin izi silinen memurların hali ise bir başkaydı. Bu adamların kimisi bir talih iksiriyle gargara yaptıktan sonra zarlara böylece tükürüyor ve bileklerini sallarken düşeş düşüreceğine kanaat getiriyordu. Bazısı ise eli uğurludur diye yanlarında getirdiği altı parmaklı arkadaşına zar attırıyordu. Toprağın derinliklerinde bulduğu küpler dolusu altını yıllardır bu batakhanede kaybetmekle meşgul bir defineci ise zarları yuvarlamadan önce, bu günah yuvasına gelmeye kırk bir akçeye razı olan nefesi kuvvetli bir pîre üfletiyordu. Sanatlarını layıkıyla yapmaları için müstakbel maktullerince kendilerine verilen bahşişleri penciyek gelecek olan bir zara yatıran cellatlar ise düşen sayıyı gördüklerinde huysuzlanıyor, sabık kurbanlarının kanı yüzlerine vuruyordu.

Ebrehe, arkasında Bünyamin, Zülfiyar ve adamları olduğu halde üst kata çıktı. Burası seçkin konukların ağırlandığı yerdi ve ikram edilen şaraplar elbette ki daha lezizdi. Pahalı İran halılarıyla döşenmiş bir odaya girdiklerinde içeride eşraftan dört kişiyi ve Gazanfer ile onun kalfası olan bir Ulahı gördüler. Burada mano toplanmıyordu, çünkü oynanan kumara Gazanfer, kalfası vasıtasıyla bizzat katılıyordu. Kumara katılan dört kişiden biri olan Arap tüccar daha şimdiden büyük bir servet kaybetmişti. Ermeni simsarın durumu da pek iyi sayılmazdı, ama ortaya koydukları parayı düşük tutan İranlı ile öteki Arap tüccarın durumu nispeten daha iyiydi. Ancak ortada bir gerçek varsa, bu, oyunda kazanan tarafın genellikle Gazanfer'i temsil eden Ulah olmasıydı.

Odadaki herkesçe şahsen ya da gıyaben tanınan Ebrehe verilen bütün selamları aldıktan sonra barbuta oturdu ve Alman eküleriyle dolu kesesini batakhanenin simsarına teslim etti. Bir kese ekü, üç buçuk kese şahî altına çevrildiğinde ortaya para koyup zarları yuvarladı ve uzun, gerilimli bir fasıl böylece başladı. Barbutun heyecanı arttığında, o ana dek çekingen oynayan İranlı ile Arap tüccar oyunu yükseltince gerilim zirveye ulaştı. Ermeni simsar son meteliğini kaybedip aşağı inince, zemin kattakiler yukarıda büyük bir kumarın döndüğünü ondan öğrenip odanın kapısına geldiler ve içeri girmelerine engel olan fedailerin arasından sıyrılmayı başaran bazıları bu heyecanlı oyunu daha yakından izleme fırsatını buldular. Ebrehe kapıda biriken ve fedailerin uzaklaştırmayı başaramadığı kalabalığa baktıktan sonra zarları ceviz sehpaya son bir kez yuvarladı. Sebayü dü gelmişti. Yerinden doğrulup bağırdı:

– "Hile yapıyorsunuz!"

Gazanfer cevap verdi:

– "Hile falan yok. Sadece talihin sana yardım etmedi, o kadar".

Ebrehe, "Şimdi görürüz" diyerek ceviz sehpanın öteki tarafına geçmeye çalıştı. Ama Gazanfer'in fedaileri kendisine engel olunca Zülfiyar ve adamları yatağanlarına davranmak zorunda kaldı. Kapıda biriken kalabalık homurdanmaya ve fısıldamaya başlamıştı.

Ebrehe,

– "Buradakiler! Size söylüyorum!" diye bağırdı, "Hile yapıp paranızı alıyorlar, izin verin size ispat edeyim".

Kumarbazların hemen hepsi, bıçaklarına, yatağanlarına ve pistollerine davranarak, "Haklı. Görmek istiyoruz. Konuşsun bakalım!" diye bağırınca, Gazanfer oyunda kullanılan zarları ortaya fırlattı:

– "Alın işte zarlar!" dedi, "İnceleyin bakalım. Ama sizleri bir daha buraya alırsam iki olsun. Çünkü ben hayatımda böyle bir hakaret işitmedim".

Kumarbazlar fener ışığında inceledikleri zarların cıvalı olmadığını gördüler. Fakat Ebrehe kül yutacak adam değildi. Zarların üzerindeki noktaları bıçağıyla kazıdıktan sonra,

– "Bakın işte" dedi, "Zarların beş yüzündeki noktalar kurşunla doldurulmuş, ama 'altı'nın karşısındaki 'bir'in bulunduğu yüzde kurşun yerine demir var".

Gazanfer,

– "Nereden biliyorsun onun demir olduğunu?" diye gürledi, "Zarın o yüzü ağır olduğu için atıldığında 'altı' mı gelecek diyorsun? Öyleyse at bakalım istediğin kadar. Görelim hele, beklediğin sayı gelecek mi".

Zarlar defalarca atıldığı halde, gerçekten de 'altı'nın düşme ihtimali diğer sayılar kadardı. Gazanfer küfürler savurarak, maruz kaldığı bu muameleden çok gücendiğini, kendisinin bütün amacının kumara heves edenlere gönül borcuyla hizmet etmek olduğunu, ama bu nankörlük ve küstahlık karşısında kendi kadrini bildirmek için kumarhanesini tam bir hafta kapatması gerekebileceğini söylüyordu. Onun bu tehdidinden korkan bazı kumarbazlar Gazanfer'in gönlünü alıp onu teselli etmeye kalkışınca Ebrehe küplere bindi.

– "Aptallar!" diye bağırdı, "Ne çabuk kanıyorsunuz. Göstereyim size nasıl hile yapıldığını."

Üstüne zarların atıldığı çuhayı ani bir hareketle kaldırınca ceviz sehpanın teneke kaplı olduğu görüldü. Ebrehe'nin bir işaretiyle harekete geçen Zülfiyar, yatağanıyla çivileri söküp tenekeyi kaldırınca, o ana dek herkesin masif tahtadan yapıldığını sandığı sehpanın içinin boş olduğu ve tenekeyle gizlenen bu bölümde, düzenli aralıklarla yerleştirilmiş on yedi bobin olduğu görüldü. Gazanfer şaşırmış gibi görünüyor ve bu sehpayı daha geçen hafta bedestendeki mezattan satın aldığına yeminler ediyordu. Fakat eskiden zengin bir tüccar, şimdi ise hırpani kılıklı ve meteliksiz bir ihtiyar olan ağzı bozuk bir kumarbaz,

– "Yalan söylüyorsun!" diye gürledi, "Bütün sermayemi, hanlarımı, hamamlarımı, kölelerimi, ticarethanemi ve develerimi işte bu sehpada tam altı yıl önce kaybettim. İşte bu sehpada!"

İhtiyar bunları söylerken yumruğuyla sehpaya vuruyordu. Ebrehe kumarbazlara dönerek,

– "Anlaşılan mıknatıs kullanmış. Anlarız şimdi nasıl yaptığını" dedi.

Bobinlere bağlı teli izleyerek Gazanfer'i temsil eden Ulah'-ın bulunduğu yere geldi. Tel, sehpanın bu yanında tahtadan yapılmış bir anahtara bağlanıyordu. Öyle ki, anahtar gerektiğinde döndürülerek zemin kata giden bir başka telle birleştirilebiliyordu. Büyük Efendi, anahtarı çevirdikten sonra kumarbazın birine, kılıcını çekip bobinlere dokundurmasını söyledi. Adam denileni yapar yapmaz kılıcı bobinlere yapışıverdi, öyle ki, silahını güçlükle çekip alabildi. Kumarbazların hepsi küçük dillerini yutmuşlardı.

– "Vay hınzır!" diyorlardı, "Meğerse mıknatıs kullanmış; tevekkeli değil, her atışında düşeş düşürüyordu".

Gazanfer kumarbazları boş yere yatıştırmaya çalışıyordu. Şaşkınlıkları birdenbire öfkeye dönüşüveren bu adamlar hem o gün, hem de daha evvel kaybettiklerini talep etmeye başladıklarında iş çığırından çıktı. Fedailer kumarbazlarla başedemez olduklarında, Ebrehe, Bünyamin'e,

– "Az sonra silahlar patlamaya başlar. Ama burayı terketmeden önce şu telin nereye gittiğini öğrenmek istiyorum" dedi.

Tel, sehpanın ayağından döşemeye inip alt kata ulaşıyordu. Kanlı bıçaklı bir kavganın başladığı odadan çıkıp, merdiveni tırmanan sayısız kumarbazı güçlükle yararak zemine indiler ve aşağıya uzanan telin hizasındaki odanın kapısını kırdılar. Burası bodruma açılıyordu. Yerde sarı bir ışık vardı. Bu ışık elbette ki Gazanfer'in servetinin doksan dokuz katını teşkil eden altınlardan geliyordu. İçeriyi incelediklerinde tahta bir havuz gördüler. Ebrehe duvardaki feneri alıp havuza yaklaştırdı. Suyun içinde birtakım tuhaf balıklar ve birkaç tane çok iri yengeç vardı. Yengeçlerin sürekli rahatsız ettikleri bu balıklar, denizcilerin çok iyi bildiği gibi, dokunulduğunda insanı çarpan, hatta böylece öldürebilen bir özelliğe sahiptiler. Bobinlere bağlı olan tel de yukarıdan bu havuza iniyor ve zemindeki bakır levhaya bağlanıp nihayet buluyordu. Ebrehe, Zülfiyar'a dönerek,

– "Buraya gel de elini suya sok, neler olacak bir görelim" dedi.

Zülfiyar elini suya daldırır daldırmaz acıyla kasılıp kaldı. Bütün vücudu titriyor, gözleri yuvalarından fırlayacakmış gibi oluyordu. Adam yere yuvarlanırken Ebrehe katıla katıla gülmekteydi. Hatta geçirdiği onca şoka rağmen Zülfiyar bile efendisine hoş görünmek için gülmeye çalıştı. Gel gör ki, attığı yapmacık kahkaha bir neşeyi değil, olsa olsa büyük bir ızdırabı ifade ediyordu. Neşeleri uzun sürmedi. Burunlarına duman kokusu gelir gelmez buradan gitmeleri gerektiğini anladılar. Çünkü kandırıldıklarını anlayan kumarbazlar batakhanede yangın çıkartmışlardı. Ancak bunun kendilerine bir zararı olmayacaktı. Çünkü tahta yanıp altın baki kaldığına göre, ertesi sabah batakhanenin küllerini kalburla eleyip Gazanfer'in altınlarını bulabilirlerdi.

Geceyarısından az sonra Fener'e geldiler. Büyük Efendi atını bir konağın önünde durdurduğunda dolunay batmıştı. Onlar daha atlarından inmeden konağın kapısı açılmış ve efendilerinin yolunu gözleyen uşaklar dışarı fırlamıştı. Burası Ebrehe'nin evlerinden biriydi ve esir pazarından satın aldığı iki cariye içeride onları bekliyordu.

Sofaya girdiklerinde hizmetkârlar koşup efendilerinin eteklerini öptüler. Sofra, üst katta hazırlanmıştı. Üç büyük sinide tam kırk bir çeşit meze vardı. Neyzeni, zurnazeni, udîsi, tamburîsi, nekkarezeniyye birlikte tam tekmil hazır bekleyen saz heyetine bakılırsa o gece bir cümbüş olacağa benziyordu. Devrin âdeti gereğince cariyeleri görmemeleri için hepsi de kör olan müzisyenler tamburların tellerine vurmaya, çiftenaraları dövmeye başladıklarında, gelenler sofraya oturdular. Rakılar çeşmibülbüllerden billur bardaklara kondu ve Ebrehe'nin seçtiği cariye, esirhanede aldığı kısacık müzik eğitimine rağmen, güzel ve ahenkli sesiyle hicaz faslına başladı. Bununla birlikte, o gece Bünyamin'le birlikte olacak olan cariye şarkı söyleyecek halde değildi. Çünkü esaret hayatının yükünü sırtında taşıyan bu kız, köle tacirleri tarafından yakalandığından beri ağlıyordu. Kader yoldaşından etkilenen öteki cariye ise şarkısını o kadar içli, o kadar hüzünlü söyledi ki, rakısını zorla içen Bünyamin ağlamaklı oldu.

Delikanlının gözlerinin dolduğunu gören Ebrehe tam bu anda elindeki billur kadehi cariyeleri gizleyen perdeye fırlatarak, "Yeter!" diye haykırdı. Bu öfkeli naraya şaşıran çalgıcılar aralarındaki uyumu kaybedince musiki yavaşladı ve kesildi. Büyük Efendi bu kez,

– "Çalın bize bir oyun havası!" diye bağırdı.

Gayrete gelen çalgıcılar, afyoncuları bile uyandıracak kadar oynak bir köçekçe çalmaya başladıklarında Ebrehe ortaya fırlayarak raksetmeye başladı. Büyük Efendi o kadar ustaca, o kadar işveli dansediyordu ki, o ana dek yüzü gülmeyen Zülfiyar bile kadehini bir dikişte boşaltıp, "Heeeeyt!" diye bağırmaya başladı. Sırtı aşağıya gelmek üzere Ebrehe sofradaki herkesin önünde teker teker eğilmeye başladığında akçeler ve altınlar âdet üzere tükürükle ıslatılıp alnına yapıştırılıyordu. Sıra Bünyamin'e geldiğinde, alışık olmadığı rakının etkisiyle delikanlı büyük bir tedbirsizlik yaptı. Çünkü vaktiyle Zülfiyar'ın ona verdiği o kara para, babasının atlasının sayfaları arasından kayıp, koynunda sakladığı akçelerin arasına karışmıştı. Bünyamin, Ebrehe'nin alnına yapıştırmak için akçe aramak üzere elini koynuna attığında bu paraya tesadüf etti. Bu kaygan ve soğuk parayı Büyük Efendi'nin alnına götürürken durumu farketti. Ama iş işten geçmişti. Yapıştırmaktan vazgeçerse şüphe çekebilirdi. Neyse ki Ebrehe doğrulurken para yere düştü ve darbukacı o sırada uzun bir tramola çektiği için Büyük Efendi Bünyamin'in önünde bir kez daha eğilmedi. Tramola sert bir darbeyle durur durmaz raks da kesilmişti. Şimdi Bünyamin farkettirmeden parayı geri almak zorundaydı. Bu işi başarabilirse, helaya gideceğini söyleyip onu kubura atmaya niyetliydi. Fakat düşündüğünü gerçekleştirmeye teşebbüs ettiği an Ebrehe kolunu tuttu ve adamlarına, "Sizler artık gidin. Bu delikanlıyla bizim işimiz var" diye bağırdı. Bünyamin ürpermişti, çünkü kolu kavrandığı an bir cürmü meşhut olayı yaşanacağını sanmıştı. Fakat Büyük Efendi'nin onu, sofradan kalkmasına yardım etmek için tuttuğunu anlayınca içi rahatladı. Buna gerçekten ihtiyacı vardı. Çünkü içtiği onca rakıdan sonra başı adamakıllı dönüyordu.

Zülfiyar ve adamları evden çıkarlarken, Ebrehe onu kolundan sürükleyerek bir odaya götürdü. Bünyamin'in aklı ise sofrada kalan o uğursuz paradaydı. Büyük Efendi ona,

– "Kadının içeride seni bekliyor" dedi, "Hamamda yıkandı, kokular süründü, güzel ve temiz elbiseler giydirildi. Buna rağmen hâlâ ağlıyor. Haydi göreyim seni! Onu teselli edeceğine eminim".

Ebrehe kapıyı açıp delikanlıyı içeri buyur etti. O da yandaki odada kalacaktı. Bünyamin odaya girdikten sonra kapının kilidinin döndüğünü farketti. Loş odayı sadece bir mum aydınlatıyor ve en karanlık köşede zavallı bir kız için için ağlıyordu. Delikanlı mumu söndürdükten sonra kızın yanına gitti ve ona,

– "Merak etme" dedi, "Sana bir kötülük yapmayacağım. Mumu da benim yüzümü görmeyesin diye söndürdüm. Çünkü dayanamazsın, ben çok çirkinim".

Kız ağlamasını kesmişti, ama kafesten sızan ışığın altında gözlerinin yaşlı olduğu belliydi. Bünyamin ona dokunmak istedi, ama bundan hemen vazgeçti. Bir süre, ikisi de susarak beklediler. Bu sırada, yan odadan sesler gelmeye başlamıştı. Ebrehe'nin altındaki cariyenin zevk inlemeleriydi bunlar. Bünyamin sedire çöküp elleriyle yüzünü örttü. Çünkü gözleri yaşla doluydu. Babasını kurtarmak isterken işleri berbat etmiş, kendisini arayan adamların tam ortasına düşmüştü. Zülfiyar, sonradan her ne kadar kendisini tanıdığını gösteren bir davranışta bulunmamışsa da, delikanlı önceki günden beri olanların ustaca tasarlanmış bir oyun olduğunu düşünüyordu. Böyle bir maceranın içinde bulunmasına, Ebrehe'nin hayatını kurtarmasına ve ona küstahça davranıp boyundan büyük cevaplar vermesine rağmen kendini bir kahraman gibi hissetmiyordu. Büyük Efendi'nin dediği gibi, sıradan, silik bir insandı o. Tek özelliği, yüzünün dayanılmaz çirkinliğiydi.

Gözleri yaşla dolup boğazı düğümlenen Bünyamin, esir kızın yanında kendini koyvermemek için mücadele ederken omuzunda bir el hissetti. Kız, yanında eğildi ve elini tuttu. Dünyanın en güzel, en tatlı sesiyle ona,

– "Aglaya" dedi, "Maya imya aglaya".

Aglaya'nın elini elinde hisseder hissetmez Bünyamin kendini tutamadı ve hıçkıra hıçkıra ağlamaya başladı. Eğildi ve başını kızın dizlerine koyarak saatlerce gözyaşı döktü. Hıçkırıkları kesilip bu kez içini çekmeye başladığında, Aglaya onu yatağına götürüp yatırdı ve üzerini örttü. Bünyamin çok geçmeden derin bir uykuya daldı.

Sabah olduğunda Aglaya gitmişti. Üstelik, kilitli odaya giren Zülfiyar hoyrat elleriyle dürte tokatlıya kendisini uyandırmaya çalışıyor, derhal toplanıp kahvaltısını yapmasını, çünkü Büyük Efendi'nin teşkilatta onu beklediğini söylüyordu. Mütevazı kahvaltı sofrası, dün geceki cümbüşün yapıldığı odada hazırlanmıştı. Buraya Zülfiyar'dan önce girmeyi başaran Bünyamin, yerde hâlâ duran o uğursuz paranın üzerine kimseye farkettirmeden oturduktan sonra uygun anı kollayıp, kendisini ele verebilecek tehlikeli nesneyi cebine indirdi. İçini böylece ferahlattıktan sonra artık Aglaya'yı rahatça düşünebilirdi. Bununla birlikte, Ebrehe'nin anlattıkları zihninden bir türlü çıkmıyordu. Uyku sersemliği dağılınca Zülfiyar'ın buraya hangi amaçla geldiğinin bilincine vararak irkildi. Çünkü kendisini teşkilata götürmekle görevli bu adam, inanılmaz bir oyunu gerçek diye ona zorla yutturma çabasının bir deliliydi. Üstelik delikanlıyı ikide bir dürtüp lokmasını boğazına düğümlüyor, kahvaltısını bir an önce bitirmesini, yoksa teşkilata geç kalacaklarını söyleyip duruyordu. Kendisine yeni bir oyunun hazırlandığı ve bunu sahiciymiş gibi gösterecek süslerin ve ayrıntıların da artık tamamlandığı su götürmez bir gerçek olmalıydı.

Üstünkörü yapılan bu kahvaltıdan sonra konaktan çıkıp seyislerin hazırladığı atlara bindiklerinde, saçı sakalı, kaşı, bıyığı olmayan hırpani bir dilenci yanlarına yaklaştı. O güne dek, kendisini tam altı kez yıldırım çarpan Dertli'ydi bu. Üstüne üstlük, hava da kapalıydı ve yağmur yağacağa benziyordu. Zülfiyar gazaba gelerek kırbacına davrandı ve sadaka isteyen dilenciye, "Behey uğursuz! Tepemize yıldırım mı düşüreceksin, bas git buradan!" diye bağırıp ucu demirli kırbacını zavallının suratında şaklattı. Ne var ki bu darbe hırsını almaya yetmediği için kırbacıyla zavallıyı adamakıllı dövmeye başladı. Bu insafsızlık karşısında ayranı kabaran Bünyamin, Zülfiyar'a durmasını söyledi. Fakat acımasız adam delikanlının ihtarına okkalı bir küfürle karşılık verince olan oldu. Bünyamin adamın kırbacına yapışıp çekmeye başladı ve boş bulunan adam nasıl olduysa atından düşüverdi. Gel gör ki, bu hali onun fitili almasına yetmişti.

Düştüğü yerden doğrularak delikanlıya saldırdığında kırbacı suratına yedi. Kollarıyla yüzünü koruyup tekrar atılmaya heveslendiğinde ise kırbaç bu kez karnında şakladı, derken sırtına indi. Zülfiyar yere yığılıverdi. Bünyamin kırbacı atıp atının karnını topuklayarak hayvanı dört nala koşturmaya başladı. Dertli ise, kendisini koruyan bu delikanlıyı, taban tepip Valide Camii'ne kadar izledi. Ancak burada soluğu kesilince, meçhul bir yere doğru at koşturan Bünyamin'in arkasından minnetle bakakaldı.

Valide Hanı yakınlarında bir kıraathanede atını durduran Bünyamin, hayvanını bağladıktan sonra taburelerden birine çöktü ve kendisine bir kahve söyledi. Oturduğu yerde uzun uzun düşünmesine rağmen karar vermekte zorlanıyordu. O an, eğer isterse, arzu ettiği her yere gidebilirdi. Öte yandan, her ne kadar kandırıcı görünse de sırlarla dolu bir dünya da vardı. Orada kendini güven içinde hissetmemesine rağmen, Ebrehe'ye ait olan bu dünya merak duygusunu kamçılıyor, düşgücünü kanatlandırıp ona sahte bir özgürlük duygusu veriyordu. Bir karara varabilmek için babasının atlasını bu yüzden açmak zorunda kaldı ve "hayatını öne sürüp, sırrı bulmak için yola çıktı" cümlesini okudu. Sanki denizin derinliklerine dalacakmış gibi derin bir nefes aldı. Kararını vermişti. Özgürlük duygusu, özgürlüğün kendisine galip gelmiş, Bünyamin sırrı çözmeye and içmişti. Atına atladı ve hayvanı teşkilata doğru koşturmaya başladı.

Darphanenin yanındaki kıraathaneden teşkilata açılan dehlizi geçtiğinde kan ter içindeydi. Hatta bu kararlı ve aceleci haliyle katil suratlı kahveciyi ürkütmeyi başardığı bile söylenebilirdi. Adamlar onun yanında Zülfiyar'ı göremeyince şaşırmışlardı. Ebrehe elkimya odasından çıkıp onu karşılamakta gecikmedi.

– "Demek buraya Zülfiyar olmadan geldin" dedi, "Beni gerçekten çok şaşırtıyorsun. Böyle giderse seni herhalde hiçbir zaman anlayamayacağım. Kendi rızanla geldiğine göre burada seni cezbeden şeyler olmalı, yani merak ettiğin ve keşfetmek istediğin şeyler".

Atını yol boyunca koşturmaktan soluk soluğa kalan Bünyamin,

– "Söyle bana!" diye bağırdı, "Neyin peşindesin? Bana oyun oynadığına eminim. Hangi amaca hizmet ediyorsun? Benim hakkımda neleri biliyorsun?"

– "Önce sakin ol. Sonra sorularını teker teker sor".

– "İlk sorum şu: Bu *boşluk* masalı nedir? Bana neden o tuhaf şeyleri anlattın? Böylece eline bir şey mi geçecekti?"

– "İkinci sorunu tahmin edebiliyorum. Neden sonsuz hızın peşinde olduğumu soracaksın".

– "Benimle oyun oynama. Sadece cevap ver ve gerçeği söyle".

Zihnindeki belirsizliğin bir sonucu olarak delikanlının meraktan kıvrandığını ve bu haliyle her türlü telkine gitgide açıldığını gören Ebrehe'nin yüzünde bir memnunluk ifadesi belirmişti. Ne var ki Büyük Efendi, belirsizliğin kandırılmayı kolaylaştırdığını aynı zamanda Bünyamin'in de bildiğinden ve böylece söylenenlere kolay kolay inanmamaya kararlı olduğundan emindi. Onun istediği de belki buydu. Belki de hem gerçeği söylemek, hem de söylediğinin yalan olduğuna inandırmak istiyordu. Yüzünde o meşum tebessüm olduğu halde, Bünyamin'in koluna girip,

– "Sana her şeyi anlatacağım" dedi, "Gel benimle".

Birlikte elkimya odasına girip, üstü alacalı kumaşla örtülü o tuhaf nesnenin önüne geldiler. Büyük Efendi örtüyü kaldırınca ortaya akıllara sığmaz bir ayna çıktı. Görünüşü itibariyle, dört ayak üzerinde duran bir tencere gibiydi. Fakat kapak yerine, üst yüzeyinde bir ayna bulunuyordu. Bu aynanın üzerinde ise birtakım yazılar vardı. Bünyamin dikkatle baktığında, bu yazıların ayna yüzeyine yapışmış sayısız kum tanesinden oluştuğunu farketti. Fakat yazılara dokunmak mümkün değildi. Çünkü arada yarım parmak boşluk kalacak şekilde, ayna bir cam tabakayla örtülmüştü. Bu tuhaf nesne, Ebrehe'nin hayatını değiştiren Kehanet Aynası'nın ta kendisiydi.

Kum tanelerinden meydana gelen yazıları okumaya çalışan Bünyamin bir hayli zorlandı. Çünkü Kûfi üsluptaki bu harfler, köşeli ve dik hatlardan meydana geliyordu. Yazıları nihayet sökmeyi başardığında adamakıllı şaşırdı. Kehanet Aynası'nın üzerinde şunlar yazıyordu:

KIYAMETTEN BİR YIL ÖNCE
YEDİNCİ DOLUNAYDA
MEHDÎ BATI KAPISINDAN GİRECEK

Bünyamin'in şaşkınlığını zevkle izleyen Ebrehe anlatmaya başladı:

– "Artık benimle büyük bir sırrı, belki de gelmiş geçmiş en büyük sırrı paylaşıyorsun sevgili dostum. Bunu Zülfiyar bile bilmiyor. Senin yerinde olsam ona anlatmaya kalkmazdım. Çünkü sana inanmaz. Hatta söylediklerini denetlemeye bile ihtiyaç duymaz. Çok meraklanıyorsun biliyorum. O yüzden izin ver, sana bu aynanın hikâyesini anlatayım.

Bu aynayı cellat mezatından on beş yıl önce satın almıştım. Ayna, şimdi de gördüğün gibi bir cam levha ile korunuyordu ve ayna ile bu cam levha arasında kalan kum taneleri dikkatimi celbetmişti. Fakat o günlerde, şimdi gördüğün yazı oluşmuş değildi. Cellat bana bu aynanın evveliyatını anlattığında ona inanmakta güçlük çektim. Çünkü satın aldığım eşyanın bir kehanet aynası olduğunu ve yirmi beş yıl önce bir derviş tarafından padişaha hediye edildiğini söylüyordu. Anlattığına bakılırsa, derviş, hediyesini verip bahşişini aldıktan sonra padişaha, bu aynanın geleceği gösterebildiğini, ama bu işi kıyametten ancak yedi yıl önce gerçekleştirebileceğini ve Âdemoğulları'nın böylelikle akıbetlerini bilebileceklerini anlatmıştı. Yine celladın anlattıklarına bakılırsa, padişah onunla bir hayli oyalanıp vakit geçirmiş, ama aynanın geleceği bir türlü göstermemesi nedeniyle bu eşyadan bıkmıştı. Cellat sonunda bana, aynanın yıllar önce Girit Savaşında bazı yararlılıklar gösteren bir paşaya hediye edildiğini, fakat bu paşanın önceki gün kellesi istendiğinden gidip onu bizzat katlettiğini anlattı. Âdet gereği cellat adamın malına mülküne sahip olmuş ve bu mallar arasında Kehanet Aynası da onun eline geçmişti.

Bunları önce celladın uydurduğu bir masal sandım. Aynayı alıp Teşkilattaki odamın bir köşesine yerleştirdim. Aradan yıllar geçti ve hem aynayı, hem de onun hikâyesini unuttum. Fakat bundan tam altı yıl önce gördüğüm olağanüstü bir şey, bana onun bir kehanet aynası olduğunu hatırlattı.

Sözkonusu günün sabahı bir nağme beni uyandırmıştı. Çok garip, çok kasvetli bir müzikti bu ve odamdan bir yerden geliyordu. Çok korktuğum için pistoluma davrandım. Çevreyi araştırdığımda sesin, yıllardır unuttuğum bu Kehanet Aynası'ndan geldiğini farkettim. Ona dokunur dokunmaz müzik kesildi. Bu, tüylerimi ürpertmişti. Hemen ardından, ayna üzerindeki kum taneleri gözlerimin önünde hareket etmeye başladıklarında aklımı kaçırdığımı sandım. Kumlar, önce dikey ve sonra da yatay yönde hareket ettikten sonra, şimdi gördüğüne benzer bir yazı meydana getirdiler. Hâlâ hatırlıyorum, şöyle yazıyordu:

KIYAMETTEN YEDİ YIL ÖNCE
BÜYÜK KENTİN KUZEYİNDE
KIRMIZI BİR BULUT GÖRÜNECEK

Ne yapacağımı bilemiyordum. Aynayı ters çevirip sarstım. Ama kum tanelerinin ayna yüzeyine adeta yapıştıklarını ve yerlerinden oynamadıklarını görünce şaşkınlığım arttı. Önce bunu bir oyun sandım. Fakat böyle bir şeye imkân yok-

177

tu. Üstelik aynanın üstündeki camın yerinden çıkarıldığını gösteren bir işaret de mevcut değildi. Derhal Zülfiyar'ı çağırıp ondan, Kostantiniye'nin kuzeyinde olağandışı bir durum olup olmadığını denetlemesini istedim. Ancak bunu yapmasına gerek kalmadı. Çünkü adamları ona, Galata'nın arkasında, Tophane taraflarında çok yoğun bir kırmızı bulutun ortaya çıktığını çoktan haber vermişti. Yine anlattığına göre halk bunu veba belirtisi sayıp üç gün içinde bu felaketin çıkacağına inanmaktaydı. Fakat aradan bir hafta geçtiği halde bekledikleri hastalık ortaya çıkmadı ve rahatladılar. Oysa ben, hiç de rahat değildim.

Her sabah uyanır uyanmaz koşup aynaya bakıyordum. Yazılar bir yıl boyunca değişmedi. Fakat bir sabah yine o uğursuz nağme ile uyandım. Ses, geçen sefer olduğu gibi, aynaya dokunur dokunmaz kesildi ve kum taneleri ayna yüzeyinde eskisi gibi hareket etmeye başladı. Kehanet Aynası'nda bu kez şunlar yazılıydı:

KIYAMETTEN ALTI YIL ÖNCE
NEMÇE İLİNİN VELİAHDI
ZEHİRLENEREK KATLEDİLECEK

Bu yazıları okuduktan sonra derhal Beç kentindeki casuslarımızla temas kurdum. Yirmi gün sonra aldığım habere göre, altı yaşındaki veliaht gerçekten de zehirlenerek ölmüştü. Cenaze töreninde bizzat hazır bulunan casuslarımın anlattığına göre, kentte büyük bir yas vardı. Bu olaydan sonra aynanın gerçekten geleceği gösterdiğine ihtimal verdim ve ertesi yıl gördüklerimden sonra buna kesinlikle inandım. Çünkü bir sonraki yıl aynada, "Kıyametten beş yıl önce Anadolu'da isyan çıkacağı" yazıyordu. Ondan sonraki kehanetler de doğru çıktı. Nemçeliler Lehlerle yaptıkları bir savaşı kaybettiler ve büyük bir yangın Tebriz'i yoketti.

Kehanetlerin hepsinin doğru çıkması elbette asıl kehanetin doğruluğunu destekliyordu. Evet, senin de anladığın gibi *Kıyamete çok az bir zaman kaldı.* Aynada şimdi, kıyametten bir yıl önce, yedinci dolunayda Mehdî'nin geleceği yazılı. Bir yıl sonra dünya yokolacak. Mehdî gelecek, Dabbetü'l Arz yerin altından çıkacak, günahkârlar cezalandırılacak, ekinler kuruyacak, gökleri ateş bulutları kaplayacak, denizler çekilecek, yüzen, yürüyen ve uçan her şey ölecek. Dünyadan geriye hiçbir şey kalmayacak.

İşte sevgili delikanlı! Bu yüzden, yaşadığın şu günlerin değerini bil. Konuştuklarımızı yalnızca sen ve ben biliyoruz. Belki hâlâ sana bir oyun oynadığımı sanabilir ve söylediklerime inanmayabilirsin. Zaten inanmayacağını bildiğim için anlatıyorum sana bunları. Eğer her söylediğime inanan Zülfiyar gibi biri olsaydın, sana bunları kesinlikle söylemezdim."

Bünyamin,

– "Söylediklerine inanmak son derece zor" dedi, "Fakat yine de, doğru olsun ya da olmasın, anlattıklarını sonuna kadar dinlemeye kararlıyım. Kehanet Aynası'nın boşlukla ya da sonsuz hızla nasıl bir ilgisi var?"

Zaten bu soruyu bekliyor görünen Ebrehe,

– "Öğrenmek istiyorsan benimle gel. Sana bir şey göstereceğim" dedi.

Böylece kütüphaneye gittiklerinde Büyük Efendi kilitli bir dolabı açıp, büyük boy bir kâğıdı çıkararak delikanlıya verdi. Kâğıtta, devasa bir topaç planı vardı, öyle ki, yüksekliği üç kulaç olan bu topaç, barutun patlamasıyla harekete geçen bir çark sistemiyle döndürülebiliyordu. Bünyamin, topacın içinde resmedilen insan şeklini görünce şaşırmıştı.

– "Döndürülmeye hazır ve içinde insan olan bir topaç" dedi, "Ne kadar garip bir tasarı! Peki neye yarıyor?"

Ebrehe anlatmaya başladı:

– "Sana garip gelen bu tasarı, kıyametin yakında geleceğini anlayan ve işlediği onca günahtan sonra kurtuluş için fazla bir umut taşımayan birinin tek kaçış yolu. Sözlerimin çok belirsiz olduğunu biliyorum. Ne var ki bunları şimdiye kadar kimseye anlatmadığım için uygun ifadeyi bulmakta zorlanıyorum. İstersen, kıyametin kendisinden başlayalım. Kehanet Aynası'ndakileri okuduktan sonra bu konudaki hemen hemen her kitabı elde ettim. Taberanî'yi, Ebuşşeyh'i, Hafız ibni Hacer'i, ibni Merduveyh'i ve diğerlerini okudum. Güneşin batıdan doğacağını, savaşların ve hastalıkların çıkmasından sonra toprağın bütün hazineleri ve ağırlıkları kusacağını, dağlar ve çukurların kaybolmasıyla yeryüzünün dümdüz olacağını, Mehdî'nin gelip benim gibilerle savaşacağını ve büyük bir yalımın diğer günahkârlar gibi beni de Mahşer'e, Büyük Toplantı yerine sürükleyeceğini öğrendim. Bu dünyada artık birkaç yıl sürem kaldığına ve bu sürenin sonunda günahlarımın cezasını ebedi ıstırapla çekeceğime böylece inandıktan sonra, belki de çılgınca gelecek ama, *bir kaçış yolu aradım.*

Kehanet Aynası başka birinde, mesele hâlâ padişahta olsaydı, o mutlaka tövbe ederdi. Ama ben etmedim. Çünkü kıyametten kurtulmak mümkündü. Hemen hemen bütün elkimyacıların peşinde olduğu sonsuz hayata kavuşmak da, bütün bu şartlara rağmen mümkündü. Gördüğün topaç, beni Büyük Son'dan kurtaracak bir aygıt. Sana bunun nasıl gerçekleşeceğini de anlatacağım. Böylece boşluğu neden elde etmeye çalıştığımı da öğreneceksin.

Bilmek istediğin şeyi sana nihayet söylüyorum işte: Topaç, *karşı harekete* erişilebilecek bir araçtır ve karşı hareketi gerçekleştirmek için de boşluk gerekir. Kafan iyice karıştı, değil mi? Açıklayayım. Biz, hareket etmenin karşıtının durma olduğuna inanırız. Oysa onun karşıtının *karşı hareket* olduğunu biliyorum. Bir örnek vereyim: Bir adam Ayasofya'dan saat üçte yola çıkar; üçü çeyrek geçe Bayezıt'a vardığında bir yankesici onun para kesesini çarpar. Üç buçukta Aksaray'a geldiğinde başı ağrımaya başlar ve nihayet saat dörtte Topkapısı'na ulaşır.

Fakat saat dörtte 'zamanın geriye doğru aktığını' farzedersen, *karşı hareketi* tahayyül edebilirsin. Böyle bir durumda adamın saatinin akrebi, bu kez dörtten üçe doğru hareket ederken, adam da vaktiyle atmış olduğu her bir adımı bu kez geriye doğru alarak Topkapısı'ndan Ayasofya'ya doğru, yine aynı şartlarda, ama bu defa geri geri gitmeye başlar. Saati üç buçuğu gösterdiğinde Aksaray'a varır ve başının ağrısı kesilir. Saat üçü çeyrek geçtiği sırada Bayezıd'a geldiğinde yankesici para kesesini onun kuşağına sokar ve nihayet saat üçte Ayasofya'ya varır. Kısaca, ilk hareket sırasında neler olduysa, zamanın geriye aktığı ikinci hareket sırasında da, bu kez tersine olmak üzere, aynı şeyler olur. İşte bu ikinci harekete karşı hareket diyorum ve buna erişmek de, zor olmasına rağmen imkânsız değil. İstersen yine bir örnek vereyim".

Ebrehe konuşmasını keserek eline bir kalem aldı ve bir kâğıda üç tane saat resmi çizerek Bünyamin'e uzattı:

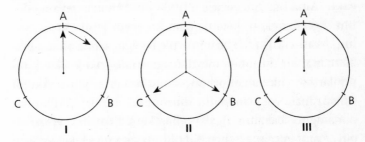

— "Kastettiğim şeyi bu şekillerle daha iyi anlayacaksın. İlk saat bir akrebin hareketini gösteriyor. Akrep A noktasından hareket ettikten 20 dakika sonra B noktasına, ve yine buradan hareket ettikten 20 dakika sonra C noktasına varıyor, öyle ki, başladığı A'ya varması için tam 60 dakika geçmesi gerekiyor.

181

Şimdi, istersen akrebin hızının arttığını farzedelim. Bu kez döngüsünü 60 dakika yerine, sözgelimi 6 dakikada tamamlar. Eğer hızı daha da artarsa, mesela tüfekten ateşlenen bir merminin hızına erişirse onun aynı anda hem A'da, hem B'de ve hem C'de olduğunu sanırız. Hatta bazı askerler, nişan aldıkları düşmanlarının, onlar tetiğe basar basmaz öldüklerini düşünürler. Oysa tetiğe basılmasıyla merminin bedene saplanması eşzamanlı değildir. Çünkü mermi sonsuz hızla gitmez.

Ama istersen biz, saatin akrebinin sonsuz hıza eriştiğini düşünelim. Aristatalis'in dediği gibi, bu hızla giden bir cisim herhangi bir mesafeyi sıfıra eşit bir zamanda alır. Öyleyse akrebin A'dan B'ye, B'den C'ye gitmesi ve tekrar A'ya dönmesi sıfıra eşit bir zamanda olur. İşte bundan dehşet verici bir sonuç çıkar: Akrep, eğer sonsuz hıza ulaşırsa, aynı anda hem A'da, hem B'de, hem de C'de olur.

Az önce verdiğim ilk örneğe dönecek olursak, Ayasofya'dan yola çıkan adam eğer sonsuz hızda hareket edecek olsaydı, aynı anda hem Ayasofya'da, hem de Topkapısı'nda olacaktı. Ama biz yine saat üzerinde düşünmeye devam edelim. Eğer hareketi, kırmızı olan bir şeyin yeşil olması, yahut, Ayasofya'da olan birinin artık Topkapısı'nda olması gibi 'herhangi bir durumda meydana gelen *değişiklik*' olarak tanımlarsak, çok daha korkunç sonuçlara erişebiliriz. Akrebi sonsuz hızla yol alan saatin 'durumunda bir değişiklik olup olmadığına' bakalım. Acaba o hareket ediyor mu, *yoksa etmiyor mu*? Akrep az önce A'da idi, fakat yine A'da; az önce B'de idi yine B'de ve aynı şekilde C'de. Öyleyse durumunda herhangi bir değişiklik yok. Peki, durumunda bir değişiklik olmayan bir şeyin hareket ettiği söylenebilir mi? Hayır! Öyleyse, akrebi sonsuz hıza erişince, bu saatin durduğu söylenebilir. Eğer onda hareket yoksa, artık zaman da yoktur. Çünkü hareket olmadan zaman da olmaz.

Şimdi üçüncü saate bakalım ve akrebin hızının daha da artıp sonsuz ötesine eriştiğini düşünelim. Sonsuz hız, akrebi eş zamanlı olarak üç farklı yerde birden var kılabiliyor ve saati durduruyordu. Daha yüksek hız ise, durmaktan da öte bir şeyi, *karşı hareketi* meydana getirir. Bu durumda saatin ibresi ters yönde dönmeye başlar ve benim ulaşmak istediğim *karşı hareket* meydana gelir. Böylece *zaman tersine akmaya başlar*.

Evet sevgili delikanlı, böylece, sonsuz ötesi bir hızla dönen topacın içinde bulunan birinin, zamanın gerisine yolculuk edebileceğini, bir süre sonra onun gibi bir günahkarı bekleyen Büyük Son'dan kurtulabileceğini artık anlamışsındır. Çünkü planlarını gördüğün bu topaç, boşlukta hareket edeceği için arzu ettiğim hıza ulaşır ve karşı hareketi gerçekleştirebilir. Bu sayede, onun içindeki biri zamanda, geçmişe yolculuk edebilir. Eski güzel günlere, pek yakında kopacak olan Kıyametten çok öncelere gidebilir".

Ebrehe'nin anlattıklarını Bünyamin'in aklı almıyordu. Demek ki, Teşkilat-ı İstihbarat-ı Humayûn'un adamları, Büyük Efendi hariç hiçbiri, ne yaptıklarını bilmeksizin zamanda yolculuğu gerçekleştirmek için çalışıyorlardı. Karşı hareket hakkında anlatılanları makul görmesine rağmen delikanlı, Ebrehe'nin bir elkimya düsturuna uygun olarak, anlaşılmaz olanı daha da anlaşılmaz olanla açıklamakla kendisine bir oyun oynadığını düşünüyordu. Boşluğu, sürtünmeyi engelleyip sonsuz hıza erişmek için aradığını söyleyen Büyük Efendi, sonsuz hızı da karşı hareketin ön şartı olarak açıklamıştı. Karşı hareket ise, anlatılanlara bakılırsa, daha da anlaşılmaz olan bir şeyi, geçmişe dönmeyi mümkün kılıyordu. Bütün bunlar Bünyamin'in zihnini zorlarken, Ebrehe hâlâ boşluğun maddesel bir şey olduğunu söyleyip duruyor, dünyada ancak "bir para" büyüklüğünde olan bu ender maddenin, "maya olarak" kullanılıp çoğaltılabileceğini ve topacın sonsuz ötesi hıza erişmesi için kullanılabileceğini söyleyip duruyordu. Çünkü aynalar cisimleri nasıl çoğaltıyorlarsa, aynaya parlaklık veren ve yedi asal cisimden biri olan harısinî sayesinde, bir elkimya işlemiyle boşluğun da hacminin arttırılabileceğini anlatıyordu.

Bünyamin'in kafasının iyice karıştığını anlayan Ebrehe'nin memnunluğu yüzünden okunuyordu. Konuşmasını keserek,

– "Evet" dedi, "Artık her şeyi biliyorsun. Bana sormak istediğin başka bir soru var mı?"

Zihni adeta duran Bünyamin kendini cendereye sıkışmış gibi hissediyordu. Sekteye uğrayan aklı, ona artık herhangi bir çare gösteremediğinden umutsuzluğu adamakıllı artmıştı. Bununla birlikte, yüreğinde, dün geceden beri hissettiği tuhaf bir duygu vardı. Aglaya aklından çıkmıyordu. Ebrehe'ye,

– "Evet, sana bir sorum var" dedi, "Dün satın aldığın iki esir kızdan biri, hani şu Aglaya nerede?"

Ebrehe'nin suratı birdenbire asılıverdi.

Ölüler ve
Kahramanlar

I

Kurtubî'nin tezkiresinde Mağrip illerinden çıkıp geleceği bildirilen, hilye-i şerifi bütün alimlerce malum Mehdî'yi, Kıyametin o yetmiş küsur alametinden birini, Deccal'ın bayrağı altında toplanan kâfirler ve aklı çelinmişlerle savaşıp onları yenecek olan o kurtarıcıyı, Kehanet Aynası'nın gösterdiğine göre Hesap Günü'nden bir yıl önce ve yedinci dolunayda kente batı kapısından girecek olan o Büyük İnfazcıyı bekleyen Ebrehe, aşağılanmanın hem tadını çıkarıp, hem de acısıyla kıvranırken, Kostantiniye akıllara durgunluk veren bir haberle çalkalanıyordu: Korsanlar kalyonculara, gözleri oyulup kulakları ve burnu kesilmiş bir adamın, görüp duymadığı halde, dört direkli gemilerin dümenine yapışarak onları kayalıklarla dolu en tehlikeli geçitlerden, mercan yılanlarının oynaştığı en sığ sulardan geçirdiğini fısıldıyor; kalyoncular ise rıhtım işçileri ve sırık hammallarına yine aynı adamın, kör ve sağır olduğu halde, gökkubbede dönen bütün yıldız ve gezegenlerin yerlerini kestirebildiğini, pusulasız gemilere kılavuzluk edip onları hazineler ve kana susamış vahşilerle dolu adalara haritaya bakmadan adeta ezbere götürebildiğini sır verircesine söylüyorlardı. Rıhtım işçileri ve hammallar bu efsaneyi dinler dinlemez meyhanelere koşup ayrıntıları mütalaa ettikten sonra, kör ve sağır adamın hikâyesini yine korsanlara anlatıp onları hayrete düşürüyorlardı. Kör olduğu halde, günün hangi saati olursa olsun, Müşteri, Zuhal, Utarid, Seretan, Cevza, Akreb ve diğer gök cisimlerinin yerini bilen ve sağır olduğu halde tayfaların isyan fısıltılarını, geminin karinasında oynayan bir çivinin sesini, düşman bir silahın horozunun tıkırtısını işiten bu adam Galata meyhanelerinin vazgeçilmez sohbet konusu oluverdi. Hele hele Cezayir korsanları kadırga davulcularına, davulcular barkalonga dalgıçlarına, dalgıçlar ise pusula tamircilerine bu kör ve sağır kâşifin, yeni kıtalar keşfede keşfede, dünyanın ta öbür ucundan Kostantiniye'ye doğru gelmekte olduğunu söyleyince, kentte karınca kararınca karşılama hazırlıkları bile yapıldı. Maytapçılar maytap döküp, fişekçiler fişek doldurdu. Misket ve Bozcaada şarapları mahzenlerden çıkarıldı. Kâşifin bilgisine arzedilmek üzere şüpheli pusulalar ve güvenilmez hazine haritaları raflardan indirildi. Emniyetli rotalar, meçhul topraklar, itimat telkin etmeyen maceralar ile ilgili sorular bir gece önceden kâğıtlara mum ışığında yazıldı. Sabah olduğunda, Galata rıhtımında ahali, kâşifi merakla beklemeye koyuldu. Öğle vakti olduğunda bekledikleri gemi hâlâ gelmeyince en sabırsızlar çekip gittiler. Hava karardığı halde kâşifin gemisinden iz eser olmadığını gören daha azimliler ise akşam namazına yetişmek zorunda kaldılar. Sonunda, en meraklılar da, meyhanelerin açıldığını görerek yârenlerini aramaya koyuldukları vakit, rıhtım bomboş kaldı. Kostantiniye ahalisi camilerde yatsı namazını kılarken yüzlerce fırtınanın, sayısız isyanın, hadsiz hesapsız kurşunun ve mızrağın izini taşıyan kapkara bir gemi işte bu boş rıhtıma yanaştı. Gemiden, sırtında çıkını ve üzerinde paçavralarla, kör ve sağır bir adam indi. Efsanedeki gibi gözleri oyulmuş, burnu ve kulakları kesilmişti. Göz, dürbün ve usturlab olmadan yıldızları gören bu adam, kendisini güdecek birine ihtiyaç duymaksızın, sanki görüyormuş gibi, Galata sokaklarında yürümeye başladı. Yelkenci hanının bitişiğinde, bir zamanlar oğlu Bünyamin'le oturduğu evden geriye kalan boş arsada bir süre durakladıktan sonra en yakın meyhaneye giriverdi.

Talihin bir eseri olarak, bir sihirbaz meyhanede gösteri yapıyordu. Sihirbaz, gözleri bağlı olarak taburede otururken, çırağı, demkeşlerden aldığı çakmak, afyon kutusu, mangır, tespih gibi envai çeşit nesneyi havaya kaldırıp, ustasına elinde tuttuğu şeyin ne olduğunu soruyor, sihirbaz ise gözleri bağlı olduğu halde sorulara tek tek doğru cevabı yapıştırıveriyordu. Ehli keyif hayretler içinde kalmıştı. Fakat olanları izleyen kâşif işleri bozdu. Meyhanedeki herkese hitaben, bunun sihir mihir olmadığını, çünkü hemen hemen herkesin cebinde taşıdığı tespih, çakmak benzeri ıvır zıvırın sayısının taş çatlasa on beşi geçmediğini ve dikkat edilirse çırağın sihirbaza aynı soruyu on, on beş farklı şekilde sorduğunu söyledi. Kâşifin dediğine bakılırsa çırak sihirbaza, çakmak için "bu ne?" diye sorarken, tespih için "peki bu ne?" diyor, eğer elinde tuttuğu eşya bir afyon kutusuyla, "öyleyse bunu bil bakalım" diye soruyordu. Bununla birlikte meyhanedekiler bu numarayı değil de, adının Uzun İhsan Efendi olduğunu söyleyen kör ve sağır adamın böyle bir şeyi nasıl olup da görüp sezebildiğine şaştılar. Üstelik adam, utanmadan, aslında görüp işitmediğini, meselenin sanıldığından bambaşka olduğunu ikide bir söylüyor, demkeşleri meraktan kudurtuyordu. Ehli Keyif, Uzun İhsan Efendi'yi sıkıştırıp ağzını aradığında, adamın anlattıkları karşısında afalladılar. Bu kör ve sağır adam, görüp işitmemesine rağmen olan biten her şeyi bildiğini, çünkü *her şeyin*, yani bu sihirbazla çırağının, meyhanede içilen şarabın ve bu şarapla sarhoş olan herkesin, bütün Galata'nın, içindeki herkesle birlikte bütün Kostantiniye'nin, hatta bütün Dünya'nın, sadece ve sadece, zihninin bir ürünü olduğunu söylüyordu. Ona göre gerek bu meyhane, gerekse burada atılan kahkahalar, onun zihnindeki düşüncelerden ibaretti. Eğer Uzun İhsan Efendi, sözgelimi, müşterilere şarap dağıtan meyhaneciyi düşünmekten vazgeçerse, Allah korusun, adamcağız yokoluverecekti. Meyhaneci, sihirbaz, Galata ve Kostantiniye *var* idi, çünkü Uzun İhsan Efendi onları *düşünüyordu*. İşte bu da, Rendekâr'ın en büyük hatasını ortaya çıkarıyordu: Düşünüyor olması, Uzun İhsan Efendi'nin değil, onun düşüncelerinden ibaret olan bu dünyanın varlığının delili sayılmalıydı. İşte bu nedenle bilgece,

– "Düşündüğüm için ben var değilim, sizler varsınız. Sizler benim zihnimdeki düşüncelerden ibaretsiniz" diyerek ikide bir kafa bulandırıyordu.

Meyhanedekiler adamın anlattıklarına o kadar güldüler, o kadar güldüler ki, yoldan geçip de kahkahaları işitenler "acaba içeride meddah mı var?" diye kapıyı aralayıp demkeşleri bu yüzden şöyle bir süzdüler. Gözleri yuvalarında sansar yavruları gibi oynayan bir adam, bu kişilerin kollarına yapışıp olup biteni kaşla göz arasında sır veriyormuşcasına anlatır anlatmaz, yeni gelenler oturacak yer aradılar. Böylece meyhanenin neşesi zirveye çıktı. Demkeşler, "Vay! Vay! Vay! Demek biz Uzun İhsan Efendi'nin zihninde birer düşünceden ibaretmişiz. Demek başımıza gelen her belanın sorumlusu bu adammış. Çünkü sadece zihin gücüyle bütün olaylara o yön veriyormuş" diyip diyip kahkahalarını koyverirken, kör ve sağır adam inatla susuyordu. Neşesinden aklını yitirecek gibi olan biri, gülmekten gözlerinden yaşlar aktığı halde, omuzunu duvara dayayarak uyuklayan şişman bir yeniçerinin yanına gidip adamın kalın ensesine okkalı bir şaplak indirdi. Yeniçeri uyanıp öfkeyle hançerine davranınca da ona, "Kızma bana beşe! Sana tokadı atan ben değilim. Ben Uzun İhsan Efendi'nin zihninde sadece bir düşünceyim. Aynı şekilde sen de öyle. Olan biten ne varsa hepsine bu adam yön veriyor. O yüzden tokadı sana o atmış sayılır. Haydi bana eyvallah!" deyiverince bir kahkaha tufanı koptu.

Gelgelelim, meyhanedeki en ihtiyar, içkiye en dayanıklı, bu yüzden de en bilge demkeş tam da konuya uygun bir hikâye anlatmaya başlayınca herkes sustu. Bu, Mutsuz Çocuk hikâyesiydi. Bilge demkeşin anlattığına göre, fî tarihinde çok uzak bir ülkenin padişahına gelen kâhinler ona ülkesinin büyük bir tehlikeyle karşı karşıya olduğunu söylemişlerdi. Sözkonusu tehlike ise, bir yıl sonra doğacak olan ve kurduğu düşlerin hepsi bir anda gerçeğe dönüşüverecek bir çocuktan ibaretti. Öyle ki, çocuk eğer başkentteki bütün evlerin altın olduğunu düşünürse, evler gerçekten o anda altın oluverecekti. Bununla birlikte eğer padişahın fakir olduğunu düşünecek olursa, sarayları, köşkleri, atlasları ve altınları o anda hiçliğe karışacak olan padişah parasız pulsuz biri olacaktı. Çocuğu doğar doğmaz öldürmek de olmazdı, çünkü kader artık bir kez bağlanmıştı. O hiçbir şey düşünmeyecek olursa, düşünülmedikleri için artık ne dünya ne de kendileri varolabilirlerdi. Bunları işitir işitmez dehşet içinde kalan padişahın emriyle sözkonusu çocuk aranıp bulunmuş ve kırk bir ilmin üstadı olan doksan dokuz âlim, gerçek olan ne varsa ona öğretmeye başlamıştı, öyle ki, çocuk bu sayede sadece gerçek olanları düşünecek ve böylece âlemin nizamı aksamayacaktı. Fakat düş kurması yasaklandığı için sonunda bu çocuk mutsuz olmuştu. Onunla birlikte ülkenin de mutsuz olduğunu gören en yaşlı bilgin, günlerce düşündükten sonra nihayet bir çözüme ulaşmış ve çocuğa, düş kurmasının yasak olduğunu, ama insanların düş kurduğunu düşlemesinde herhangi bir sakınca olmayacağını söyleyerek ona izin vermişti.

İhtiyar demkeş, Âdemoğlu'nun gördüğü her rüyanın, kurduğu her düşün işte bu Mutsuz Çocuğun bir eseri olduğunu söyleyip hikâyesini bitirdikten sonra oradakiler, Uzun İhsan Efendi'nin az önce oturduğu yere ister istemez baktılar. Adam, meyhaneden çıkıp gitmişti. Peşinden koşup, alay etmek için bütün gece onu aradılar. Ama bulamadılar. Çünkü tersane yakınlarındaki gemi enkazına bakmak akıllarına gelmedi. Uzun İhsan Efendi enkazın içinde dolaşıp, burayı haftalar önce terkeden çocuk çetesinin, Efrasiyab ile yiğitlerinin geride bıraktığı hazineleri inceliyordu. Bu enkazı geceyarısı ansızın basan asesbaşı ve adamlarıyla yapılan çatışmanın izleri hâlâ silinmemişti. Toprak misketler ezilmiş, hacıyatmazlar patlatılmış, kaynana zırıltıları kırılmıştı. Çürümüş tahta zeminde birkaç kan lekesi hâlâ seçilebiliyordu. Çocukların kentte aylardır sürdürdükleri talancılık ve kapkaççılığın kaçınılmaz bir sonucu olan sahici silahların bütün eserlerini burada görmek mümkündü. Bitpazarı'ndan alınan eskimiş pistollerin itinayla tamir edilip ateşlenmesi, sarhoş yeniçerilerden çarpılan yatağanların ilk fırsatta kınlarından çekilmesi nedeniyle sayıları azala azala Alibaz dahil on ikiye inen çocukların, bir zamanlar türkülerle çınlattıkları bu mekân artık bomboş kalmıştı.

Uzun İhsan Efendi bu hercümerc arasında tanıdık bir izi seçti. Alibaz'ın kırmızı el izleri tahta zemin boyunca bir pencereye doğru ilerliyordu. Asesbaşının yaptığı baskında yaralandığı anlaşılan çocuk, her halde elinden kanlar aka aka yerde emekleyerek pencereye erişmiş, buradan denize atlayarak kaçıp gitmişti. Çünkü Efrasiyab'tı o ve sabah ezanlarının okunmaya başlandığı şu anda, muhakkak ki ORAYA varmak üzereydi.

II

Evet, Efrasiyab'tı o. Aylar önce and içerek kırmızı mürekkepli elini bastığı sancak hâlâ cepkeninin içindeydi. Yaklaşık altı haftadır Ordu-yu Humayûn'un peşinde, şeytanın mekânı olan kuzeye ilerlemiş, pistolü fazla ağır geldiği için köyün birinde bu silahı ağlaya sızlaya fırlatıp atmıştı. Arap İhsan'dan yadigar kalan Ayeti Kerimeli yatağan ise hâlâ belindeydi. Daha bir hafta önce, kentler fethedilip zenginlikler yağmalanmadan Ordu-yu Humayûn'a yetişmiş, ama beklediği hüsnükabulü görememişti. Ayakaltında dolaşmaması için suratına atılan tokadın izi kaybolmadan, orducunun birine teslim edilmesine rağmen kaçmayı başarmış ve askerleri yarım gün geriden takip etmeyi akletmişti.

Nihayet, günün birinde Ordu-yu Humayûn, kuzey burçlarında kara bayrakların dalgalandığı ve yıldız biçimiyle fethedilmesi bir hayli güç görünen bir kalenin önüne erişmişti. Aynı gün hava kararmadan kuşatma harekâtı tamamlanırken, talan edecekleri ganimetin hesabını yapan yeniçeriler, martalozlar, deliler, serdengeçtiler, sipahiler, çorbacılar, odabaşları, vekilharçlar, bayraktarlar, başeskiler ve karakullukçular sağda solda koşturuyor; zağarcıbaşı, saksoncubaşı, tüfekçi ve zemberekçi başları ile daha bir nice zabit emir üstüne emir yağdırıyordu. Lağımlar kazılıp topraklar küfelerle taşınarak, on, yirmi, otuz kulaçlık tepeler meydana getiriliyor; ellerde bezler ve güderilerle, ejderha başlı kolomborneler hohlanıp ayna gibi parlatılıyordu. Hava karardığında kuşatma hazırlıkları bitmek üzereydi. Sadece kılıçların bileylenmesi işi kalmıştı. Gece yarısı olduğunda kaleden Ordu-yu Humayûn karargâhına bakanlar bir an için yeryüzünde sayısız yıldız gördüklerini sandılar. Çünkü o kapkaranlık gecedeki yegâne ışıklar, pedalla döndürülen bileği taşlarından sıçrayan kıvılcımlardı. Bunu gören kâfirler, kendi şâhi, darbezen, kolomborne ve balyemezlerine gülle yerine zincir, saçma, çivi ve cam parçaları doldurup ard arda ateşleyerek altta kalmak istemediler. Yirmi kantar barutlarını bu beyhude gösteri için bitirdiklerinde gün doğdu ve bu kez Ordu-yu Humayûn metrislerinden bir şahidarbezen, on dört okkalık gülleyi büyük bir gürültüyle surlara fırlattı.

Kaleye ilk gireceklerden olmak isteyen Alibaz, güllenin çarptığı duvarda büyük bir oyuğun açıldığını görünce titremeye başlamıştı. Bir darbezenin, o güne dek tanık olmadığı şeytani gücü onu adamakıllı etkilemiş ve korkudan dişlerinin birbirine vurmasına neden olmuştu. Birdenbire artık Efrasiyab değil, şu uyku tutmayan çocuk, Alibaz olduğunu hatırladı. Hele hele, bayram yerlerindeki çatapatlardan kat be kat daha gürültülü metris tüfenklerinin ard arda ateşlenip kurşunların havada vızıldamasıyla, ağlamaya ve yardım istemeye başladı. Kaleden atılan bir humbara yanıbaşında patlar patlamaz aklını kaybedecek gibi oldu ve ağlaya sızlaya, nereye gittiğini bilmeksizin sıçan yollarının üzerinden atlayıp koşmaya başladı. Gözlerinden yaşlar akıta akıta ORAYA doğru koştu. Kendini kale duvarının dibinde bulmuştu. Surun dibine çöküp oracıkta bir süre ağladı. Fakat Ordu-yu Hümayun metrislerinden, çakaralmazlar, misketler, arkebüzler ve karabinalardan atılan bir nice kurşun, havada ıslıklar çalarak bulunduğu yerin duvarlarına çarpar çarpmaz oradan kaçması gerektiğini anladı. Şahidarbezenin on dört okkalık gülleyle açtığı gedik tam tepesindeydi. Tırmanıp gedikten girer girmez, toprak dolu çuvallarla burayı tıkamaya çalışan insanlarla yüzyüze geldi. Fakat bu insanların çoğu, metrislerden açılan bir arkebüz yaylımıyla oracıkta yığılıverdiler. Alibaz, gedikten kalenin içine fırladı. Burası ilk bakışta daha emniyetli gibi görünüyordu. Nereye gittiğini bilmeden koşmaya başladı. Fakat Alibaz elbette ki ORAYA gidiyordu. Kaleye girmeyi başarabilecek düşman süvarilerini engellemek için köşe başlarına gerilmiş zincirlerin üzerinden atlaya sıçraya geçip Kuzeye ilerledi. Başını kaldırdığında kara bayrakları gördü. Kale içinde oraya buraya koşuşturan insanların kendisini farketmesine imkân yoktu. Ama o, şimdiye kadar görmediği bu garip kılıklı insanlardan korktu ve ORAYA girdi.

İçerisi, dışarıdan farklı olarak fazlasıyla sessizdi. Tapınaklar gibi yüksek tavanlı olan bu binanın duvarlarında belli belirsiz bir ilahi yankılanıyordu. Alibaz, sesin geldiği yere yöneldi ve karalar giymiş sayısız adamın kasvetli bir şarkıyı terennüm ettiğini gördü. Elleri zincirli çıplak birini, yerde devrilmiş duran, birer kulaç çapında iki bronz yarımküreye doğru itiyorlardı. Kara giysililerden bazıları iki bronz yarımküreyi güçbela kaldırıp birleştirdiler ve ortaya bir küre çıktı. Bu devasa kürenin ortasında bir musluk, sağında ve solunda ise iki supap vardı. Adamlardan bazıları, küre ikiye ayrılmasın diye elleriyle destek olurlarken, diğer birkaçı bu supaplara birer tulumba bağlayıp küredeki havayı boşaltmaya koyuldular. Bu iş bir hayli zaman aldı. Sonunda, içindeki boşluk nedeniyle iki yarımküre birbirine yapışmıştı.

Bütün bunlardan sonra, çıplak adamın kara giysililer tarafından kürenin ortasındaki musluğa sırımlarla bağlandığını gören Alibaz, korku yerine bu kez merakla olacakları izlemeye başladı. Adamın çıplak karnı yağlanmış ve bir mengene yardımıyla kürenin musluğuna sıkıca yapıştırılmıştı. Ayakları ve bilekleri de sırımlarla sıkıca bağlandıktan sonra, kara giysililer o kasvetli ilahilerini daha bir pes perdeden terennüm etmeye başladılar. Sonunda, içlerinden elebaşları olduğu anlaşılan biri musluğu çevirir çevirmez çıplak adam acıyla bağırdı ve yarımküreler birbirlerinden ayrılarak soğuk, taş zemine gürültüyle yuvarlandılar. Kara giysililer, "Virtus Vacui!" diye bağırmaya başladılar. Yarımkürelerden her birinin içi kan ve et parçalarıyla doluydu. Çünkü küredeki boşluk, adamın karnına bağlı olan musluktan onun kanını, barsaklarını ve iç organlarını adeta emmişti.

Alibaz olanları görünce yeniden ağlamaya başladı. Kendisini her bakımdan kıstırılmış hissediyordu. Gözlerinden yaşlar akıp çenesi korkudan titrerken, sırtına bir el dokunduğunda kalbi duracak gibi oldu. Kalkıp kaçmak istedi ama dizlerinde hiç kuvvet kalmamıştı. Sırtına dokunan el bu kez kolunu kavrayıp onu yerden kaldırdı. Alibaz başını kaldırmaya cesaret ettiğinde o kara giysili adamlardan birini gördü. Gülümsemesine rağmen, adamın mavi gözlerinde şeytani parıltılar seçiliyordu

Adam, çocuğu diğer kara giysililerin yanına götürdü. Hiç kimse duruma şaşırmış görünmüyordu. Az önceki velvelenin aksine, bu kez fısıltıyla konuşan adamlar, Alibaz'ı daracık, insanın içini karartan bir odaya götürdüler. Odada yığınla ecza kavanozu vardı. Biri, kapkara bir tozla dolu kavanozu alıp, içindekinden bir bardak suya iki üç kaşık attı. Aslında daha az da atabilirdi. Çünkü bu tozun bir kaşığı koskoca bir öküzü öldürebildiğine göre, alt tarafı bir çocuk için onun beşte biri de yeterliydi. Güler yüzlü adam zehir dolu bardağı Alibaz'a uzattığında, zaten çok susamış olan çocuk bu dostluk gösterisini bozmak istemedi ve bardaktaki sıvıyı sonuna kadar içip bitirdi.

Bu ürpertici mekândan dışarı salıverilmesini de dostluk gösterisinin bir devamı olarak yorumlamıştı. Gelgelelim, hayatı boyunca bir dakika olsun asla uyumamış olan bu çocuk, o güne dek hissetmediği bazı şeylerin farkına varmaya başlamıştı. Kalenin içindeki dar sokaklarda top tüfek sesleri ve naralar ile feryatlar arasında, o hercümercin göbeğinde yürürken gözleri kapanacak gibi oluyor, ikide bir esniyordu. Yıllardır beklediği uyku, sonunda bastırmıştı. Gözkapakları ağırlaşıp sonunda düşmeye başlar başlamaz rahatça kıvrılıp uyuyabileceği bir yer aramaya başladı ve sonunda bir ağacın tepesini gözüne kestirdi. Esneye esneye üst dallara doğru tırmandı. Tam tepeye eriştiğinde gözleri ha kapandı ha kapanacaktı. Neyse ki burada bir leylek yuvası vardı. Anne leylek, bir serseri kurşunla daha o sabah ölmüştü. Alibaz, yuvanın tam ortasına, yumurtaların üzerine kıvrılıp yattı ve derin bir uykuya daldı. Aradan günler geçtikten sonra onun sıcaklığının etkisiyle yumurtalar çatladı ve yavrular, uyuyan çocuğun cebindeki peksimet kırıntıları, bademler, şekerler ve kisnis taneleriyle beslenip büyüdüler. Uçmayı öğrenip güneye göçettiler. Bahar gelip doğdukları yuvaya tekrar geldiklerinde orada uyuyan çocuğu yine gördüler. Onun bitimsiz düşlerini kesmeden yavruladılar ve sonraki nesle, gürültü edip bu çocuğu derin uykusundan uyandırmamalarını sıkı sıkıya tembihlediler.

III

Teşkilatta, o yılın yedinci dolunayında kente girecek olan Büyük Kurtarıcı'nın, Mehdî'nin, tarif üzerine çizilen resimleri elden ele dolaşırken, Bünyamin sadece Aglaya'yı düşünüyordu. Onu bir daha asla göremeyeceğine inandığı için Aglaya'nın anısını zihninden türlü yollarla atmaya çalışıyor, fakat başvurduğu bu yollar onu farklı yerlere götürüyordu: Esir kızı unutabilmek için kendini teşkilattaki tuhaf aletleri incelemeye verdiğinde kafası iyice karışmıştı. Önce, zehirli küçük oklar atan tütün çubuklarını, taşınabilir işkence aletlerini ve altı namlulu pistolleri merakla inceledi. Bütün bunları hiçbir engelle karşılaşmadan yapabiliyor, teşkilatta istediği yere rahatça girip çıkabiliyordu. Çünkü burada adeta bir hapis hayatı yaşıyordu ve dışarı çıkması kesinlikle yasak olduğundan, teşkilatın sırlarını açığa vurması gibi bir tehlike sözkonusu değildi.

Haberleşme aletleri onu fazlasıyla şaşırtmıştı. Renkleri değiştirilebilen küçük uçurtmalar, yakıldıklarında renk renk duman çıkarabilen çeşit çeşit tabletler, yalnızca kafes içinde muhafaza edilen yarasaların tepki verdiği ve insan kulağının işitemediği sesler çıkaran düdükler teşkilatın muhabere için kullandığı başlıca araçlardı. Bu araç ve gereçler içinde Bünyamin'in ilgisini en çok çeken şey, duvarları dinlemeye mahsus bir aletti. Basit olarak, hayvan barsağından yapılan, Y biçiminde esnek bir boruydu bu. Bir ucu duvara dayanıp, diğer iki ucu bir yay sistemiyle kulaklara raptediliyor ve duvarın arkasındaki konuşmalar rahatça dinlenebiliyordu. Bünyamin, kendisini kimselerin gözetlemediğinden emin olduktan sonra bu dinleme aletini gömleğinin içine soktu.

Amacı Ebrehe hakkında bilgi toplamaktı. Fakat Aglaya kafasından çıkacak gibi değildi. Delikanlı bu yüzden kendini şiir yazmaya verdi. Aruz vezniyle, aşkını dile getiren tam yedi şiir yazdı ve kalan günlerinde bu şiirleri, sevgi hariç her şeyden arıtıp yeniden ve yeniden kaleme aldı. Fakat ne yapıp etse bir heceyi uzatamıyor, feilun'dan failun'a geçemediği için vezni tutturamıyordu. Yılın yedinci dolunayından üç gün önce bu meseleyi halletmek için şiirinin bulunduğu torbayı açtığında kâğıtların karıştırılmış olduğunu farketti. Üstelik şiiri düzeltilmiş, mısraya bir elifin eklenmesiyle failun tutturulmuştu. Bünyamin bunu yapanın Ebrehe olduğunu hemen anladı. Ama şiirin üzerinde, çoktan kuruyan kıskançlık gözyaşlarını göremedi.

Mahremiyetinin böylesi bir yolla ihlal edilmesi onu adamakıllı öfkelendirmiş, kendine olan güvenini kırmıştı. Artık her davranışının önceden tahmin edildiğini, karşılaştığı her olayın tasarlanmış olduğunu, gizlice yaptığı her şeyin aslında bilindiğini düşünüyordu. Belli konularda merakının kabartılmasının ardından, gerekli koşullar hazırlanıp kendisine yanlış bilgi verildiğinden emindi. Ona öğretmek istediklerini, onun bizzat kendisinin bulmasını sağlayıp korkunç bir inandırıcılıkla akıllara sığmaz bir oyunu sürdürdüklerine inanıyordu. Dinleme aletini çaldığını da büyük ihtimalle biliyorlardı. Odasının yanında, Ebrehe'nin kaldığı yerden her akşam duyulan mırıltılar yüzde yüz hesaplanmıştı. Günlerdir inatla, dinleme aletini duvara dayayıp bu mırıltıların esrarını çözmeye yanaşmıyordu. Fakat yılın yedinci dolunayından bir gece önce merakını yenemedi. Aleti kulaklarına takıp, ucunu duvara dayadı.

Ebrehe'nin sesini hemen tanımıştı. Büyük Efendi sanki bir masal okuyordu. Bünyamin, uykusunu getireceğini bile bile bu tuhaf masalı dinlemeye başladı:

– "Vaktiyle köyün birinde cahilliği dillere destan bir adam yaşıyordu. Günlerden bir gün bu adamın kafasına bir soru takıldı ve yemeden içmeden kesildi. Çünkü gözlerini açtığında dünyayı, kapadığında ise karanlığı görüyor ve bu durum da kafasını adamakıllı karıştırıyordu. Günler, geceler boyu cahil kafasıyla düşündü taşındı ve sonunda karanlığın da görülebilen bir şey olduğuna karar verdi. Hele hele, ölülerin, karanlık, sessizlik ve hiçliği algıladıklarını söyleyen kadim bir bilgenin kitabına rastlayınca fikrinin doğruluğuna artık kesinlikle kanaat getirdi. Buna göre ölüler nasıl ki ışığı göremezlerse, yaşayanlar da karanlığı ölüler kadar iyi göremezlerdi. Ne var ki uyku, ölümün kardeşi olduğu için, uyuyan birisi karanlığı, sözgelimi gözlerini kapatmakla yetinen birinden belki daha mükemmel görebilirdi. Cahil adam da böylece, dünyayı görmediği zaman görmekte olduğu şeyi araştırdı ve gözlerini yumduğu zaman gördüğü karanlığın içinde sayısız düş olduğunu bu sayede buldu. Ancak elde ettikleriyle yetinen biri olmadığından daha fazlasını istedi ve toprağı kazarak oraya vaktiyle gömdüğü bir küp dolusu bakır parayı çıkardı. Bu değerli yük koltuğunun altında olduğu halde kara ilimlerle uğraşan bir bilgenin kapısını çaldı ve ona, gözlerini kapattığında gördüğü karanlığın ne olduğunu sordu. Doğru ya da yanlış, bilge ona şunları söyledi:

'Cahilliği dillere destan olan senin gibi bir adamdan beklenmeyecek kadar akıllıca bir soru bu. O yüzden, seni ödüllendirmek için sorunu cevapsız bırakmayacağım. Şimdi beni iyi dinle. Üzerindeki cübbe nasıl ki yünden meydana geliyorsa, müzik de aynı şekilde sessizlikten meydana gelir. İşte, içinde yaşadığın dünya da, bu şekilde hiçlikten yaratıldı. Ama hiçliğin öteki adı olan boşluğun bir parçası artmıştı. Bu parça ikiye bölündü ve birisi, boş bir levha olarak sana verildi. Senin gördüğün karanlık işte bu levhadır. Boş olduğu için onda elbette ki ışık yok, böylece sen levhada karanlığı görüyorsun. Ama dünyanın yaratıldığı boşluğun bir parçası olan bu karanlıktan sen, düşler yaratıyorsun'.

Kara ilimlerle uğraşan âlimin sözlerini can kulağıyla dinleyen cahil adamın kafası bir noktaya takılmıştı. Bu yüzden şunu sordu:

'Ey bilge kişi. Dünya yaratıldıktan sonra kalan boşluğun iki parçaya bölündüğünü söylemiştin. Parçalardan biri boş bir levha olarak Âdemoğlu'na verildi. Peki öteki parçaya ne oldu?'

Bu soruyu işitince kederlenen bilge, söylediklerinin doğruluğundan emin olmadığını gösteren ikircikli bir sesle şunları söyledi:

'İkinci parça, düşmanına bağışlanan hediyeyi kıskanan Sabahın Oğlu'na verildi. Fakat o, düşler yaratmak yerine, kendine verilen boşluktan bir para yaptı ve üzerine kendi suretini darbetti. Tuğrasını böylece bastığı parayı Dünyaya saldıktan sonra, yaratılmamış boşluğun ta kendisi olan bu paranın dünyada ne var ne yoksa hepsini, evet hepsini satın almasını beklemeye başladı. Zaten sonunda beklediği şey gerçekleşmeye başlamıştı. Parayı gören Âdemoğulları, altından ve gümüşten onun sayısız benzerini yaptılar ve bu paraların üzerine padişahların, sultanların ve kralların suretlerini ve tuğralarını darbettiklerini sandılar. Oysa bu tuğraların ve suretlerin aslında Sabahın Oğlu'na ait olduğunu bilemediler. Böylece, onun suretini taşıyan para, dünyayı ve içindekileri satın almaya başladı. Sabahın Oğlu'nun kurabildiği tek düş, boşluktan yaratılan ve onun bizzat kendisi olan paranın, bir düş olan dünyanın fiatı ve değeri olmasıydı. Böylece, Âdemoğulları'nın o güne kadar zevkle seyrettiği dünyayı ve onun içindekileri bu para karşılığı tek tek satmalarını bekledi'.

Cahil adam öğrendikleriyle yetinmeyerek yine sordu:

'Ey bilge kişi. Tuhaf sözler söyledin. Peki ama, sözünü ettiğin Sabahın Oğlu'nu nerede bulabilirim?'

Bilge adam cevap verdi:

'Çok kolay. Buradan gücün yettiği kadar uzaklaş ve karanlık çöktüğünde Kuzeye dönüp bağır, onun adını söyle. Sana mutlaka cevap verecektir'.

Cahil adam merakını nihayet tatmin ettikten sonra âlimin elini öptü ve yanında getirdiği bir küp dolusu parayı ona vermek istedi. Fakat bilge, paraları görünce adamakıllı tiksindi ve hiçbir lafı anlamayan bu cahil adamı sille tokat kovdu. Cahil adam neye uğradığını şaşırmış ve işin kötüsü, yatışır gibi olan merakı yine kabarmıştı. Bu yüzden, Sabahın Oğlu'nun yurduna doğru tabana kuvvet yürüdü ve sonunda, karanlık çöktüğünde ıssız bir ovaya geldi. Gökte bir tek yıldız bile yoktu.

Cahil adam Kuzeye dönüp bağırdı:

'Ey Sabahın Oğlu! Yaptığın işleri öğrendim ve buraya geldim. Söyle bana, kimsin sen?'

Çevrede en ufak bir esinti bile olmadığı halde sanki bir fırtınanın uğultusu işitildi.

Kuzeyden bir ses geldi ve adama dedi:

'..............................' "

Bünyamin, masalların çocuklar üzerindeki uyutucu etkisiyle esnemeye başladığından kulakları tıkandı ve Ebrehe'nin okuduğu masalın son cümlesini bu yüzden işitemedi. Doğrusu, cahil adamın akıbetini de pek merak etmiyordu. Bununla birlikte, dinleme aletini kulağından çıkardıktan sonra, aklına Sabahın Oğlu'yla ilgili, vaktiyle işittiği bir söz geldi ve gözleri ansızın büyüdü. Uykusu kaçar gibi olmuş, Sabahın Oğlu'nun boşluktan yarattığı para, kafasını kurcalamaya başlamıştı. Kabaran merakını yatıştırmak amacıyla, içinden gelen bir sese uyup elkimya işliğine giderek bir kavanoz demir tozu aldı. Tozu bir kâğıda yaydı ve parayı kâğıdın altına yerleştirir yerleştirmez demir tozları birbirine yapışıp mıknatisiyet çizgilerini ortaya çıkardılar. Fakat bu çizgiler alışıldık türden değildiler. Cıva buharından sersemleyen Bünyamin, bu çizgileri harf şeklinde gördü ve iblis aleyhillanenin tuğrasını seçti.

Derin uykusundan öğleye doğru uyanan Bünyamin, odasından dışarı çıktığında Ebrehe ve adamlarının çoğunun gittiğini ve teşkilatta sadece birkaç nöbetçi kaldığını gördü. Yılın yedinci dolunayı o gece çıkacak ve Kehanet Aynası masalı doğruysa, Mehdî şu saatlerde Kostantiniye'ye batı kapısından girecekti. Bütün bunların, kendisine oynanan oyunun bir parçası olduğuna inanan Bünyamin, olayları birbirine birleştirmek için düşünce gücünü seferber ediyor ama işin içinden bir türlü çıkamıyordu. Teşkilatın girişinde, zeminin boydan boya domuz yağına benzer bir maddeyle sıvandığını görünce zihni duracak gibi oldu ve biraz olsun huzur bulabilmek için kendini Aglaya'yı düşünmeye verdi.

Yazdığı aşk şiirlerini gece yarısına kadar fısıltıyla defalarca okudu. Karanlık düşünceleri içinden bir çıkış yolu bulmaya çalışıp gözyaşı dökerken, günün doğmasına beş saatten az bir zaman kala, birtakım patırtılar işitti. Ebrehe ve adamları gelmişti. Odasından çıktığında, Zülfiyar ve diğer adamların ortasında, ağzı burnu kan içinde, halatlarla elleri kolları sımsıkı bağlanmış birini gördü. İyi ruhları ve melekleri uzaklaştırmak için, yakalanır yakalanmaz tepeden tırnağa domuz yağına bulanan bu adam, sözümona Mehdî'nin ta kendisiydi. Ancak eşkâli gerçekten de ona uyuyordu. Hadis kitaplarının yazdığı gibi açık alınlı, küçük burunlu, iri gözlü, dişleri parlak ve seyrek, uyluk kemikleri uzun ve teni esmerdi. Kapıdan en son giren ve Mehdî'den uzak durmaya özen gösteren Ebrehe, Bünyamin'i umursamadan tutuklunun kapatılacağı hücreye ilerledi. Bu hücrenin, Bünyamin'in odasıyla ortak bir duvarının olması belki de bir rastlantı olmayabilirdi.

Odasına geri dönen delikanlı kapıyı kapadıktan sonra dinleme aletini çıkardı. Mehdî'yi gördükten sonra kendisinden böyle bir tepkinin beklendiğini düşünüyor, bu nedenle de yakalanacağı korkusunu pek taşımıyordu. Aleti duvara dayadıktan sonra şu konuşmaları işitti:

Ebrehe, muhtemelen Zülfiyar'a,

– "Dışarıda neredeyse otuza yakın dilenci çocuk var. Birkaç adam gönder ve durumu araştırsınlar".

Zülfiyar:

– "Evet. Bu benim de dikkatimi çekti. Hınzıryedi'nin ne yapacağı belli olmaz. İşimizi sağlama almamız gerek. Çünkü önceki gün gelip kırmızı haplardan alması gerekiyordu, hâlâ gelmedi".

Ebrehe:

– "Dediğimi yap. Bu arada, hattatlara bir ferman hazırlatalım. Konusunu sana daha sonra söylerim. Şimdi işimize bakalım. Adamı işkence masasına yatırın, ama bukağıları önce domuz kanıyla sıvayın. Yoksa koparabilir. İşiniz bitince çıkın. Sorgulamayı ben, tek başıma yapacağım".

Bünyamin bu konuşmaların ardından odada uzun süre zincir şakırtıları ve inlemeler işitti. Hücre kapısı gürültüyle kapandıktan sonra, Ebrehe'yle başbaşa kalan tutuklunun soluk sesleri bile rahatça duyulabiliyordu.

Ebrehe:

– "Topkapısı'nda göründüğün an senin Mehdî olduğundan oldukça kuşkulanmıştım. Ama çuvalı tependen geçirdiğimiz an bundan hiç kuşkum kalmadı. Çünkü bu çuval bir yıldır domuz yağında bekletildiği için senin bütün gücünü alıverdi."

Adam:

– "Yemin ederim ki ben Mehdî değilim. Söylediğiniz şey benim gücümü almış da değil. Çünkü ben zaten güçsüzüm. Lütfen bana işkence yapmayın. Bildiğim her şeyi anlatacağım size. Görevimi, manastırı, adamlarımızın tek tek isimlerini, her şeyi. Ama beni yine de bir tehlike olarak görüyorsanız öldürün gitsin. Yeter ki eziyet etmeyin. Acı çekmeye hiç dayanamam. Oy Anacığım! Anacığım, neredesin!"

Bünyamin, ağlamaya başlayan adamın hıçkırık seslerinin ardından bir tokadın şaklamasını işitti. Tokadı atan Ebrehe şunları söylüyordu:

– "Sus! Beni kandırmaya çalışma! Dişlerin seyrek. Dilin ağır. Sırtındaki nişan bile kitaplarda yazıldığı gibi. Üstelik yıllar önce elime geçen bir ayna senin bugün tam da o kapıdan gireceğini göstermişti. Her şey senin Mehdî olduğunu gösteriyor. Ve sen beni yoketmek için buraya geldin. Bunu biliyorum. Ama seni yakalayan ve gücünü alan ben oldum.

204

Seni öldürmenin imkânsız olduğunu biliyorum, ama gücünü almak çok kolay. Çünkü Mehdî'nin gücünün, ona işkence yapıldığı sürece yok denecek kadar azalacağını, kara ilimlerle ilgili hemen her kitap yazar. Bu yüzden senin için, yedi iklimin en usta, en gaddar işkencecisini getirttim. Üstelik, yanında binbir türlü eziyetin dikâlâsını anlatan elli cilt kitabı var. Ayrıca, eğer bir yolunu bulabilirse seni pekâlâ öldürebileceğini söylüyor".

– "Oy! Anacığım! Anacığım! Acıyın bana. Ben Mehdî değilim. Benim adım Franz!"

Adam tekrar ağlamaya başlamıştı. Bünyamin, Ebrehe'nin sözünü ettiği işkencecinin kim olduğunu anlamıştı. Bu adam peltek dilli, donuk yüzlü biriydi. Denildiğine göre Arapça'dan başka dil bilmiyordu ve teşkilata önceki gün gelmişti. İçerideki tutuklunun ağlaması ikinci bir tokat sesiyle kesildiğinde, Bünyamin yeniden kulak kabarttı.

Ebrehe hücre kapısını yumruklayıp dışarı bağırdı:

– "Zülfiyar! Hattakay'ı derhal buraya getir."

Kapı açıldıktan bir süre sonra Zülfiyar'ın şu sözleri duyuldu:

– "Yüce Ebrehe, bu adamın işkence yapabileceğinden emin misin? Az önce gördüm. Daha mengene kullanmayı bile bilmiyor. Arapça anlamadığım için onu sorguya bile çekemedim. Geldiğinden beri başındaki kukuletayı çıkarmadı. Siması Hattakay'ın resmine uyuyor ama yine de bir tuhaflık var".

Bu sözlere rağmen kapı Zülfiyar'ın yüzüne kapandı. Olağanüstü heyecanlı olduğu sesinden belli olan Ebrehe, hücreye giren Hattakay'a Arapça bir şeyler söyledi. Duvardan, birbirine çarpan metal sesleri ve zincir şakırtıları işiten Bünyamin, adamın işkenceye hazırlandığını anlamıştı. Bu sırada tutuklunun telaşa kapıldığı da belliydi.

Tutuklu:

– "Hayır! Hayır! Yapmayın! Ben bir Nemçe casusuyum. Hayır! Yaklaştırmayın o kıskacı. Anlatacağım! Önce dinleyin!"

Ebrehe:

– "Daha ne söyleyeceksin? Her şey açık."

Tutuklu:

– "Dediğim gibi, ben bir Nemçe casusuyum. Her şeyin çok kolay olacağını söylemişlerdi bana. Dediklerine göre krallar gibi karşılanacaktım".

– "Bunları sana kimler söyledi?"

– "Nemçe istihbarat teşkilatındakiler".

– "Devam et".

– "Çılgınca bir tasarıları vardı. Yıllardır, on yıllardır üzerinde çalıştıkları bir tasarı. Beç kalesinin kuşatılmasından sonra neredeyse tam bir asır çalıştılar bu tasarı üzerinde".

– "Hangi şeyden bahsediyorsun sen?"

– "Her şey on yıllar önce başladı. Ülkemde, eşkalleri Mehdî'ninkine uyan kadınlı erkekli kırk elli kişi seçildi ve bunlar bir manastıra kapatıldılar".

– "Sonra neler oldu?"

– "Bu kadınlar ve erkekler orada çiftleştirildiler".

– "Neler söylüyorsun? Peki amaç neydi?"

– "Bu insanların, doğan, büyüyen ve ergenlik çağına basan çocukları içinde eşkalleri Mehdî'ye en uygun olanlar seçildi. Bunlardan ikisi benim annem ve babamdı. Çocukların bu manastır dışına çıkmaları yasaktı. İlk nesilden kim varsa, manastırdaki sırrın selameti için öldürüldü. İkinci nesildekiler Mehdî'ye öncekilerden daha fazla benziyorlardı. Onlar da yine aynı şekilde çiftleştirildiler ve benim de aralarında bulunduğum üçüncü nesil doğdu. Mehdî'nin sırtında taşıdığı söylenen nişan ise sadece beşimizde vardı. Diğerlerinin akıbetlerini bilmiyorum. Babamı hiç görmedim. Ama annemi bir kez, üç yaşındayken gördüm ve o günden beri yüzünü asla unutmadım. Manastırda beşimiz bir koğuşta kalıyorduk. Adımız yoktu ve bizi numaralarla çağırıyorlardı. Bu yüzden yedi yaşıma gelince kendime Franz adını vermiştim. Anadilimizi bilmiyorduk. Zaten manastırda, sizin konuştuğunuz dil dışında başka bir dilden konuşmak yasaktı. Dayakla terbiye ediliyor, dininizi, geleneklerinizi ve âdetlerinizi öğreniyorduk. Kardeşlerimden ikisi bu yüzden içlerine kapandı. Kollarını vücutlarına sımsıkı sarıp gün boyunca öne geriye sallanıyorlar, artık en basit ihtiyaçlarını bile gideremiyorlardı. Üç kişi kalmıştık. Biri veremden öldü. İkincisi on altı yaşında aklını kaçırdı ve sonunda bir tek ben kaldım".

Adamın sözlerini sabırla dinleyen Ebrehe nihayet dayanamayıp bağırdı:

– "Yalan söylüyorsun! Kehanet Aynası yıllardır bende. Ve onda okuduğum kehanetlerin hepsi birer birer çıktı. Bunlardan biri de senin geleceğini bildiriyordu".

Adam:

– "Kehanet Aynası bambaşka bir hikâye. İstihbarat teşkilatı yarım asır önce Avrupa'nın en usta saatçisini Beç kentine çağırdı ve ondan bir düzenek yapmasını istedi. Saatçi böylece, senin Kehanet Aynası dediğin şeyi yaptı. Bu ayna, birkaç ayrı düzenekten meydana geliyordu. Bunlardan ilki, bir zamanlama düzeneğiydi ve ayna, padişahınıza sözümona bir derviş tarafından hediye edildikten tam kırk yıl sonra bu zamanlama düzeneğiyle çalışmaya başlayacak ve güya Kıyametin geleceğini haber verecekti. Yirmi altı yaşıma basıp teşkilatta yüzbaşılığa terfi ettiğim gün Beç Tımarhanesi'ne giderek, bu muazzam aynayı yaptıktan bir yıl sonra çıldıran saatçiyi ziyaret etmiştim. "Tasarıyı" bana anlattıkları güne kadar, altı ay boyunca kurulmadan çalışan saatler yapılabildiğini biliyordum. Ama bu saatçinin, on yıllar boyunca kurulmadan çalışacak olan bir düzeneği gerçekleştirdiğini duyunca önceleri buna inanamadım. Bu yüzden bana, sizlerin Kehanet Aynası dediğiniz şeyin çizimlerini gösterdiler. Hatırlayabildiğim kadarıyla, ayna hediye edildikten kırk yıl sonra ilk düzenek bir ikinci düzeneği harekete geçiriyor, bu arada saatin içindeki metal tokmaklar çeşitli büyüklükteki çanlara vurup, tıpkı müzik kutularında olduğu gibi kasvetli bir nağme çalıyorlardı. Kırk yıl boyunca bir köşede duran bu aynadan birtakım tuhaf seslerin gelmesinin yaratacağı etkiyi varın hesap edin".

– "Peki söylediğin doğruysa, aynanın yüzeyindeki kum taneleri hiçbir etki olmadan hareket edip nasıl olur de kehanet yazılarını meydana getirebilirler?"

– "Anlatacağım. Senin kum tanesi dediğin şeyler aslında beyaz boya kaplı demir tozlarıdır. Aynanın tam altında ise, tıpkı bir kafesi andıran, ama birbirleriyle irtibatsız, küçük demir çubuklar vardır. Öyle ki, sadece bu kafes sistemindeki belli çubukları seçerek istediğin yazıyı yazabilirsin. Üçüncü bir düzenek, bu çubukların bazılarını ana mıknatısa bağlar bağlamaz demir tozları onlara yapışır. Böylece senin kehanet dediğin yazılardan biri ortaya çıkar. Bu yazılardan her biri tam bir yıl boyunca aynada görülür".

– "Anlattıkların, yazıların nasıl değiştiğini açıklamıyor. Kehanetlerden biri nasıl siliniyor öyleyse? Çünkü yazıların birdenbire silinip aynada başka bir kehanetin belirdiğini gözlerimle gördüm".

– "Ne demek istediğini anladım. Bir yıl sonra kafes sisteminde, yeni yazıyı oluşturacak çubuklar mıknatıslanır. Ama bu arada, demir tozunun bir kısmı, artık mıknatisiyeti olmamasına rağmen eski çubukların üzerinde kalır. Saatçi bu durumu da düşünmüş: Aynayı sırasıyla enine ve boyuna süpüren ve mıknatısiyetleri daha az olan iki demir çubuk dördüncü bir düzenek sayesinde harekete geçerek bu kum tanelerini, mıknatisiyeti daha fazla olduğu için onların yapışacağı yeni çubuklara doğru sürükler. Bu arada her yazı değişimi esnasında düzeneğin tokmakları çarka vurarak kasvetli melodiyi çalarlar".

– "Peki, bu aynada beliren kehanetlerin bir bir gerçekleşmesine ne diyeceksin?"

– "Söylediklerimin doğru olduğuna inan. Sözünü ettiğim bu düzenek, padişahınıza derviş kılığındaki bir casus tarafından Kehanet Aynası adı altında verildiğinde, onun kırk yıl sonra çalışmaya başlayacağı da biliniyordu. Hatta ne zaman, neyin, nasıl yapılacağı konusunda bir takvim bile hazırlanmıştı. Aynanın hediye edilmesinden kırk yıl sonra, yani bugünden altı yıl önce ilk kehanet belirdiği zaman adamlarımız Galata'nın arka tarafında dört fıçı dolusu kırmızı tozu yakacaklardı. Takvimde bunun yılı, günü, hatta saati bile yazılıydı. Her şey o kadar kesin ve dakikti ki, kırk yılın geçmesini sabırla bekleyen teşkilatımız sonunda harekete geçti ve kehanetlerin hepsinin sözümona gerçekleşmesini sağladı. Ertesi yılki kehanet "Nemçe veliahdının öldürüleceği" idi. Elbette, aslında çocuk öldürülmedi, sadece göstermelik bir cenaze töreni düzenlendi. Diğer kehanetler de aynı şekilde gerçekleştirildi: Adamlarımız Anadolu'da isyan çıkarmayı başardı, Lehler'le yaptığımız bir savaşta mümkün olduğu kadar az bir kayıpla yenilip verimsiz toprakların bir bölümünü onlara bıraktık ve Tebriz'de yangın çıkardık. Bütün bunlar sizin, sonuncu kehanete, yani Mehdî'nin geleceğine inanmanız içindi. Kehanetlerin hepsi doğru çıktığına göre buna da inanmanız gerekiyordu. Buna göre, müminlerin kurtarıcısı olan Mehdî'yi hevesle ve umutla karşılamanız bekleniyordu. "Tasarı"nın tek amacı da buydu: Padişahınızın, batı kapısından kente girecek olan Mehdî'nin elini öpüp tahtını ona bırakması ve aslında bir Nemçe casusu olan bu kurtarıcının ülkenizi yönetmesi. Bana bu yüzden krallar gibi karşılanacağım ve hiçbir zahmet çekmeyeceğim söylenmişti. Ama dedikleri gibi çıkmadı. Sonunda beni yakaladınız. Fakat neden hem Mehdî olduğuma inanıp, hem de bana işkence yapmak istiyorsunuz? Sizler kimsiniz?"

– "Sus! Senin Mehdî olduğunu biliyorum! Bu masalları anlatıp beni güya aklınla altetmeye çalışıyorsun. Oysa ben senden daha akıllıyım. Sen Mehdî'sin, bunu adım gibi biliyorum. Ooo! Bakıyorum yanaklarına kan gelmiş. Gücün yerine geliyor anlaşılan. Şurada, mangalın başında duran adamı görüyor musun? Onun adı Hattakay'dır. Yedi iklimin en namlı işkencecisidir. Korların üzerinde, az sonra senin tenine değecek olan demir çubukları kızdırıyor. Beni kandıracağını sandın ama işkence şimdi başlayacak. Hattakay!"

Duvardan, hücredeki konuşmaları dinleyen Bünyamin Ebrehe'nin Hattakay'a Arapça bir şeyler söylediğini işitti. Belli ki ondan işkenceye başamasını istiyordu. Ama bu arada beklenmedik bir şey oldu. Bünyamin, Hattakay'ın sesini tanımıştı.

Hattakay:

– "Saatim durmuş ey Büyük Efendi. Seninki mutlaka çalışıyordur. Söyle bana, tam olarak saat kaç? Sabah oldu mu?"

Ebrehe:

– "Gün neredeyse doğacak, ama hani sen Arapça'dan başka dil bilmiyordun? Bizim dilimizi nereden öğrendin? Ne o! Yüzün de bir tuhaf olmuş senin. Yoksa cüzzamlı mısın?"

– "Cüzzamlı değilim ey Büyük Efendi. Mangaldaki korların sıcaklığı yüzümdeki balmumunu eritti. Benim de hoşlandığım bir şey değil bu".

– "Sen Hattakay değilsin! Hattakay nerede? Kimsin sen?"

– "Hattakay dün geceden beri, ayağına bir taş bağlı olduğu halde Sarayburnu açıklarında balıklarla birlikte uyuyor. Benim kim olduğuma gelince. Ben, vaktiyle Bağdat paşasının oğlunun, âşık olduğu dilbere benzeterek kaçırdığı o ünlü hırsızım. Ama dur! Önce şu hücre kapısını kilitleyeyim de adamların başıma bela olmasın".

– "Ne yapıyorsun? Zülfiyar! Zülfiyar! Yetişin!"

– "Boş yere bağırıp durma. Artık seni kimse kurtaramaz ey Büyük Efendi. Bu arada, ters bir şey yapmaya da kalkma. Çünkü gözlerim iyi görmez ama, bu mesafeden de pistolle hedefi ıskalamam doğrusu".

Bünyamin, Hattakay olduğunu ileri süren kişinin son sözlerini işitemedi. Çünkü Ebrehe'nin feryatlarını duyan Zülfiyar ve adamları bağırıp çağırarak kapıya gelmişler ve kırmaya çalışıyorlardı. Buna rağmen Büyük Efendi'nin öfke ve korku dolu çığlıklarını işitmek mümkündü:

– "Tanıdım seni, namussuz sefil! Pis dilenci! Domuz eti yiyen kara köpek!"

Bünyamin olanları görmek için odasından çıktığında kendini bir kargaşanın ortasında buldu. Zülfiyar ve adamları kapıyı kırmak için vargüçleriyle çalışıyorlardı. Adamın biri, büyük bir düşüncesizlikle demir kilide pistolle ateş etti. Böylece kapıyı açacağını sanmıştı. Ama kurşun, kilidi artık maymuncukla bile açılamayacak duruma getirince hatasını anladı. Bu yüzden dakikalar boyunca, kapıyı kırabilecekleri bir kütük aradılar, ama bulamadılar. Sonunda Zülfiyar, gemilerde kullanılan türden bir güverte topunun getirilmesini emretti. Kapıyı bu küçük topla kıracaklardı. Gel gör ki, namluyu doldurmakla meşgul oldukları sırada teşkilatın girişinde bir velvele koptu: O anda giriş kapısında bulunan adamların okkalı küfürleri, şiddetli şaplaklarla ansızın kesiliyor ve acı feryatlarına karışıyordu. Bünyamin, diğerleriyle birlikte sofaya koşup baktığında, kıraathaneden teşkilatın girişine uzanan geçidin dar kapısındaki şişman kadını hemen tanıyıverdi. İri memeleri, koca göbeği ve büyük sağrılarıyla bir devanasını andıran bu kadının adı Binbereket'ti. Tam yedi sırnaşık çocuğu anaları pozunda dilendiren ve Hınzıryedi'nin bile çekindiği bu kadın, koskoca kalçaları nedeniyle dehlizin dar kapısına sıkışmış, üzerine gelen adamların suratına ardı arkası kesilmez şaplaklar atarak hepsini yere yıkıyordu. Gelen seslerden, sıkışan kadının arkasında başkalarının da olduğu belliydi. Bu kişiler, insanın kanını donduracak kadar ağır ve katmerli zılgıt çekip hasımlarını yere yıkan Binbereket'i arkadan ittirerek yolu açmaya çalışıyorlardı.

Teşkilatın adamları yatağanlarına davranır davranmaz Binbereket'in arkasındakiler kadını yerinden oynatıp yolu açmayı başardılar. O anda teşkilatın içi sayısız dilenci çocukla doluverdi. Tabiatları itibariyle tarife gelmeyecek kadar sırnaşık, tuttuğunu koparacak kadar azılı, çamsakızı kadar yapışkan ve cıva kadar çevik olan bu çocuklar, salyaları ve sümükleri aktığı halde, Zülfiyar ve adamlarının tepesine çıkıverdiler. Geçitten yetişkin dilenciler de çıkmaya başladığında, çocukların öncü oldukları anlaşıldı. İçerideki adamların çoğu, daha kılınçlarını indirmeye fırsat bulamadan, sırtlarına binen, boyunlarına asılan, omuzlarına çıkan, kollarına tutunan, kulaklarını ısıran hadsiz hesapsız dilenci çocuk nedeniyle alaşağı oldular. Üstelik, çocuklar baldırlarına, kollarına, burunlarına ve kulaklarına dişlerini geçirdiği için ızdırapla feryad eden bu adamlar, bir yandan da yetişkin dilencilerden sopayı yiyorlardı. Ne var ki Zülfiyar dayanıklı çıktı ve silkelenip tepesindeki çocukları sağa sola fırlatır fırlatmaz altı namlulu pistolünü çekti. Fakat bu da boş bir çabaydı. Üzerine yine bir anda tırmanan onlarca çocuk baldırına, kıçına, pazularına, boynuna ve kulaklarına dişlerini geçirir geçirmez acıyla bağırdı ve yere yıkıldı. Nihayet teşkilatın adamları yerde, dilenci çocukların ayakları altında sımsıkı bağlanmış olarak yatıyordu. Bu, inanıl-

maz bir olaydı. Teşkilat hasımlarını küçümsemenin cezası-
nı böyle ödemişti.

Gürültü yatışır yatışmaz, çok zaman önce kadın kılığına
girdiği için Bağdat paşasının oğlu tarafından kaçırılan hır-
sızın sesi duyuldu. Dilenciler, kethüdaları Hınzıryedi'nin
sesini hemen tanıyıp hücrenin kapısı önünde toplandılar.
Hattakay'ın kılığına giren bu adam, pistol kurşunuyla ha-
rap olan kilit nedeniyle kapıyı içeriden açamıyor, dilencilere
kendisini kurtarmalarını emrediyordu. Bu iş için önce topu
kullanmayı denediyseler de ateşlemeyi bir türlü başaramadı-
lar. Böylece, levyelerle menteşeleri sökmeye karar verdiler.
Sonunda kapı açıldı ve cellat kılığındaki Hınzıryedi, Büyük
Efendi'yi tartaklaya tartaklaya içeriden çıkardı. Kendisine
eziyet edileceğinden korkan Nemçe casusu zavallı Franz'ın
ise ödü patlamış, adamcağız ruhunu oracıkta teslim etmişti.
Dilenciler sevinç içindeydi. Kethüdaları onlara,

– "Sağolun varolun!" dedi, "Tam zamanında geldiniz. Fa-
kat bana bu saati veren adamın kafasını kırmazsam bana da
Hınzıryedi demesinler. Çünkü tam geceyarısı bozuldu. Ney-
se ki Büyük Efendi'nin saati varmış. Aksi takdirde dünya
dursa kararlaştırdığımız vakti kestiremezdim. Haydi! Şimdi
yağma zamanı! Burada ne varsa hepsi sizin! İstediğinizi ya-
pın. Nasıl olsa dışarıdan sizi duyamazlar".

Dilenciler, kethüdalarının sözlerini işitir işitmez sevinç
çığlıkları atarak dört bir yana saldırdılar ve bütün kilitli ka-
pıları kırarak ne var ne yoksa talan etmeye başladılar. Kapı-
nın biri kırıldığı anda içerideki hayvan ürkerek dışarı fırla-
yınca bazıları şaşırdı. Çünkü sakallı bir maymundu bu. Sağ-
da solda bir süre koşturduktan sonra, Bünyamin'i görüp
doğruca onun kollarına atıldı. Bu hayvan, Bünyamin'in may-
munu Müşteri'ydi. Hınzıryedi, delikanlıya dönerek,

– "Gör işte delikanlı" dedi, "Dünyada neler oluyor. Hın-
zıryedi'yi küçümsemekle nasıl da büyük bir hata yaptılar.

Oysa ben aylardır onları izliyordum. Sabrettim, bekledim ve faka bastırdım. Şu, senin Büyük Efendi'ne de bana yaptıklarını ödeteceğim. Bu arada sen de kurtulduğunu sanma. Çünkü artık senin de onlardan olduğunu düşünüyorum. Eğer onlardan yana olmasaydın, şu geçen uzun sürede, sana onca yardımı dokunan Hınzıryedi'yi arayıp bir hatırını sorardın. İşret âlemlerine katıldığından falan haberim olmadığını sanma. Ama dua et ki, ben temkinli, düşünceli, anlayışlı bir insanım. Bu yüzden seni, hemen şuracıkta öldürecek değilim. Ama diğer arkadaşlarının taş çatlasa yarım saat ömürleri kaldı. Hele şu Ebrehe. Bakalım son sözleri ne olacak."

Hınzıryedi dilencilere, halatla sımsıkı bağlanan Ebrehe'yi huzuruna getirmelerini buyurdu. Büyük Efendi gerçekten de acınacak bir haldeydi. Dilenciler kethüdası ona dönüp,

– "Görüyorsun işte Büyük Efendi" dedi, "Artık senin efendin benim. Hayatın iki dudağım arasında. Ha! Biliyor musun? Şu senin kırmızı haplarını da iki haftadır almıyorum. Bu günahkâr kulun kendi canına kıymak istemişti ve senin haplarını almaktan bu yüzden vazgeçti. Ama artık ne iştir, ne hikmettir bilinmez, ne ertesi günü ne de daha sonraki günler zavallı ruhunu bir türlü teslim edemedi gitti. Belki de ölmüştü de, intikali geç olduğu için henüz idrak edemedi. Şimdi söyle bana. Yoksa beni yıllarca kandırdın mı?"

Hınzıryedi sesindeki alaycı tonu değiştirip dişlerinin arasından,

– "Beni kandırdın deyyus!" diye bağırdı, "Yıllardır hayatı bana zehir ettin ve beni kendi günah dolu işlerine alet ettin. Bana 'sefil' dedin ve beni yaşamaktan bezdirdin. Şimdi başına neler geleceğini biliyorsun, değil mi? Bununla birlikte son bir arzun varsa seni kıracak değilim. Var mı?"

Her şeyin bittiğini anlayan Ebrehe, Hınzıryedi'nin kendisini boğmak için üstüste düğüm attığı sicime bakarak, fısıltıyla şunları dedi:

– "Evet var. Bünyamin'le tek başıma konuşmak istiyorum".

Tam bu sırada dilencinin biri sofaya dalıverdi. Kuşağından, ceplerinden, çıkınından ve yenlerinden sağa sola altınlar, akçeler ve filuriler saçılıyordu.

– "Ey ahali!" diye haykırdı, "Gelin! Gelin! Sevabına söylüyorum. Burada para dolu bir oda var. Gelin, çıkınlarınızı doldurun ve hayırduanızı üzerimden eksik etmeyin. Çünkü ben bulduğum için paraların hepsi benim sayılır. Ama onların hepsini sizlere başımın gözümün sadakası olarak veriyorum".

Dilenciler para dolu odaya cümbür cemaat hücum ederlerken Hınzıryedi, Ebrehe'yi boğmaya hazırlandığı kemendi duvardaki çiviye astıktan sonra, "Son isteğini yerine getiriyorum. Delikanlıyla ne konuşacaksan konuş. Ama döner dönmez seni kendi ellerimle öldüreceğim" dedi ve paraları yağma eden dilencilerin arasına karıştı.

Sofada Bünyamin'le başbaşa kalan Ebrehe ona şunları söyledi:

– "Yolun sonu göründü sevgili Bünyamin. Benimle birlikte büyük bir bilgi kaynağı da yok olacak diye çok üzülüyorum. Kastettiğim şey, teşkilatın yıllardır biriktirdiği bilgiler. Uzak ülkelerdeki casuslar merkezden haber alamayacakları için artık dağılıp gidecekler. Hazine odasındaki paraları yağma eden şu zavallılara bak. Eğer kitaplıktaki ciltler dolusu bilgiyi kullanabilecek durumda olsalar, talan ettikleri paranın on katını, belki de yüz katını elde edebileceklerini bilmiyorlar. Teşkilattaki altın ve gümüşten yapılma her şeyi yağmaladıktan sonra burayı ateşe vereceklerini de biliyorum. Koskoca bir beyin böylece yok olacak. Ben ise bir günahkâr olarak ölmüş olacağım. Eğer varsa, ötedünyada bir tek şey hissedeceğime eminim: Utanç. Belki de yıllardır, Kıyametten değil, bu duygudan kaçıyordum. Sana gelince Bünyamin, senin Uzun İhsan Efendi'nin oğlu olduğunu ta baştan beri bildiğimden eminsindir muhakkak. Aradığım kişinin sen olduğunu, daha benim hayatımı kurtardığın gün anlamıştım. 'Para' sendeydi, koynunda sakladığın o garip kitabın arasında. Şaşırma! Bundan da haberim var. Sen geceleri uyurken odana girdiğimde farkettim. Evet, odana da girdim. Uyanmana imkân yoktu. Çünkü içtiğin kahvelerde sana derin bir uyku verecek eczalar vardı. Uyurken seni uzun uzun seyrettim. Yüzünün asıl halini düşledim. Babana benziyordun.

Sana karşı hissettiklerimi anlatmama imkan yok. Bir duygu, anlaşılamıyorsa, duygu değildir zaten. Seni ta baştan öldürebilir ve 'parayı' alabilirdim. Ama bunu yapmak istemedim. Çünkü nasıl olsa elimdeydin ve benim için neredeyse o para kadar değerliydin. Sanki kasıtlı olarak karşıma çıkarılmıştın. Bu yüzden seni yakından incelemek istedim. Böylece güçsüzlüğün ve silikliğin ne olduğunu öğrenme fırsatı buldum. Aynı zamanda gücün ve her türlü iktidar tutkusunun da ne kadar büyük bir erdemsizlik olduğunu da bu sayede gördüm. Hayatta kalabilmek için bizler kadar çaba göstermiyordun. Yokedilmeye belki çoktan razıydın. Senin amacın varlığını sürdürmek değil de sanki bambaşka bir şeydi. Sen bir şahittin. Evet, artık bundan eminim. Kesinlikle bir kahraman değildin. O küstahça sözlerini de sanki biri kulağına fısıldıyor ve benimle adeta alay ediyordu. Sanki benim, onların ve herkesin başına gelen bütün şeyler senin görmen, öğrenmen içindi. Güçsüz biri olan sen, her çeşit iktidarın sahibi olan benim üzerimdeydin. Çünkü olaylara müdahale etmeden hepimizi gören, seyreden sendin. Seni ezdiğimizde ağlıyordun. Güçsüzlük belirtisi olarak yorumlanabilen bu şey aslında senin yaşamındı. Oysa biz taşlar kadar güçlü, bir o kadar da cansızdık.

Gücün kendisinin ölüm olduğunu da senden böylece öğrendim. Çünkü seni seyrettim. Ah! Keşke dünyayı da senin gibi seyredip, senin ona baktığın gibi bakabilseydim! Oysa ben ona bir güç malzemesi olarak bakıp onda kendi karanlığımı gördüm. Hayatım boyunca görebildiğim en iyi, en güzel şey sendin Bünyamin. Sana çok şeyler söylemek isterdim. Ama dakikalarım sayılı. Bu yüzden benim için son bir şey yapmanı rica ediyorum. O 'parayı' ben öldükten sonra ağzıma koy ve çenemi bağla. Çünkü onun, hiç kimsenin eline geçmesini istemiyorum. Hoşçakal! Hoşçakal Bünyamin!"

Ebrehe son sözlerini sesini alçaltarak ve aceleyle söylemişti. Çünkü Hınzıryedi, bulduğu onca paradan adeta sarhoş olmuş, külhani bir ağızla açık saçık bir şarkı söyleyerek onlara doğru geliyor, bir yandan da, kuşağına ve koynuna doldurduğu filurileri neşesinden sağa sola saçıyordu. Şarkısına devam ederek duvara astığı ipi aldı ve cebinden çıkardığı sabunla sıvadı. Bu işi güya özenle yapıp elinden geldiğince sürüncemede bırakarak, yıllardır beklediği bu zevkli anları mümkün olduğu kadar uzatmak istediği her halinden belliydi. Sonunda, bir ucunu duvara bağladığı ipi ansızın Ebrehe'nin boynuna dolayarak germeye başladı. Bu esnada bütün gücünü harcadığı için boynundaki damarlar şişmesine rağmen o külhani şarkıyı söylemeye devam ediyordu. Büyük Efendi'nin dili hemen dışarı fırladı. Yüzü mosmordu ve gözleri yuvalarından uğramıştı. Hınzıryedi ipi bir an için salıverip hemen ardından gerer germez Ebrehe'nin kafası yana düştü. Boynu kırılmıştı. Eğer ip bu kadar hızlı gerilmeseydi ölümü daha uzun sürebilir, dilenciler kethüdası da bundan daha çok hoşnut olabilirdi.

İşini bitirdiğinde Hınzıryedi nefes nefese kalmıştı. Cesede tükürdükten sonra dilencilere,

– "Haydi bakalım! Toplanın, gidiyoruz" diye bağırdı, "Paraların hepsini çuvallara doldurun. Metelik kalmasın. Değerli olan ne varsa alın. Yok! Yok! En iyisi ateşe verin. Adamları da ister öldürün, ister bırakın da diri diri yansınlar. Bu duvarlar ateşe dayanıklı. O yüzden yangın dışarı sıçrar da başımız derde girer diye korkmayın. Ebrehe'nin cesedini çuvala koyun. Onu götürüp loncaya gömeceğiz. Her gece mezarı başında içki içip domuz eti yiyeceğim. Davranın! Çabuk olun! Kapıdan teker teker çıkacağız. En son Binbereket çıkacak. Yangını başlatmak da onun görevi".

Bu sözlerinden sonra Hınzıryedi, Bünyamin'in koluna yapışıp onu çıkış kapısına doğru sürüklemeye başladı. Geçitten doğruca kıraathaneye çıktıklarında katil suratlı kahveci yerinde yoktu. Tezgâha, Hınzıryedi'nin sağkolu olan Alemsattı bakıyor, çocuğun biri ise elindeki bezle, kahvecinin kanını yerden temizliyordu. İki dilenci ise, herkes çıktıktan sonra örülecek olan gizli geçit kapısı için dışarıda harç hazırlıyorlardı. Kıraathaneden çıktıklarında sabah ezanları çoktan okunmuştu. Arkadaki iki dilenci, içinde Ebrehe'nin cesedi bulunan çuvalı güçlükle taşırken Hınzıryedi delikanlının gömleğine yapışıp onu loncaya doğru sürüklüyor, yolda karşılaştıkları insanların garipseyen bakışlarını hissedince de gülümsemeye çalışarak, "Kölemdir kendisi. Haydi işinize!" diye bağırıyordu.

Lonca binasına yağmur başladığı sırada girmişlerdi. Para çuvalları daha yoldaydı. Hınzıryedi içeri girer girmez kendisine derhal bir yorgunluk kahvesi hazırlanmasını ve Ebrehe'nin cenazesi için su ısıtılıp mezar kazılmasını buyurdu. Yemek kazanlarından birinde cenazenin yıkanacağı su ısıtılırken dilencilerin kethüdası kahvesini içti. Bu sırada diğerleri de sökün etmeye başladılar. Gelen para çuvallarının ardı arkası kesilmiyordu. Son gelen dilenci, teşkilatta yangın çıkarıldıktan sonra Binbereket'in dehlizin kapısını sıkıştığı için kaçamadığını ve diri diri yandığını söyledikten sonra, gözlerde o ana dek kaybolmayan ışıltı sönüverdi. Fakat bu üzüntü çok uzun sürmedi. Çünkü para çuvalları açılıp sayılmayı bekliyordu. Bu yüzden, dilencilerin bazıları önce Ebrehe'nin mezarını kazmak istemişlerdi. Oysa cesedi yıkamak için gerekli olan su çoktan ısınmıştı. Hınzıryedi, cesedin bulunduğu çuvalın bağını çözdükten sonra Bünyamin'e,

– "Ölüyü sen yıkayacaksın" dedi, "Ne de olsa onun hayatını kurtarmıştın. Bu yüzden tek yakını sensin".

Ceset, fetih öncesi Rum dilencilerinin vaktiyle, sadaka arttırmak için üzerinde bilinmeyen bir Tanrı'ya kurban sundukları bir taşa yatırılmıştı. İki paravana getirilip ceset gözlerden saklandı ve göbeğinin üzerine bir sabunla bir bıçak kondu. Bir kazan sıcak suyla kefenlik bez de getirildikten sonra, Bünyamin cesetle başbaşa kaldı.

Delikanlı nereden başlayacağını bilemiyordu. Aksi gibi, gömleğinin içine sinen maymun da ikide bir kıpırdayarak hareketlerini kısıtlıyordu. Bünyamin, bu yüzden Ebrehe'nin elbiselerini çıkarırken bir hayli zahmet çekti. Büyük Efendi'nin sarığı, Hınzıryedi ipe asıldığı an düşmüştü. Saçları traşsızdı ve töre gereği bir tepe kâkülü bile bırakmamıştı. Bütün kanı çekilmiş, zaten saydam olan teni böylece adeta camlaşmıştı; öyle ki, elinin incecik derisi altında neredeyse kemiklerini görmek bile mümkündü. Bünyamin, cesedin üzerindeki elbiseleri çıkarmaya devam ederken Ebrehe'nin başının, boyun kemiğinin kırılmasının bir sonucu olarak olağandışı bir şekilde arkaya oynamasının karşısında adamakıllı ürktü. İlk kez bir cesede dokunuyordu. Hele hele uçkuru çözüp donu çıkarınca taş kesildi. Cesedin apış arasında bir zıbık vardı ve meşin bağlarla kalçalara tutturulmuştu.

Bünyamin birkaç tas su döktükten sonra koynundaki *parayı* çıkardı ve Ebrehe'nin ağzına, dilinin üstüne yerleştirdi. Bu haliyle çenesini bağladıktan sonra cesedi kefenledi ve bağlarını düğümledi. Büyük Efendi artık defnedilmeye hazırdı.

Akşama doğru yağmur şiddetini arttırdığı sıralarda, ceset, lonca binasının tam ortasına kazılan çukura gömüldü. Mezar doldurulduktan sonra, üstüne döşeme taşları tekrar itinayla yerleştirildi. Hınzıryedi bu manzarayı keyifle seyrediyordu ve az sonra keyfi elbette daha da artacaktı. Çünkü mezarın tam üstünde bir ziyafet sofrası tertip edilmesi için gereken emirleri çoktan vermişti. Gerçekten de, lonca içinde koyunlar boğazlanıp tavuklar yolunuyor, tencereler ocakların üzerinde kaynıyor, teşkilatta bulunan hadsiz hesapsız parayla alınan tepsi tepsi baklavalar sinilere yerleştiriliyordu. Dışarıda şimşekler çakıp gök gürülderken, koyunlar kızarmaya başlamış, kazanlar dolusu hoşaf çoktan kıvama gelmişti. Bazı dilenciler dört kova dolusu kaymak ve üç çanak bal getirince çocukların neşesi doruğa çıktı. Kasideciler hüzünlü şarkılarından o günlük vazgeçip, oyun havası çalmaya başlayan mutriplere eşlik ettiler. Hasta gibi görünsün diye afyonla uyuşturulan çocuklar bile gözlerini açıp kızarmış tavukları, baklavaları ve lezzetli tencere yemeklerini süzerek sofraya buyur edilmeyi beklemeye başladılar. Hele hele Hınzıryedi, teşkilatta bulduğu işaret fişeğini lonca binası içinde ateşleyip kubbeyi kırmızı kıvılcımlarla süsleyince, neşe doruğuna vardı. Gelgelelim, tam da şimşek çakıp ardından gök gürüldediği anda dilencinin biri korkuyla bağırdı:

– "Dertli burada! Aramızda!"

Gerçekten de Dertli, binayı örten kubbenin sütunlarından birini kendine siper etmiş, onları gözlüyordu. Gökyüzünün yıldırımlarını üzerine çeken bu tehlikeli adamı görür görmez dilenciler feryat etmeye başladılar:

– "Binaya yıldırım düşürecek bu uğursuz! Kovun!"

– "Belini kırıverin! Öldürün!"

– "Taşa tutun! Öldürün!"

– "Dikkat edin! Pistolü var!"

Taş ve sopalarla Dertli'nin üzerine yürüyen kalabalık, silahı görünce duruverdi. Hele hele adamın kuşağındaki ikinci pistolü farkettiklerinde ne yapacaklarını şaşırdılar. Ama Hınzıryedi öne atılarak bağırdı:

– "Behey teres! Ne cesaretle buraya geldin? Yoksa tepemize yıldırım düşürmeye andın mı var? Buraya adım atar atmaz seni öldüreceğimi söylemedim mi? Artık sana çık git demeye de gerek yok. Şimdi görürsün sen!"

Hınzıryedi eğilip, Ebrehe'nin cesedinin yıkandığı taşı siper alarak kuşağından pistolünü çekti ve Dertli'ye ateş etti. Binanın kubbesi silah sesiyle yankılandı. Fakat hedefi ıska geçmişti. Dertli, elinde pistolle onun bulunduğu yere yaklaşırken Hınzıryedi dilencilere bağırdı:

– "Pîr aşkına! Kethüdanızı öldürmeye geliyorlar! yardım edin!"

Ancak binanın pencereleri, çok yakına düşen bir yıldırımla aydınlanır aydınlanmaz dilenciler dehşete düştü. Belli ki, gökkubbe de Hınzıryedi'nin pistolü gibi asıl hedefini ıskalamış, böylece ucuz kurtulmuşlardı. Şimşeğin ardından gök şiddetle gümbürderken dilencilerin cesareti iyice kırıldı. Bundan sonraki şimşek muhakkak ki loncanın tepesine düşecekti. Kapıdan, önce en korkak olanlar kaçtı ve çok geçmeden en cesurlar da onlara uyup bu tehlikeli mekânı koşaradım terkettiler. Ama Hınzıryedi taşın ardından çıkıp kapıya koşamıyordu. Bu yüzden Dertli'ye yalvarmaya başladı. Fakat beriki ona cevap bile vermiyordu. Gelgelelim pistolünü indirmiş, sanki gitmesi için ona izin verir gibi olmuştu. Hınzıryedi onu ikna ettiğini sanıp büyük bir temkinsizlikle yerinden doğrularak kapıya doğru koşmaya başlayınca silah patladı. Dilenciler kethüdası bacağından vurulmuştu.

Dışarıda dilenciler şiddetli sağanağın altında, "Bakalım loncaya gerçekten yıldırım düşecek mi?" diye beklerlerken binada üç kişi kalmıştı. Hınzıryedi acıyla kıvranırken Dertli, Bünyamin'e,

– "Bana yapılan iyilikleri unutmam" diye fısıldadı, "Artık buradan rahatça gidebilirsin. Ama acele et. Şurada küçük bir kapı var. Oradan çıkarsan seni kimse farkedemez. Kapıda bir kilit göreceksin. Asıldığında kolayca açılır. Haydi! Şansın açık olsun".

Bünyamin kapının kilidini gerçekten de kolayca açtı. Artık özgürdü. Şiddetli yağmur altında Divanyolu'na doğru koşarken arkasına baktı. Karanlık gecede, kesif sağanak altında lonca binası seçilemiyordu. Fakat ansızın çakan bir şimşek her şeyi aydınlattı. Yıldırım binaya isabet etmişti. Çok kısa bir süre sonra duyulan gökgürültüsü dilencilerin çığlıklarını bastırdığında, lonca artık alevler içindeydi.

Karanlık

Fî tarihinde Anadolu'nun kasabalarından birinde hayalci ve dalgın bir tüccar yaşıyordu. O kadar dalgın, o kadar hülyalıydı ki, sık sık borçlarının ve alacaklarının vadesini unutur, hasılatını genellikle yanlış sayar ve defteri kebirinde küçüklü büyüklü hatalar yapardı. Bu nedenle sermayesi giderek eridi, ama o, hayal kurmaktan bir türlü vazgeçmedi. Meslektaşları gibi tuttuğunu koparamadığı, sinekten yağ çıkarmadığı ve çalışıp didinmediği için yorulmuyordu. Gecelerden bir gece, günün yorgunluğunu atmak için değil de, sadece düş görmek için yatağına uzandı ve düşünde kendisini bir evin penceresinin önünde buldu. Bu pencereden içeri baktığında, beşiği andıran bir yatakta horul horul uyuyan biriyle, onun başucuna oturup, elinde kalem, defterine yazılar yazan bir adamı gördü. Boyu uzun, gözleri çekik ve elmacık kemikleri çıkık olan bu adam ara sıra elinden kalemi bırakıp uyuyan adamın üstünü örtüyor, uyanacak gibi oldu mu pışpışlıyordu. Fakat neden sonra birdenbire arkasını döndü ve pencereden içeriyi izleyen tüccarla gözgöze geliverdi. Yüzünde, şaşkınlıkla kızgınlık arası bir ifade vardı. Bu esnada düş kesildi ve tüccar uyanıverdi. O gün ticarethanesine gitmeyip saatler boyunca rüya tabirleri kitaplarını karıştırdı. Gelgelelim hayra ya da şerre yoracak bir alamete rastlayamayınca düşünün devamını görebilmek umuduyla ertesi gece yine yatağına uzandı. Çok geçmeden dalınca, düşünde kendisini yine o pencerenin önünde buldu. Uzun boylu adam hâlâ defterini karalıyor, diğeri ise döşeğinde uyumaya devam edip düşler görüyordu. Tüccar, bu manzarayı merakla seyrederken uzun boylu adam yine arkasını dönüp baktığında gözetlendiğini anladı ve hışımla yerinden doğrulup pencereye ilerleyerek perdeyi tüccarın yüzüne kapatıverdi. Düşü böylece kesilen tüccar uyandığında doğruca rüya tabiri kitaplarına koştu. Sayfaları karıştırmasına rağmen yine bir şey bulamadı ve umudunu üçüncü geceye bağladı. Akşamı iple çekip yatsıdan sonra döşeğine uzanarak dalıp gitmeyi bekledi. Çok geçmeden derin bir uykuya daldığında düşünde kendisini yine aynı pencerenin önünde gördü. Perde kapalıydı. Bu nedenle tüccar içeriyi görmek için perdeyi aralamaya yeltenmek zorunda kaldı. Ama bunun bir tuzak olduğunu elbette bilemezdi. Çünkü bu işi yapar yapmaz uzun boylu adamla burun buruna gelmişti. Diğeri ise, içeride hâlâ uyuyordu. Uzun boylu adam tüccara, uyuyan kişiyi uyandırmamak için fısıldayarak,

– "Behey teres!" dedi, "Üç gündür pencereden içeriyi gözetliyorsun! Senin yüzünden defteri kalemi bırakıp işimi erteledim. Ne merak bu sendeki! Şimdi söyle bakalım. Merakın yüzünden onu bunu rahatsız ettiğin için sana nasıl bir ceza vereyim?"

Tüccar ezilip büzülerek,

– "Affet beni ey uzun adam" dedi, "Üç gündür gelip bu pencereden seni gözetliyorum. Çünkü ne yaptığını merak ediyorum. Eğer öğrenirsem, gördüklerimin hayır mı şer mi olduğunu anlayabileceğim. Bu yüzden bana burada ne işler çevirdiğini anlat. Sonra bana istediğin cezayı verebilirsin".

Uzun boylu adam anlatmaya başladı:

– "Şu döşekte uyuyan adamı görüyor musun? İşte onu ben düşledim. Bu adam uyuyor ve birtakım düşler görüyor. Ben de onun gördüğü düşleri deftere bir bir yazıyorum".

Tüccar, şaşkınlıktan ağzı bir karış açılarak,

– "Peki düşünde ne görüyor?" diye sordu.

Adam ise, işi yarım kaldığı için sabırsızlanarak, biraz da yarım ağızla cevap verdi:

– "Seni, diğerlerini ve sizlerin yaşadığınız dünyayı görüyor. Hem sen ne kadar meraklısın böyle! Anlaşılan yakamı kolay kolay bırakmayacaksın. Bu kadar meraklı olduğuna göre şimdi seni maymun yapayım mı? Ha! Söyle!"

Tüccar korkuyla,

– "Yok! Yok! Hayır, yapma. Yeminler olsun bir daha gelmem!" diye bağırdı.

Adam endişe ve kızgınlıkla dişlerinin arasından,

– "Sus! Bağırma!" diye fısıldadı, "Onu uyandıracaksın. Burada ciddi işler yapılıyor. Sana gelince. Seni maymun yapmayacağım. Ama beni bir daha rahatsız etmeni de istemem doğrusu. Bu yüzden artık ömrü billah uyumayacaksın. Böylece düş falan da görmeyeceksin".

Düş biter bitmez tüccar uyanıverdi ve hemen rüya tabiri kitaplarını açtı. Fakat bu konuda makul bir yoruma rastlayamadı. Bütün umudu, gece olup uyuyunca göreceği düşteydi. Yatsıyı iple çekti ve döşeğine uzandı. Ne var ki vakit geceyarısını geçmesine rağmen gözüne hâlâ uyku girmemişti. Sabah olunca, bütün gece uyumamasına karşın kendini dinç hissediyordu. Uykusuzluğu ertesi gün ve daha sonraki günler de devam edince bir hekime gitme kararı aldı. Ne var ki, kendisine verilen uyku şurubundan ilk gece bir ve ikinci gece üç kaşık, sonraki gün de tam bir şişe içtiği halde fayda görmedi. Sonraları bu şurubu su niyetine içmeye ve gün boyunca afyon sakızı çiğnemesine rağmen esnemeyi bile başaramayınca, bir gezginin Mağrip'ten kavanoz içinde getirdiği çeçe sineğine iki altın verip hayvana kendini sokturttu. Hatta komşu tavsiyesi üzerine, yorganı döşeği sırtlayıp Yedi Uyurların mağarasına bile gitti. Fakat burada da uyku tutmayınca, şöhreti yedi iklim dört bucağa yayılmış, namı lakabı dilden dile dolaşan bir sihirbazın huzuruna vardı ve derdini ona anlattığında uyuyabilmesi için bir umut ışığının olduğunu anladı. Sihirbaz ona, bu fani dünyanın bir yerinde on yıllardır, belki de yüzyıllardır uyuyan biri olduğunu, eğer bu kişiyi bulup uyandırmayı başarabilirse uykusuzluk illetinin artık onun yakasını bırakacağını söylemişti.

Sihirbazın bu sözlerini işiten tüccar, yüreğinde bir umutla böylece ticarethanesini satıp üç deve alarak hayvanlara mürmür kuşu gübresi yükledi ve lale soğanlarını altı günde büyüten bu değerli maddeyi sata sata, diyar diyar dolaşmaya başladı. Geçtiği ülkeler ve kasabalarda ticaret yaparken, bir yandan da on yıllardır uyuyan adamı soruyor, aldığı cevaplara göre güzergâhını değiştiriyordu. Nihayet, Şam yakınlarında bir kasabaya geldiğinde köylünün biri ona, tam yedi yıldır uyuyan ve karısı tarafından köy köy dolaştırılıp meraklılarına üç mangır karşılığı teşhir edilen bir evliyadan bahsetti. Anlatıldığına göre karısı, uyuyan adam sayesinde hatırı sayılır bir servet biriktirmişti. Arzu edenler, bu mucizeyi kasaba dışında kurulan çadırda bizzat görebilirlerdi.

Tüccar sözü edilen yerdeki çadıra geldiğinde kendisini büyük bir kalabalığın içinde buldu. Bu kişiler yedi yıldır uyuyan mübarek evliyayı görmek için çadırın girişinde bir kuyruk oluşturmuşlardı. Sırası gelenler, yedişer yedişer olmak üzere evliyanın yaşlı karısına adambaşı üç akçe verip içeri giriyor, bu esnada iri kıyım bir zenci, gürültü etmesinler diye onlara nezaret ediyordu. Çünkü ezkaza, müşterilerden biri şaşkınlık nidası atıp evliyayı uyandırarak bir ekmek kapısını böylece kapatacak olursa, zencinin demir topuzu alimallah beynine inmek için hazır bekliyordu.

Sırası gelen tüccar içeri girip, kuştüyü şiltede uyuyan evliyayı görünce, aradığı adamın o olabileceğini düşündü ve yüreği umutla titredi. Böylece, evliyayı uyandırmak için bir yol aramaya çalıştı. Akşama kadar düşünüp sonunda bir çare buldu. O gece kasabanın meyhanesinde ağız arayarak yörenin en bağırgan horozunun hangi köyün kümesinde olduğunu öğrendikten sonra sabaha karşı yola çıktı. Gün ağarınca, sinirli ve sersem insanların yaşadığı bir köye geldi. Hepsi de uyku sersemi olan birtakım adamlar güçbela zaptettikleri bir horozu kesmek üzere bir kütüğe görürmeye çalışıyorlardı. Adamların sersemliği ise, yumurtadan çıktığından bu yana horozun çok erken ve berbat bir şekilde ötüp köyde uyku selamet bırakmamasından kaynaklanıyordu. Tam zamanında yetişen tüccar, köylülerin sersemliklerinden yararlanıp, yörenin en bağırgan horozunu yarım akçeye satın alarak kasabaya döndüğünde akşam olmak üzereydi. Gece yarısına kadar bekledikten sonra kasabadan çıkıp evliyanın uyuduğu çadıra gelen tüccar, ötmesin diye horozun gagasına bağladığı sicimi çözüp hayvanı çadırın üstüne koydu. Horoz, serbest kaldığını anlayınca, bir iki sıçrayışta çadırın orta direğinin tepesine atılıp tünedi.

Tüccar ise, yüreği heyecanla çarptığı halde çadırı görebileceği bir tepeye tırmanıp bir kayanın ardına sinerek kulaklarını balmumuyla tıkadı. Vakit geceyarısını çoktan geçmiş, sabaha az bir zaman kalmıştı. Derken, çadırın kurulduğu vadide tam bir sessizlik hüküm sürdüğü sırada, horoz öyle içler acısı, öyle berbat bir sesle öttü ki, çadırda hemen ışık yandı ve evliyanın karısı da, uyuyarak evini geçindiren erkeği uyanıp dirildi diye ağıt yakıp feryat etmeye başladı. Zenci ise, ekmek kapısı bellediği adamı yeniden uyutmak için pışpışlamayı bile denedi ama başarılı olamadı. Adam, gayet haklı olarak mükellef bir kahvaltı, özellikle sucuklu yumurta istiyordu. Ancak onun bu isteğine rağmen, hâlâ gözyaşı döken karısı, çadır direğine tüneyen horozu kesti ve onun suyuyla yaptığı pilavı uyku sersemi kocasına yedirdi.

Neşe içinde, güle oynaya kasabaya dönen tüccar, pazardan en yumuşak kuştüyü yastığı ve içine konan pamuk tam yetmiş kez atılmış yumuşacık bir şilte aldı. Yatsı namazını kıldıktan sonra kaldığı han odasına döndü ve yatağına uzanıp uykuyu beklemeye başladı. Gelgelelim ne o gece, ne de sonraki günler uyuyabildi. Sihirbazın kendisine kazık attığını düşünerek onu arayıp buldu ve olanları anlatıp parasını geri istedi.

Ne var ki sihirbaz parayı geri vermedi. Çünkü işin aslını bildiğini ileri sürüyordu: Ona göre tüccar yanlış kişiyi uyandırmıştı. Sözkonusu evliya yıllar önce bir kıza âşık olup onu babasından isteten bir talihsizdi. Kızın hain babası ise ondan, köylerinin doğusunda yükselen devasa dağı kazma kürekle yerle bir etmesini, böylece güneşi iki saat erken doğdurmasını istemiş, bunu yapmaz ya da yapamazsa evladını ona asla vermeyeceğini söylemişti. Sevgi ateşiyle tutuşan zavallı adam ise azmedip gece gündüz kazma sallayarak hain babanın isteğini yerine getirince muradına ermiş ama gerdeğe girer girmez yatakta yorgunluktan sızıp kalmıştı. İşte bu yüzden tam yedi yıldır uyuyordu.

Tüccar, bu olayın kulağına küpe olmasını söyleyen sihirbazın huzurundan bir hayli umutsuz ayrıldı ve develeriyle diyar diyar gezip yeri geldikçe onun ne kadar haklı olduğunu gördü. Gelip geçtiği yerlerde yedi, sekiz, hatta on beş yıldır uyuyan insanlara rastladı. Ama bunlardan hiçbiri aradığı adam değildi. Böylece aradan yıllar geçti ve tüccarın yolu günün birinde Kostantiniye'ye düştü. Develerini

Üsküdar'da bırakıp, simsarlara ondalık vermek istemediğinden, Tahtelkale'de bizzat satmak istediği mürmür gübresini bir tekneye yükledi ve böylece Bedesten yakınlarında bir hana yerleşti. Döşeğinde sağa sola dönüp bir türlü dalamayınca avluya indi ve burayı boydan boya çeviren saçağın altında, bir döşeğe kıvrılıp yatmış, horul horul uyuyan han bekçisini gördü. Adamı sabaha kadar gıbta ile seyretti. Güneş doğalı çok olmasına rağmen bekçi hâlâ uyanmayınca, mallarını katırlara yükleyip mezata doğru yola koyuldu. Mürmür gübresi değerinin tam üç katına satılıp keseler dolusu para ayakucuna akarken o hâlâ bekçiyi düşünüyordu. Akşama doğru pılıpırtısını toplamak üzere hana geldiğinde bekçiyi hâlâ uyur buldu ve kafasındaki soru büyüdü. Üsküdar'a geçip yeni malları yüklediği develerini dehler dehlemez bu sorunun cevabını bulur gibi oldu. Bununla birlikte, getirdiği malları Kostantiniye'den çok uzaklarda satarken kafasında henüz bir kesinlik yoktu.

Böylece yılda iki kez Kostantiniye'ye gelip, bekçinin hâlâ uyuyup uyumadığını denetlemeyi huy haline getirdi. Ne var ki bekçi, döşeğinde kıvrılmış bir durumda horul horul sürekli uyumakta oluyor, arada bir kalkıp su döktüğü bile vuku bulmuyordu. Çekingen tabiatlı olan tüccar, bu bekçiyi uyanıkken görüp görmedikleri konusunda han ahalisinin ağzını aramaya çalıştıysa da bundan bir sonuç alamadı. O güne kadar bekçiyi kimse önemsememişti ve bundan sonra da ona itibar edecekleri yok gibiydi. Böylece, zaten hülyalı ve mahcup bir zat olan tüccar gün be gün içine kapandı ve Kostantiniye'ye daha sık gelip gitmeye başladı. Bu arada serveti, artık her nasılsa, adamakıllı büyümüştü. Ama onun parada pulda gözü yoktu. O sadece bekçinin uyanacağı günü iple çekiyordu.

Böylece aradan yıllar geçtikten sonra tüccar Kostantiniye'ye bir kez daha geldi. Mallarını her zamanki gibi Eminönü'nde katırlara yükletti ve Divanyolu'na girdiğinde şiddetli bir sağanak başladı. Darphanenin önünden geçerken, binanın bodrum katındaki mazgallardan duman çıktığını gördü. İşin ilginç yanı, çevrede kabarık sayıda dilenci vardı. Yağmur adamakıllı şiddetlenince hana vardı. Yıllardır izlediği bekçi, saçağın altındaki şiltede hâlâ uyuyordu. Yüzünde bir umut ışığı beliren tüccar odasına çekilip yol yorgunluğunu biraz olsun atmak istedi. Vakit geçirmek için odadaki demir parmaklıklı pencereden, dışarıda çakan şimşekleri seyredip düşünmeye çalıştı. Fakat yıllardır aradığı sorunun cevabını bulamıyor, beklediği şimşek zihninde bir türlü çakmıyordu. O esnada gökyüzünden kopup gelen bir yıldırım, dilencilerin barındığı metruk bir kilisenin kubbesine isabet edince çıkan yangını uzun süre seyretti. Sağanağın azalıp çok geçmeden dinmesi yangının büyümesine sebep olmuştu. Ama kafasındaki soru tüccarın yakasını bir türlü bırakmıyor, onun bu manzarayı iç ferahlığıyla seyretmesine engel oluyordu. Sonunda, gecelik takkesini kulaklarına kadar indirip, kaftanını da entarisinin üzerine giyerek avluya inmeye karar verdi. Hanın tahta merdivenlerinden yalınayak inerken, bir ucu el biçimindeki tahta çubukla sırtını kaşıyordu. Han bekçisi, saçağın altındaki döşeğinde hâlâ uyumaktaydı. Tüccar avlunun çamurlu zemininde yalınayak yürüyerek bekçinin yanına gitti. Âdeti üzere, adamı incelerken avluda üçüncü bir kişi olduğunu farkedip o karanlık, kuytu köşeye baktı.

Karanlığın içinde, genç bir adama ait olduğu hemen belli olan bir gölge vardı. Tüccar, saçağa asılı feneri alarak gölgeye doğru ilerledi. Işık, delikanlının yaralı yüzünü aydınlatınca adam ne şaşırdı, ne de korktu. Delikanlıya,

– "Selamün Aleyküm" dedi, "Seni de uyku tutmuyor herhalde. Oysa bir hayli yorgun gibisin. Denizleri aşmış gibi bir halin var. Yerinde olsaydım rahat bir döşek bulur, uyurdum. Bu arada, adın ne senin?"

– "Bünyamin".

– "Demek öyle. Bu ad bizim memlekette bin Yemin diye telaffuz edilir. 'Sağ elin oğlu' demektir. Baban seni çok seviyor olmalı. Yoksa böyle bir ad koymazdı sana. Bir sıkıntın mı var senin? Bak, herkes şu dilenciler loncasındaki yangını seyretmeye gitmiş. Uyku tutmuyorsa sen de git bir bak istersen. Vakit geçirirsin".

– "Buna gerek yok. Zaten oradan geliyorum. Peki, sen niye gitmiyorsun?"

– "Burada benim için daha ilginç olan bir şey var. O yüzden sabaha kadar yangın mangın seyredemem doğrusu".

– "Nedir o?"

– "Çok macera yaşamış birine benziyorsun, delikanlı. O yüzden halden anlarsın. Şu gördüğün han bekçisi var ya! Hani az ileride, döşeğinde horlayan adam. İşte o benim ilgimi çekiyor. Sakın yanlış anlama, bende bir sapıklık falan yok. Yıllardır bu kente gelir giderim ve adamı hep uyur durumda bulurum. Geceleri onun su dökmeye kalktığını bile hiç görmedim. Ne yiyor, ne de içiyor. Sanki bu dünyaya uyumak için gelmiş. Kimseciklerin dikkatini çekmiş değil. Güya sakin sakin uyuyor ama, ne düşler görüyordur kimbilir. Düş gördüğü belli. Çünkü dudakları sürekli kıpırdıyor. İstersen buyur, gel. Adama yakından bakalım".

Bünyamin yerinden doğrulup tüccarla birlikte bekçinin yanına gittiğinde, adamın dudaklarının gerçekten de kıpırdadığını gördü. Aslında mahçup mizaçlı biri olan tüccar, belki de delikanlıdan cesaret alarak bekçinin apışarasını eliyle yokladıktan sonra, şaşırarak,

– "Aaa! Çişi geldiği için aleti sertleşmiş. Az sonra helaya su dökmek için kalkar herhalde" dedi.

Han bekçisi, tam da bu sözlerden sonra döşeğinde öteki tarafına döndü ve horlaması bir süre için sekteye uğradı. Horozlar ötmeye başladığında ise uyanır gibi oldu. Horlaması yerini bir tıslamaya bırakmıştı. Belli ki, aşırı sersemlikle tavşan uykusu arasında bir yerdeydi. Horozlar birbiri ardı sıra tekrar öttüklerinde, gecelik takkesi altından kafasını kaşıdı ve yatağında bir kez daha dönüp bu defa düzenli bir şekilde nefes almaya başladı. O esnada apışarasını kaşımayı da ihmal etmiyordu. Horozlar üçüncü kez öttüğü zaman öksürdü. Gelgelelim onun uyanma belirtilerinin tam tersini tüccarda görmek mümkündü. Çünkü han bekçisi, gözleri hâlâ kapalı olduğu halde serçe parmağıyla kulağını karıştırırken, bu adam artık esnemeye başlamıştı. Çok geçmeden tüccarın gözlerine uyku bulutları çöktü. Birdenbire bastıran bunca mahmurluğa rağmen uykusunun kaçmasından endişe ettiği için, delikanlıya bir eyvallah bile demeden yanından ayrıldı. Tahta basamakları sersem sepelek tırmandıktan sonra odasına girdi ve afyon ruhu emdirilmiş kuştüyü yastığa kafayı koydu.

Avluda han bekçisiyle yalnız kalan Bünyamin, neden telaşlandığını pek anlamadan, içindeki bir belirsizlik dürtüsüyle babası Uzun İhsan Efendi'nin atlasını hatırladı. Kitabı koynundan çıkarıp sayfalarını çevirdi ve bu kez adını tam olarak okudu. Puslu Kıtalar Atlası'ydı bu. Sayfaları karıştırırken birtakım tanıdık adlara rastlayınca şaşırmadı. Baştan sona kadar asla okuyamayacağı kitabın son bölümünü açıp rastgele bir yere baktı ve şu satırlar gözüne çarptı:

"Sevgili oğlum,

Bir zamanlar yaşadığım evin, geceyarısı eve dönerken taşıdığım o fenerin, duvardaki Acem halısının ve aslında gerçek bir kent olan Galata'da gördüğüm her şeyin sadece ve sadece benim zihnimdeki düşünceler olduğu fikri kafama saplandığında muhakeme gücümün zayıfladığına hükmetmiştim. Ama şimdi görüyorum ki, asıl bunu düşündüğümde yanılmışım. Çünkü onlar gerçekten de benim düşlerimdiler.

Bu fikrimi ilk kez Mihel çıkmazındaki kıraathanede Ali Said Çelebi'ye açmıştım. Biliyorsun, bu iyi niyetli adam bana neredeyse olağanüstü bir saygı duyar ve ne söylesem hemen inanır. Ona, oturup sohbet ettiğimiz bu kıraathanenin kahvecisinin, müşterilerinin ve yaşadığımız dünyada geri kalan ne varsa hepsinin, sadece benim düşüncemde olduklarını söylediğimde, parmağıyla kendisini işaret ederek, 'Ya ben?' diye sormuştu. Malum cevabı alınca nedense bir hayli hüzünlenmiş, kafasında kimbilir neler kurmuştu. Ali Said Çelebi, böylece, benim zihnimde yaşadığına inanan tek kişi oldu. Bunun onu fazlasıyla sarstığını söyleyemem. Çünkü ertesi günü bana bir derdini açtı: Dediğine göre Sultan Ahmet Camii'nin müezzinlerinden biri olmak istiyor, ama tahsili tutmasına rağmen, koruyanı kollayanı olmadığı için bu göreve bir türlü gelemiyordu. İşte bu yüzden kendisini, sözkonusu camiin müezzini olarak düşlememi rica etmekteydi. Gerçi onun bu isteğini yerine getirmem elbette mümkündü. Ama onun bu ricasını geri çevirdim. Fakat yakamı bırakmadı. Ertesi gün, koltuğunun altında bir kaz, elinde bir sepet yumurta ve bir top tereyağıyla kapımı çaldı. Ben de onun isteğini kısmen de olsa yerine getirmek zorunda kaldım. Ali Said Çelebi, müezzin olmasa bile, şimdi Sultan Ahmet Camii'nde mutemet olarak görevini ifa ediyor. Ama yaptığım iyiliği unutmuş olmalı ki, beni uzun süreden beri arayıp sormadı.

Sana gelince sevgili oğlum, sen de benim kim olduğumu, yemeden içmeden günlerce nasıl yaşadığımı, hayatımızı idame ettirdiğimiz paranın nereden geldiğini bana sormaya bir türlü cesaret edemezdin. Paranın geldiği yeri, inanmayacağını bile bile sana söylüyorum: Cebimde yüz akçe olması için zihnimde yüz akçe düşlemem yetiyordu. Seni artık şaşırtmak istemediğim için her şeyi söylemek istemiyorum. Ama gördüğün ve işittiğin ne varsa, hepsinin, şu zavallı babanın zihnindeki düşlerden ibaret olduğuna inan! Yine de birkaç şey bunun dışında tabii. Büyük dayın Arap İhsan, o muhteşem külhani, boşluğu ve karanlığı okuyan benim gibi bir korkağın, adım bile atmaya çekindiği gerçek dünyanın haritalarını çizen biriydi. Yıllar önce öldü, ama kahkahası hâlâ çınlıyor ve düşü zihnimde hâlâ yaşıyor. Onu neden mi düşledim? Belki de senin, biricik oğlumun onu tanımasını istedim, o kadar.

Çünkü her baba oğluna bir şeyler öğretmek, ona doğru ve gerçek olanı göstermek ister. Oysa benim sana, düşlerimden başka verebilecek bir şeyim yoktu. O yüzden sana, şimdi elinde tuttuğun garip kitabı verdim. Ama ne yazık ki Dünya'yı gösteremedim. Sana aslında Kâtip Çelebi'nin, *Cihannüma* adıyla tercüme edip bana bir nüshasını hediye ettiği *Atlas Minor* gibi bir eser bırakmak isterdim. Oysa dünyaya sırt çeviren benim gibi birinin zihninde Boşluktan başka ne olabilir ki? Kendisinden düşler yarattığım Boşluğun atlasını, *Atlas Vacui*'yi bu yüzden yazdım: Sen okuyasın diye değil, yaşayasın diye.

Zihnimde bir düş olan sevgili oğlum, işte böylece zavallı babanın yaşayamadıklarını yaşadın ve dokunamadıklarına dokundun. Bir babanın kendi oğlundan bekleyeceği şekilde kahraman değildin. Son derece silik ve mütevaziydin. Bununla birlikte, arada bir senin kulağına, karakterinle bağdaşmayacak sözler fısıldamadan edemedim. Çünkü düşler görmektense, boşluğun kendisine tapan insanlar karşısında küçük düşmeni istemedim. Sonunda, senin için düşlediğim macerayı yaşadın ve böylece senin için yazdığım atlası okumuş oldun. Artık benden öğreneceğin nihai şeyi öğrenmiş oluyorsun.

Ne var ki ben, kendimle ilgili bazı meseleleri hâlâ çözebilmiş değilim. Rendekâr düşünüyor olmasından varolduğu sonucunu çıkarıyor. Ben de düşünüyorum, dolayısıyla varım, ama kimim? Galata'da, Yelkenci Hanı bitişiğinde ikamet eden Uzun İhsan Efendi mi, yoksa bugünden tam üç yüz sekiz yıl sonra, sözgelimi İzmir'de oturan mahzun ve şaşkın adam mı? Hangimiz düş ve hangimiz gerçek? Düşünüyorum, o halde ben varım. Düşünen bir adamı düşünüyorum ve onun, kendisinin düşündüğünü bildiğini düşlüyorum. Bu adam düşünüyor olmasından varolduğu sonucunu çıkarıyor. Ve ben, onun çıkarımının doğru olduğunu biliyorum. Çünkü o, benim düşüm. Varolduğunu böylece haklı olarak ileri süren bu adamın beni düşlediğini düşünüyorum. Öyleyse, gerçek olan biri beni düşlüyor. O gerçek, ben ise bir düş oluyorum.

Senin için gerçek bir baba olmayı, saçlarını okşamayı, seni öpmeyi çok isterdim. Ama düşlere dokunmak mümkün olabilir mi? Sana bu yüzden hem çok yakın, hem de çok uzağım. Veda etmek benim için son derece zor. O yüzden, her ne kadar uzakta olsam da seni, o eski yakışıklı yüzünle, Aglaya'yla birlikte hep düşlemek istiyorum.

Hoşçakal oğlum. Hoşçakal sevgili, biricik düşüm."

Bünyamin gülümsedi. Atlası kapatıp koynuna soktu. Kendini son derece yorgun hissediyordu. Sabah ezanlarının okunmasına az kala, yattığı sedirde kaşınmaya hâlâ devam eden bekçinin yanına gitti ve adamı dürtüp uyandırmaya çalıştı. Bekçi, gördüğü düşün etkisiyle dudaklarını durmadan kıpırdatıyor, bir türlü uyanmak bilmiyordu. Fakat delikanlı onu adamakıllı sarsınca gözlerini açtı. Sabah olmuştu. Sanki yüzyıllık bir uykudan uyanan bekçi, yerinden doğrulup çevresine bakınca kendisini uyandıran kişiyi göremedi. Çünkü her taraf karanlıktı. Zaten görülen ve görülmeyen bütün düşler, bu karanlığın ta kendisi değil miydi?

SON

14 Eylül 1992
Karşıyaka